Linda Leaming

Das glücklichste
Land der Welt

Linda Leaming

Das glücklichste Land der Welt

Mein Leben in Bhutan

Aus dem Englischen von
Ursula Bischoff

Mit 17 farbigen Fotos

MALIK

Mehr über unsere Autorinnen, Autoren und Bücher:
www.malik.de

Erweiterte deutsche Taschenbuchausgabe
ISBN 978-3-492-40472-3
1. Auflage März 2013
6. Auflage September 2021
© Piper Verlag GmbH, München/Berlin 2013
© für die deutschsprachige Ausgabe Nymphenburger in der F.A. Herbig
Verlagsbuchhandlung GmbH, München 2011, www.herbig.net
Die deutsche Erstausgabe erschien unter dem Titel »Lachen im Land des
Donnerdrachen. Mein Leben in Bhutan«
© für die englischsprachige Originalausgabe Linda Leaming, 2011
Die englische Originalausgabe erschien 2011 bei Hay House, Inc., USA unter dem
Titel »Married to Bhutan. How one woman got lost, said ›I do‹, and found bliss«
Umschlaggestaltung: Dorkenwald Grafik-Design, München
Umschlagfotos: Paul Spierenburg/laif (vorne); ferretcloud – Fotolia.com (hinten
links); Ocean/Corbis (hinten rechts)
Autorenfoto: Steve Green
Fotos Bildteil: Joe Barker
Litho: Lorenz & Zeller, Inning am Ammersee
Satz: Fotosatz Amann, Memmingen
Druck und Bindung: CPI books GmbH, Leck
Printed in the EU

INHALT

Die Namen aller Personen und einiger Schauplätze wurden geändert, eine Verbeugung vor dem Nebelschleier, der Bhutan oft umhüllt. Ich habe so weit wie möglich die Veränderungen zu berücksichtigen versucht, die sich in den annähernd zwei Jahrzehnten meines Aufenthalts im »Land des Donnerdrachen« vollzogen haben, doch mir lag daran, Bhutans Gegenwart und Vergangenheit aus meiner ganz persönlichen Sicht zu schildern. Das Land und die Menschen unterliegen einem Wandel von ungeheuren Ausmaßen, doch die Werte, die wichtig sind – Familie, Kultur, Humor –, wurden bewahrt. Das kleine Häuschen außerhalb der Hauptstadt Thimphu, das wir früher bewohnten, steht noch, doch die Ansiedlung selbst wurde in eine große Schule umgewandelt.

Das Bhutan, dem mein Herz gehört, ist ländlich und geprägt von Religion, Aberglauben, wunderbaren Freunden und Familienangehörigen, harter Arbeit und atemberaubender Schönheit. Es entspricht nicht meiner Art, mit Begriffen wie *makellos* um mich zu werfen, doch in Bhutan passiert mir das ständig. Die meisten Menschen, die auf den nachfolgenden Seiten beschrieben sind, werden dieses Buch nie in die Hand nehmen. Meine Leser in Bhutan gehören zu den Intellektuellen, den Bewohnern großer Städte wie Thimphu: gebildet, scharfsinnig und selbstkritisch in einem Maß, das viele Menschen aus dem Westen in Erstaunen versetzen würde, aber in dieser Hinsicht verhalten wir uns bisweilen ein wenig gönnerhaft. Aus diesem Grund könnten die kultivierten Bhutaner Anstoß an meiner Beschreibung ihrer Lebenswelt nehmen, wenn ich beispielsweise darauf beharre, dass sie eine andere Einstellung zur Zeit haben und es im Berufsleben mit der Pünktlichkeit nicht immer sehr genau nehmen. Ich bitte sie daher um Nachsicht. Wir wissen ja oft erst dann zu schätzen, was wir haben, wenn es unwiederbringlich verloren ist.

Ich mache keinen Hehl aus meiner Überzeugung, dass meine bhutanischen Freunde und Familienangehörigen wesentlich mehr in Einklang mit ihrer Umwelt leben als viele andere Menschen auf der ganzen Welt. Ich kann auch in dieser Hinsicht einiges von ihnen lernen, nicht zuletzt Geduld. Alles, was ich über Bhutan schreibe und weiß, basiert auf den Erfahrungen einer Außenstehenden, die das große Glück hatte, an diesem einzigartigen Fleckchen Erde mit offenen Armen aufgenommen zu werden. Für mich begann damit ein völlig neuer Lebensabschnitt, ähnlich wie bei einer Heirat. Mein Herz gehört Bhutan, dem ich mich zutiefst verbunden fühle, in guten wie in schlechten Tagen, im Glück und im Unglück.

*Genau wie Alice, die durch den Spiegel ging
und sich in einer neuen und skurrilen
Welt wiederfand, hatten wir nach Überqueren
des Pa Chu das Gefühl, in eine magische
Zeitmaschine geraten zu sein, die mit
einem Rückwärtsgang ausgerüstet war und
uns eine phantastische Reise in die
Vergangenheit ermöglichte.*

Lord Ronaldshay, britischer Gouverneur
von Bengalen, beim Überqueren des Pa Chu*,
der ihn 1921 nach Bhutan führte

* Chu bedeutet Fluss.

Vor einigen Jahren rief mich ein Freund aus London an, um mir mitzuteilen, dass er im März beruflich in Bhutan zu tun habe; bis zu seiner Abreise waren es nur noch wenige Wochen. Er hatte bisher jedoch noch keine Informationen über das Reisearrangement, das Projekt, die Unterbringung, den Arbeitsablaufplan oder das Honorar erhalten, sondern wusste nur, dass man großen Wert auf seine Mitarbeit legte. »Ich kann machen, was ich will, meine E-Mails bleiben unbeantwortet«, erklärte er aufgebracht.

»Das liegt daran, dass die Bhutaner grundsätzlich nicht auf E-Mails reagieren«, versuchte ich ihn zu beschwichtigen.

»Das soll wohl ein Witz sein.«

»Keineswegs.«

»Telefonisch kann ich auch niemanden erreichen.«

»Was für einen Monat haben wir denn?« Ich wusste, dass in Europa Winter war, aber das genaue Datum kannte ich nicht.

Ein vielsagendes Schweigen trat ein. »Heute ist der 2. Februar«, lautete die knappe Antwort.

»Im Februar geht niemand ans Telefon«, klärte ich ihn auf. »Wieso denn das, um Himmels willen? Sind alle ausgewandert?« »Gewissermaßen. Im Winter geschieht hier nicht viel.« Ich erklärte ihm, dass die Regierungsbüros im Winter kürzere Arbeitszeiten einführen. Im November zieht der *Je Khenpo*, ranghöchster Abt und spirituelles Oberhaupt Bhutans, mit seinen rund achthundert Mönchen von Thimphu in das Winterquartier des Klosterordens nach Punakha um, eine Kleinstadt in einem der benachbarten Täler. Er folgt damit einem uralten Brauch, der sich vermutlich auf die Tatsache zurückführen lässt, dass in Punakha ein gemäßigtes Klima herrscht und die Wintermonate milder sind. Außerdem ist Bhutan überwiegend ein Agrarstaat, in dem Migration auch heute noch gang und gäbe ist. Die Menschen begeben sich mit ihren Herden auf Wanderschaft, auf der Suche nach besseren Weidegründen und Wetterbedingungen, die ein längeres und üppigeres Wachstum von Gras zulassen. Der Aufbruch der Mönche ist das offizielle Zeichen, dass der Winter begonnen hat. Inoffiziell signalisiert er den bhutanischen Männern, dass sie nun Strumpfhosen oder lange Baumwollhosen unter ihrem *Gho* tragen dürfen, der traditionellen Kleidung, die einem Bademantel oder japanischen Kimono gleicht. Die Bhutaner sind angehalten, beim Besuch der Tempel oder Regierungsbüros ihre Nationaltracht anzulegen, den *Gho* für die Männer und die *Kira* für die Frauen, ein knöchellanges Kleid, das einem Sarong ähnelt und aus einer kompliziert gewickelten Stoffbahn besteht. Das ist sowohl ein Gebot des Nationalstolzes als auch eine Garderobe, die keine sozialen Unterschiede erkennen lässt.

Ich kam wieder auf die wandernden Mönche zu sprechen. »Wenn das Frühjahr naht, im April oder Mai, kehren der *Je Khenpo* und sein Gefolge nach Thimphu und Trashichhodzong zurück, dem Regierungssitz, und die Männer tragen den Sommer über nichts mehr unter ihrem *Gho*. Sie machen eine Stunde früher Feierabend, weil es eher dunkel und kalt in den Büros wird«, fuhr ich fort, in der Hoffnung, dass er mir noch zuhörte. »Das ist auch der Grund für die Strumpfhosen. Die Kälte.« Ich verstummte.

»Okay, okay, okay, okay, O-KAY!«, erwiderte er. »Wandernde Mönche, die STRUMPFHOSEN tragen, interessieren mich nicht.« Seine Stimme klang schrill. »Ich verstehe ja, dass man für die Staatsdiener im Winter kürzere Arbeitszeiten einführt, vor allem in einem gebirgigen Land, in dem es keine zuverlässigen Heizmöglichkeiten gibt. Aber es bleiben trotzdem sieben Stunden am Tag, wo sie sich offiziell im Büro aufhalten müssten. Habe ich recht?«

»Nicht unbedingt«, warf ich vorsichtig ein. »Die Büros öffnen um neun und die Beamten erscheinen meistens rechtzeitig – um Punkt Viertel vor zehn. Vorher bringen sie ihre Kinder zur Schule und den Schwager zur Bushaltestelle. Am Arbeitsplatz angekommen, machen sie zunächst einmal ihre allmorgendliche Teepause. Die dauert ungefähr eine Dreiviertelstunde. Im Anschluss daran tauschen sich die Arbeitskollegen aus, erkundigen sich, was es Neues gibt, was sich bei der letzten Folge der indischen Seifenoper zugetragen hat, die alle anschauen, und spielen vielleicht noch ein paar Runden Solitär am Computer. Inzwischen ist es halb zwölf.«

»Richtig.«

»Die Mittagspause beginnt um Punkt eins, deshalb machen sie gegen zwölf Uhr Schluss, um vor dem Essen noch ein paar Besorgungen zu erledigen. Zum Beispiel die Stromrechnung bezahlen, die Autoreifen aufpumpen oder den Schwager von der Bushaltestelle abholen und irgendwohin bringen. Dann fahren sie zum Essen nach Hause oder treffen sich mit Freunden in einem Restaurant in der Stadt.«

»Und die Mittagspause dauert eine Stunde?«

»Nein, eine halbe Stunde. Sie kehren also gegen halb drei oder drei ins Büro zurück.«

»Aha.«

»Genau. Und dann ist es Zeit für –«

»Die Teepause am Nachmittag!«

»Ja!«, antwortete ich begeistert. Endlich begriff er, wie der Hase lief. »Und danach ist Feierabend.«

Am anderen Ende der Leitung herrschte Schweigen.

»Sie werden sich schon bei dir melden, wenn es so weit ist«, ermunterte ich ihn. Mein Freund erklärte, das müsse er erst einmal verdauen. Er legte auf.

Ich gebe zu, dass ich ein wenig übertrieben hatte. Doch damals – vor mehr als zehn Jahren – war Bhutan ein Land, das im Dornröschenschlaf lag. Es gab nur wenige Dinge, die dringlich schienen. Der Weckruf erfolgte erst 2006, als der vierte liberale Herrscher des Königreichs Bhutan eine öffentliche Erklärung von historischer Bedeutung abgab. Er sagte, sein Volk werde vielleicht nicht immer einen fähigen, guten Regenten haben. Das Land müsse demokratisch werden. Trotz intensiver Nachforschungen konnte ich keine einzige Situation in der weltweiten Geschichte entdecken, in der ein König freiwillig, ohne Krieg oder Revolution, zugunsten der Demokratie abdankte. Mit der Einführung der konstitutionellen Monarchie wurde das Volk angespornt, politisch aktiv zu werden. 2008 fanden erstmals Parlamentswahlen statt. Seither kommen die Bhutaner in aller Frühe ins Büro und bleiben bis tief in die Nacht, ein bedauerlicher Wandel, wie ich finde.

Bhutan wirkt auf die Außenwelt bisweilen ein wenig unwirklich. Viele Menschen wissen nicht einmal genau, wo es liegt. Einige meiner Freunde glauben noch immer, das Land sei ein Hirngespinst, eine Ausgeburt meiner Phantasie. Auf die Ankündigung, dass ich nach Bhutan übersiedeln wolle, um dort zu leben und zu arbeiten, folgte unweigerlich die Frage:»Butän? Wo soll das sein?«

»In der Nähe von Afrika«, entgegnete ich, um sie aus dem Konzept zu bringen.»Dort werden vor allem Wegwerffeuerzeuge hergestellt.«

Sie nickten verständnisvoll.

Nur wenige Menschen haben von Bhutan gehört. Das ist ein Armutszeugnis für die Welt, die von der Existenz des Landes Kenntnis haben sollte, aber gut für Bhutan, das im schwer zugänglichen Hochgebirgsmassiv des Himalaja zwischen Tibet und Indien eingebettet ist. Das kleine buddhistisch geprägte Königreich kann ohne nachhaltige Einflüsse der Außenwelt gedeihen und seine Identität bewahren. Ein Shangri-La in unserer heutigen Zeit, gehört es zu den anziehendsten und faszinierendsten Orten auf unserem Planeten.

Thimphu, die Hauptstadt, befindet sich in einem Tal, das die Form einer Schüssel aufweist, und hat rund 100 000 Einwohner, aber keine Verkehrsampeln. Der Umwelt zuliebe gibt es kein Styropor und nur wenige Plastiktüten, entsprechend einem Erlass des zuvor erwähnten Königs: Er war ein aufgeklärter, weitsichtiger Monarch, vom dem überliefert wurde, das»Bruttosozialglück« der Bevölkerung sei wichtiger als das Bruttosozialprodukt. Die Herstellung von Rum und Scotch Whisky ist den Streitkräften vorbehalten und die Regierung verteilt kostenlos Kondome an alle Bürger: gerippt, mit Geschmack oder mit Punkten, ganz nach Wahl. In Bhutan werden zwei unterschiedliche Kalender angewendet, der gregorianische und ein eigener Mondkalender, in dem Feiertage wie »Gesegneter Regentag« und »Das Zusammentreffen der neun bösen Geister« vermerkt sind. Der doppelte Kalender ist eine anschauliche Metapher für die Grundeinstellung der Bhutaner: Sie sind ungeheuer anpassungsfähig, integrieren ihre althergebrachten Sitten und Gebräuche nahtlos in ein Leben nach dem Muster der restlichen Welt. Sie legen großen Wert darauf, ihr Land zu modernisieren, doch der Erhalt der Traditionen liegt ihnen gleichermaßen am Herzen. Ein Balanceakt ohnegleichen.

Diese Gratwanderung zwischen Tradition und Moderne findet auch in Thimphu und Umgebung statt, wo Geldautomaten wie Pilze aus dem Boden schießen, und inzwischen haben sich drei Banken in Bhutan niedergelassen. Es dauerte eine Weile, mehr als fünf Jahre, bis die Geldautomaten Anklang bei der Bevölkerung fanden, die sie zunächst mit gemischten Gefühlen betrachtete. Die bhutanische Währung, Ngultrum, wurde erst in den 1960er-Jahren eingeführt; vorher wurde viel Tauschhandel getrieben oder die indische und tibetische Währung benutzt. Getauscht wird noch immer: Die Menschen haben sich eine gesunde Einstellung zum Geld bewahrt und messen ihm einen geringen Stellenwert bei. Wenn sie Geld haben, wird es ausgegeben. Wenn nicht, pumpen sie notfalls Freunde oder Verwandte an.

In der Hauptstadt herrscht reger Verkehr; mehr als 10 000 Autos drängen sich in den engen Straßen; sie repräsentieren achtzig Prozent aller Fahrzeuge im Land. Verlässt man Thimphu, hat man die Straße mehr oder weniger für sich alleine. Es ist jedoch ratsam, auf die indischen *Tata*-Lkws zu achten, die mit Karacho über die schmalen Bergstraßen brettern und indische Nahrungsmittel kurz vor dem Ablaufdatum in die entlegenen bhutanischen Dörfer transportieren. Die mit bunten Gesichtern bemalten Motorhauben wirken übermütig und bedrohlich zugleich. Wenn sie nicht bis zum Anschlag mit Waren beladen sind, befördern sie in den höhlenartigen Zwischenräumen auf der Ladefläche eine menschliche Fracht, dienen als Behelfstaxis und Busse. Da der Weg über steile, kurvenreiche Serpentinen führt, ist diese Art zu reisen alles andere als angenehm, wovon die eingetrockneten Reste von Erbrochenem an den Seiten der Lkws zeugen, aber sie kostet nichts.

Direkt neben den Straßen verlaufen oft Flüsse, in denen viele Leute baden oder ihre Wäsche waschen. Die Straßen dienen auch als behelfsmäßiger Treffpunkt der Bewohner aus den umliegenden Dörfern, wo man Nutztiere zur Paarung zusammenbringt und Gemüse oder Käse verkauft, Bambusstangen spaltet oder Getreide trocknet.

Die Bauern und ihre Familien, die von der Landwirtschaft leben, stellen die größte Bevölkerungsgruppe dar; die Mönche, einschließlich der Gruppen, die ihr Leben dem Gebet um den Weltfrieden gewidmet haben, repräsentieren ebenfalls einen beträchtlichen Anteil der Bevölkerung. Es gibt eine unendlich vielfältige Flora und Fauna mit Spezies, die in anderen Teilen der Welt vom Aussterben bedroht sind, darunter mehr als 480 bekannte essbare Pilzarten (dem Vernehmen nach ein Viertel aller globalen Bestände), und Wasserkraft im Überfluss. Während der Monsunzeit im Sommer gehört Bhutan zu den niederschlagsreichsten Regionen der Erde. Es ist durch den Stromexport nach Indien zu Wohlstand gelangt.

Bhutan befindet sich gleichwohl in einer prekären Lage. Durch den Klimawandel schmelzen die Gletscher im Norden des Landes rapide. Die Gletscherseen führen oft Hochwasser, drohen die Täler zu überfluten, in denen sich die menschlichen Ansiedlungen befinden. Bhutan ist eine friedliche, wenngleich gefährdete Idylle.

In Städten wie Thimphu, Paro und Phuentsholing hat das moderne Leben Einzug gehalten: Hier wurde eine kleine Anzahl Internetcafés eröffnet, die sich großer Beliebtheit erfreuen. Es gibt inzwischen auch Fernsehen: Die Lokalsender bieten 35 Kanäle und das Satellitenfernsehen ist im Kommen. Journalisten, die das Land für einige Tage oder Wochen besuchen und danach ausführliche Artikel oder Bücher schreiben, erwähnen gerne, dass es bis 1999 in Bhutan kein Fernsehen gab und diese Berührung mit dem Rest der Welt jetzt die Denkweise der Bevölkerung korrumpiert. Das ist nur bedingt richtig. Viele Bhutaner hatten schon vor 1999 eine geschmuggelte Satellitenschüssel auf dem Dach, um fernzusehen, oder besaßen Videorekorder und DVD-Spieler, um Filme anzuschauen. Ein durchschnittlicher bhutanischer Haushalt, der über ein Fernsehgerät verfügt, kann Nachrichten aus Indien, China, Korea, Japan, Deutschland, Amerika und Großbritannien empfangen. Das klingt positiv. Und selbst die Bewohner der entlegensten Dörfer sind überraschend weltläufig: Auch wenn sie wenig Erfahrungen im Umgang mit der großen weiten Welt besitzen, was den Umgang mit den universalen Belangen der Menschen betrifft, macht ihnen niemand etwas vor.

Dem lokalen Rundfunk- und Fernsehsender Bhutan Broadcasting Service, kurz BBS genannt, haben sich inzwischen mehrere neue Hörfunksender hinzugesellt, die eine Bereicherung der Szene darstellen. Jeden Nachmittag wird die Talkshow der bekannten US-Fernsehmoderatorin Oprah Winfrey ausgestrahlt, genau wie die Nachrichten des CNN-Journalisten Larry King. Wir können Sendungen mit dem US-Komiker Jay Leno, die Late-Night-Show von David Letterman und das Programm von HBO empfangen, eine amerikanische Sendergruppe, die Hollywood-Spielfilme und Serien bringt. Auf der Beliebtheitsskala ganz oben steht auch eine indische Talkshow, *Koffee with Karan*, mit einem »Lie-O-Meter«, der auf dem Bildschirm erscheint, wenn Karan den Verdacht hat, dass ein Gast flunkert. Wir lieben die Bollywood-Seifenopern, die genauso glamourös sind wie ihre Cousinen aus der amerikanischen Traumfabrik. Hohe Einschaltquoten erzielen auch Endlosserien wie *Desperate Housewives* und *American Idol* (die deutsche Entsprechung ist *Deutschland sucht den Superstar*) sowie zahlreiche Realityshows und deren Ableger. Der derzeit größte Renner ist *Druk Star*, ein hausgemachter »Bhutan sucht den Superstar«-Wettbewerb. Die indische Superstarvariante lief schon seit Jahren. Die Wertschöpfung war die gleiche wie bei einem Highschool-Talentwettbewerb, doch in Indien – einem Land mit mehr als einer Milliarde Einwohner, von denen viele ein Handy besitzen – entpuppte sich die Sendung als sensationelles Spektakel. Einmal entbrannte regelrecht ein Aufstand, weil es den Anschein hatte, als würde der indische Moderator den Gewinner diskriminieren, der nepalesischer Herkunft war. Die Bhutaner blicken aus ihrem himmelsnahen Adlerhorst auf Indien herab und genießen die hochdramatischen Inszenierungen. Die überschwänglichen, emotionalen Inder gelten als die Italiener Asiens und bilden einen wunderbaren Gegenpol zu den ruhigen, ausgeglichenen Bhutanern.

Geografie, Religion und Kultur haben die Bhutaner geprägt, die völlig anders denken als die Menschen in der westlichen Sphäre. Das ist weder gut noch schlecht; es ist einfach so, wie es ist. Das Leben vollzieht sich hier in einem langsameren Tempo. Die Bhutaner scheinen »eingebaute« Stressabwehrmechanismen zu besitzen. Sie neigen zu Selbstbeobachtung und Selbstanalyse und sind vertraut mit den geopolitischen Gegebenheiten der Region, in der sie leben. Sie wissen aber auch erstaunlich viel über den Rest der Welt. Ein kleines Land muss lernen, über seine Grenzen hinauszublicken.

Paradoxerweise hat Bhutan, seit Jahrhunderten eine Agrargesellschaft, seine Identität in der Isolation entwickelt. Bis zu einem gewissen Grad selbst auferlegt, ist diese Abschottung aber auch eine Folge der Geografie, der klimatischen Bedingungen und des Karmas.

Die Berge im Norden, Westen und Osten und die undurchdringlichen Dschungel im Süden des Landes stellen natürliche Barrieren dar, die Bhutaner im Lande und den Rest der Welt draußen halten. Der Transport von Menschen und Waren durch die zerklüfteten Gebirgszüge des Himalaja ist ein Abenteuer, auf das sich nur wenige einlassen; es führen nur drei sehr enge Straßen ins Landesinnere und die Flüge der bhutanischen Druk Air sind auf einen oder zwei am Tag beschränkt. Buddha Air, eine nepalesische Fluggesellschaft, nahm Bhutan erst im August 2010 als Anflugziel in ihr Programm auf. Noch heute ist kein Land der Welt so schwer zugänglich und auf sich selbst fokussiert.

Bhutan ist so weit von meinem Elternhaus in Nashville, Tennessee, entfernt, wie man es sich nur vorstellen kann: Dazwischen liegen zwölf Zeitzonen und eine Reise von epischen Ausmaßen, die bis zu 36 Flugstunden dauern kann und mindestens ein viermaliges Umsteigen erfordert. Doch es lohnt sich, diese Unbequemlichkeiten auf sich zu nehmen. Die reich bewaldeten Berge und geschützten Täler in Bhutan sind ein Paradies auf Erden, eine der letzten unberührten Regionen der Welt.

Trotz aller Veränderungen folgen wir in Bhutan unserem eigenen Rhythmus. Das Land verschlief die industrielle Revolution und die beiden Weltkriege, und der Beginn eines neuen Millenniums, das dem Rest der Welt das Y2K-Computerproblem bescherte, wurde nur verschwommen wahrgenommen; schließlich handelte es sich ja nur um den Beginn einer weiteren langen Abfolge von Jahrhunderten.

Im Jahr 2007 wurde der 100. Jahrestag der Monarchie in Bhutan begangen. Vorher wurde Bhutan von den gewählten *Druk Desi* (politisch-administrative Staatsmänner) regiert, die weltlichen Statthalter wurden *Pönlop* genannt und der *Je Khenpo* war das geistliche Oberhaupt. Da das Jahr 2007 laut Horoskop kein Glück verheißendes Jahr war, wurden die Feierlichkeiten erst im November 2008 abgehalten. In Bhutan lässt man sich mit dem Fluss der Zeit treiben, komprimiert oder erweitert sie je nach Bedarf.

Dass die Bhutaner es ablehnen, sich von der Uhr beherrschen zu lassen, gefiel mir besonders gut, als ich das Land 1994 zum ersten Mal besuchte. Diese Eigenart mag verschroben und gewöhnungsbedürftig erscheinen, vor allem bei Menschen aus dem Westen, die extrem zeitbewusst und immer in Eile sind, doch sobald man sich auf den Lauf der Dinge eingestellt hat, wird das Leben unendlich bereichert. Das Land arbeitet seit Jahren an einem Projekt, das inoffiziell als BST bezeichnet wird (Bhutan Stretchable Time), der Einführung einer »dehnbaren« Zeit. Wenn man beispielsweise um zehn Uhr morgens eine Verabredung hat, wäre es demzufolge völlig in Ordnung, ungefähr eine Stunde früher und eine oder zwei Stunden später auf der Bildfläche zu erscheinen. Das ist ein großes Zeitfenster. Man darf getrost davon ausgehen, dass die Person, mit der man sich trifft, ebenfalls zu spät kommt. Man nimmt Platz, wartet und trinkt eine Tasse Tee. Damit kann man immer rechnen.

Meine Freunde und Familienangehörigen in Amerika fanden es früher höchst irritierend, wenn ich auch nur ein paar Minuten zu spät eintraf. Meine Mutter sagte oft, ich würde noch zu meiner eigenen Beerdigung zu spät kommen. (Worauf ich zu erwidern pflegte, dass man Klischees meiden sollte wie die Pest.) Amerikaner reagieren gereizt, wenn man zehn Minuten zu spät erscheint, wobei es sich in Wirklichkeit um eine Viertelstunde handelt, weil alle fünf Minuten zu früh eintreffen. In Bhutan hat man ein anderes Zeitverständnis: Man taucht immer zum richtigen Zeitpunkt auf, ungeachtet der Pünktlichkeit.

Wenn man einen Termin vereinbart, zum Beispiel eine Einladung zum Essen ausspricht oder einen Klempner bestellt, der Leitungen reparieren soll, sagt ein Bhutaner: »Ich komme Mittwoch.« Das genügt ihm als Zeitrahmen. Solange jemand in einem Zeitfenster von 48 Stunden, also Mittwoch oder Donnerstag, vor der Tür steht, ist alles in bester Ordnung. Dieser flexible Umgang mit der Zeit ist uralt.

Vielleicht wurzelt er darin, dass bis vor Kurzem – und in manchen Regionen des Landes noch heute – weite Entfernungen zurückgelegt werden müssen, normalerweise zu Fuß, und niemand genau sagen kann, wie lange man dafür braucht. Wenn jemand im Spätsommer aus einem benachbarten Dorf zu Besuch kommt, muss er auf seinem einsamen Bergpfad vielleicht anhalten und in Windeseile einen Baum erklimmen, um sich vor einem Bären oder Berglöwen in Sicherheit zu bringen, und das kann aufhalten. Umgekehrt trifft er vielleicht früher ein als erwartet, weil der Bär oder Berglöwe Jagd auf ihn macht. Der Gedanke, dass er überhaupt nicht mehr auftaucht, weil er zum Mittagessen verspeist wurde, ist wesentlich unangenehmer als Unpünktlichkeit. Doch eine kleine Warnung vorweg: Bären und Berglöwen können ebenfalls auf Bäume klettern.

In Bhutan verläuft die Zeit nicht linear, sondern zyklisch. Die Einwohner leben in Einklang mit den Jahreszeiten, die sich fortwährend wiederholen, statt voranzuschreiten. Sie glauben auch an die Reinkarnation, den endlosen Kreislauf von Geburt und Wiedergeburt, vom Entstehen und Vergehen. Die Wahrnehmung von Zeit beeinflusst viele Dinge im Leben. Bei den Bhutanern fällt die Qualität der Zeit stärker ins Gewicht als die Quantität. Sie beherrschen die Kunst, im Hier und Jetzt zu leben.

Ich gehöre zu den Menschen, die festgefügten Regeln und Strukturen noch nie etwas abgewinnen konnten. Ich mag nicht einmal Notizbücher mit liniertem Papier. Es gibt für meinen Geschmack ein Übermaß an einengenden Strukturen in der Welt: zu viele Versicherungen und Rechtsstreitigkeiten, zu viele Kreditkarten, Rezepte, Formulare, Taxis,

Hypotheken, Verpflichtungen, unbefriedigende berufliche Tätigkeiten, zu viel Verkehrschaos und Gewalt – gepaart mit ungeheurem Druck und infolgedessen Angst.

Was fehlt, ist ein gesundes Gleichgewicht. In den USA und der westlichen Welt sehnt man sich nach Seelenfrieden, ein geradezu spürbares Bedürfnis. Doch es gelingt uns nicht, dem »Hamsterrad« zu entfliehen, das unser Verderben ist. Bhutan hat eine heilsame Wirkung, führt den Menschen eine andere Lebensweise vor Augen.

Meine Wandlung, mein großer Aha!-Moment, erfolgte eines Morgens auf dem Weg zur Arbeit. Ich war seit einigen Monaten für eine kleine »Kulturschule« außerhalb von Thimphu tätig, die traditionelles Wissen und Handwerk vermittelt, und brauchte vierzig Minuten, um dorthin zu gelangen. Falls nötig, hatte ich einen Spielraum von fünf Minuten zur Verfügung. Doch statt die Straße zum Forestry Checkpoint zu nehmen, die an der großen Gebetsmühle vorbei durch das winzige, an einem Berghang gelegene Dorf Semtokha führte, folgte ich einem Pfad. Er wurde für den Viehtrieb benutzt und verlief hinter meinem Haus bergauf, bevor er zu einer steilen Schlucht abfiel; er mündete auf dem Gelände des National Mushroom Center von Bhutan, das sich in staatlicher Hand befindet. Es handelt sich dabei um ein großes quadratisches Gebäude mit nur wenigen Büros und einem »Pilzproduktionszentrum« (einer großen Halle mit Regalen, in denen Apfelsaftflaschen, die Sägemehl und Pilzsporen enthalten, in Reih und Glied stehen). Dann ging es flott weiter über einen Parkplatz, bevor ich auf fünf strategisch platzierten Trittsteinen einen reißenden Bach durchqueren und über eine Betonmauer von einem halben Meter

Höhe neben den Latrinen klettern musste, die sich unweit der Unterkünfte für die männlichen Studenten des Instituts für Sprache und Kultur befanden. Danach gelangte ich auf einer Schotterstraße zum Semtokha Dzong (einer dreihundert Jahre alten Klosterfestung) und von dort auf einen Viehweg, der am Haus des Waldhüters vorbeiführte, stieg zwei aus Holzscheiten geschnitzte Leitern hinauf und hinab, die zu beiden Seiten eines mit Stacheldraht versehenen Zauns lehnten, und eilte über eine steil abfallende Bergwiese am Dzong, am Speisesaal der Schüler und am Haus des Rektors vorbei bis zum Paradeplatz neben der Schule, wo die Morgenversammlung stattfand.

Eines Morgens stand ich wie immer mit einer Handvoll meiner Lehrerkollegen auf dem vom Tau getränkten Gras und wartete darauf, dass sich die Schüler in Reih und Glied aufstellten und die Nationalhymne anstimmten, bevor eine kurze Begrüßung und die aktuellen Ankündigungen des Schulleiters erfolgten. Ich betrachtete die schmale Straße, die sich ungefähr in zweieinhalb Kilometer Entfernung rund um das Babesa-Tal unterhalb der Schule schlängelte. Der Wang Chu, eingehüllt in frühmorgendlichen Dunst, der von der blau schimmernden Oberfläche aufstieg, die umliegenden Bauernhäuser, grünen Reisfelder und zu allen Seiten hoch aufragenden, schneebedeckten Gipfel des Himalaja boten eine malerische Kulisse, die einer Seite des *National-Geographic*-Magazins entsprungen zu sein schien. Nach dem zielstrebigen Weg zur Arbeit, der mir akrobatisches Geschick abverlangte, fühlte ich mich mit einem Mal nicht mehr ausgelaugt und erholungsbedürftig für den Rest des Tages wie so oft in den Wochen zuvor, sondern vielmehr gestärkt, voller

Tatendrang und imstande, die Welt zu erobern – oder bhutanischen Teenagern Englisch beizubringen. Der Weg hatte mich nicht ermüdet, sondern mich im Gegenteil mit neuer Energie erfüllt. Ich hatte das Hamsterrad gegen das karmische Rad, das Schicksalsrad, eingetauscht, das mir gleichermaßen verrückt erschien. Es war ein Augenblick unbeschreiblichen Glücks.

Ich dachte an die Arbeitswege in meinem früheren Leben, an die 45-minütige Fahrt auf der Autobahn, um morgens ins Büro zu gelangen, wobei ich mich im Rückspiegel zu schminken pflegte, sobald der Verkehr ins Stocken geriet. Ich war dankbar, dass ich an einem Dunkin Donuts vorbeikam, weil ich mir unterwegs einen Kaffee kaufen konnte, war dankbar, dass mein Auto eine Haltevorrichtung für Trinkbecher besaß, und war dankbar, wenn kein Unfall passierte, der die freie Fahrt behinderte. Während der ganzen Fahrt machte ich mir Sorgen, dass meine Firma Arbeitsplätze abbauen könnte, fragte mich, ob sie mich wenigstens so lange behalten würden, bis das Auto abbezahlt war, das ich fuhr. Das Autoradio war mein Hirte, der Verkehrsbericht meine Bibel.

Ich überlegte, wie ein Verkehrsbericht über meinen Weg zur Arbeit während der morgendlichen Hauptverkehrszeit in Bhutan klingen mochte, und lachte. *Auf dem Viehweg wurde bisher kein Stau gemeldet. Die Herden von Ap Khandu befinden sich auf den Weiden an der Überführung, sodass man bis zum Pilzzentrum auf keinen einzigen Kuhfladen trifft. Vorsicht ist jedoch unweit der Jungenlatrinen geboten – im Schlamm könnte sich die eine oder andere Überraschung verbergen. Und geben Sie bitte ebenfalls acht beim dritten Trittstein, wenn Sie den Bach durchqueren. Er war heute Morgen ein wenig wackelig.*

Solche Entdeckungen macht man, wenn man gezielt nach anderen Dingen Ausschau hält. Der Trick besteht darin, die Welt mit wachem Blick zu betrachten, was zugegebenermaßen schwerer sein dürfte, als es scheint. Sinn für Humor kann dabei eine große Hilfe sein, genau wie die Bereitschaft, anzunehmen, was kommt – sei es gut, schlecht oder völlig unerwartet.

Ein Mann begegnete dem Buddha,
nachdem dieser erleuchtet worden war.
Er erstarrte vor Ehrfurcht angesichts seiner
strahlenden Gestalt.
»Was bist du?«, fragte er ihn.
»Bist du eine Art himmlisches Wesen?
Vielleicht ein Gott?«
»Das bin ich nicht«,
antwortete der Buddha.
»Nun, bist du ein Magier oder
Zauberer?«
»Das bin ich nicht«, erwiderte der
Buddha abermals.
»Bist du ein Mensch?«
»Das bin ich nicht.«
»Was bist du dann?«
»Ich bin erwacht«,
antwortete der Buddha.

Ich erwachte in Punakha, im August 1994.

Zwei Tage in Bhutan und schon kam mir der Rest der Welt wie ein ferner Traum vor. Das idyllische, abgeschottete Himalaja-Tal auf dem Dach der Welt mit den sanft abfallenden Reisterrassen und kleinen Bauernhöfen, die die Landschaft sprenkelten, nahm mich gefangen, schien voller Verheißung.

Bei meiner Rundreise durch das Land war auch ein zweieinhalbtägiger Aufenthalt in Punakha vorgesehen. Da ich außerhalb der Touristensaison reiste, war ich der einzige Gast im Hotel Zangtopelri, einer weitläufigen Anlage auf einer Anhöhe am Südende des Tals. Die Zimmer befanden sich in kleinen Gästehäusern; sie waren rund um das Hauptgebäude errichtet, in dem sich eine große Empfangshalle und ein Restaurant befanden. Es war Luxus pur, das gesamte Hotelpersonal für mich alleine zu haben, das aus ungefähr zwanzig männlichen und weiblichen Bediensteten bestand. Sie ließen mir ihre gesamte Aufmerksamkeit zuteilwerden und lasen mir jeden Wunsch von den Augen ab, sodass ich beim Abendessen meinen Blick nur auf ein leeres Glas zu richten brauchte, und schon eilten vier Ober mit schwappender Wasserkaraffe herbei.

Mein Entschluss, einen Abstecher in das »Land des Donnerdrachen« zu machen, war von bhutanischen Freunden ermutigt worden, die ich Anfang der 1990er-Jahre bei den Vereinten Nationen in New York kennengelernt hatte. Ich hatte eine lange Besichtigungstour durch Indien und Europa geplant, also änderte ich meine Route ein wenig und fügte zwei Wochen Bhutan ein. Allein der Name klang faszinierend und exotisch, in meinen Augen zwingende Gründe, ein Land zu erkunden. Es war also gewissermaßen eine Marotte, die mich zum ersten Mal nach Bhutan führte. Dazu kam, dass meine bhutanischen Freunde zu den interessantesten und scharfsinnigsten Menschen gehörten, die mir jemals begegnet waren.

Das Hotel war hell und freundlich, aus weißen ungebrannten Ziegeln erbaut und mit Wandmalereien geschmückt, die aus der farbenprächtigen bhutanischen Ikonografie stammten. In der Eingangshalle befanden sich heimische Kunstgegenstände und Webarbeiten; es sah aus wie in einem Museum. In Bhutan scheint man sich bei der Gestaltung der Innenräume an den Grundsatz »Viel hilft viel« zu halten und so zeigt man alles, was man hat, solange es farbenreich ist. Was nicht bunt ist, ist handgeschnitzt. Ich nehme an, das gilt in Bhutan als ungeschriebenes Gesetz. Teppiche und Polster waren ebenfalls im landestypischen Stil gehalten – wie eine gemusterte Wolldecke, mit der man Säureflecken kaschiert. Die Bhutaner verstehen sich meisterhaft auf die Handweberei und ihre traditionellen Muster sind ungeheuer vielfältig und augenfällig. Ich kann nur spekulieren, wie sich diese komplizierte Handwerkskunst entwickelte: Sie bildete vermutlich einen ästhetischen Gegenpol und eine willkommene Ablenkung vom kargen häuslichen Leben in der abgeschotteten Bergregion. Der Hang der Bhutaner zu üppigem Dekor wird nur noch von der Aufmerksamkeit übertroffen, die sie dem Wohl ihrer Gäste widmen. Mit ihren tadellosen Umgangsformen, ihrer ausgeprägten Hilfsbereitschaft und ihrer aufrichtig wirkenden Liebenswürdigkeit geben sie jedem Besucher das Gefühl, willkommen zu sein.

Nur wenige Menschen haben das Glück, nach Bhutan zu reisen. Der Weg dorthin ist lang und beschwerlich und vielen Menschen aus dem Westen mangelt es an Zeit. Noch heute ist die Anzahl der ausländischen Besucher auf 20 000 pro Jahr beschränkt und die Regierung gestattet nur geführte Rundreisen. Der sanfte Tourismus soll dazu beitragen, Bhutans zerbrechliche Umwelt zu schützen.

Am ersten Tag meines Aufenthalts hatte ich mir das ehrgeizige Ziel gesetzt, zu Fuß bis ans Ende des Tals zu wandern. Mir standen natürlich der übliche Fremdenführer und ein Leihwagen mit Fahrer zur Verfügung, doch an diesem Morgen saßen die beiden auf dem Rasen vor dem Hotel und spielten mit einigen Angehörigen des Hotelpersonals Karten. Ich teilte ihnen mit, dass ich das Tal zu Fuß erkunden wollte, alleine; sie waren hellauf begeistert und fanden, das sei die beste Art, Bhutan kennenzulernen. Sie erklärten sich indes nur zögernd einverstanden, mich unbegleitet ziehen zu lassen, um meine eigenen Erfahrungen zu machen. Doch am Ende waren sie bereit, ein schier übermenschliches Opfer zu bringen und bis zu meiner Rückkehr Karten zu spielen.

Ich folgte dem Hotelweg, bis er die Hauptstraße durch das Tal kreuzte. Der Talweg führte am imposanten Punakha Dzong vorbei – wo der Mochu, der »Mutterfluss«, in den Pochu, den »Vaterfluss«, mündet – und endete am anderen Ende des Tals. Punakha Dzong, eine alte Klosterfestung, befindet sich am Eingang des Tals. Sie sieht aus, als würden hier dreihundert japanische Pagoden und dreihundert Schweizer

Chalets aufeinandertreffen, ein Bauwerk mit so mächtigen Ausmaßen, dass es eine Herausforderung für die umliegenden Berge darstellt.

In Bhutan gibt es neunzehn große Dzongs, Klosterfestungen, die im oder um das 18. Jahrhundert errichtet wurden und als militärische Wehranlage, religiöses Zentrum und Kern des ehemaligen feudalistischen Systems dienten. Noch heute werden sie als Sitz der Verwaltung des jeweiligen Distrikts und als Unterkunft für Mönche und geistliche Führer genutzt. Die Dzongs von Bhutan haben eine wechselvolle Geschichte. Als marodierende Horden aus Tibet und der Mongolei in das Land eindrangen, suchten die Menschen in den Festungen Schutz. Die riesigen unterirdischen Lagerräume waren damals mit Vorräten angefüllt, die gereicht hätten, um die Bewohner der umliegenden Dörfer für mehrere Monate, vielleicht sogar Jahre mit dem Nötigsten zu versorgen. Sie wurden häufig über einem Wasserreservoir angelegt. Im Herzen der Anlage befinden sich unzählige verborgene Tempel. Wuchtig, weitläufig und geheimnisvoll wurden die Dzongs aus handgeformten Lehmziegeln, Naturstein und Holz errichtet. Es gab keine Baupläne und es wurden keine Nägel verwendet; die Balken waren mit Seilen zusammengebunden, die bei einem Erdbeben nachgaben. Mit ihrem weißen Anstrich und den roten Dächern (die Dächer der Tempel sind goldfarben) gleichen sie einem verwunschenen Schloss – oder wie man sich ein verwunschenes Schloss in einem Land vorstellt, das von der Zeit unberührt scheint.

Bhutan entsprach dem gemächlichen Lebensrhythmus, den ich mir seit Langem gewünscht hatte. Im Gegensatz zu Indien, das ich einen Monat lang bereist hatte, konnte ich hier auf meine Selbstschutzmechanismen verzichten und gefahrlos zu Fuß gehen. Nirgendwo waren Bettler in Sicht. Die Bhutaner, denen ich auf dem Weg durch das Tal begegnete, waren höflich und lächelten mir zu, ohne mich zu behelligen.

Die rudimentäre Schnellstraße schlängelte sich durch das Tal, parallel zum breiten Mochu mit seinem türkisfarbenen Wasser, der einem Gletscher oberhalb von Gasa im Norden des Landes entsprang und auf dem Weg nach Indien Punakha passierte. Alle bhutanischen Flüsse münden in Indien, wobei einige, wie der Brahmaputra, zuerst einen Umweg durch Bangladesch machen. Das lang gestreckte Tal schmiegte sich an die üppig begrünten Berge mit ihren terrassenförmigen Reisfeldern. Es hatte den ganzen Sommer über geregnet, die reife smaragdgrüne Vegetation drohte zu explodieren. Geometrisch angeordnete Baumgruppen mit orangefarbenen Blättern bildeten einen malerischen Kontrast zu den unbändig roten Poinsettien, den wild wachsenden Weihnachtssternen, die hier Baumhöhe erreichten. Bauernhöfe und gelegentlich ein königlicher Palast, alle mit den landestypischen Symbolen bemalt, sprenkelten die Felder. Buddhistische Tempel mit goldenen Dächern, wie man sie überall in Bhutan sieht, thronten hoch droben in den Bergen über dem Ackerland. Die Luft war wunderbar, klar, erfüllt von einem süßen Duft. Ein leichtes Schwindelgefühl ergriff mich. Vielleicht lag es an der Höhe oder am Denguefieber, das mich erwischt hatte und oft tödlich verlief, oder ganz einfach daran, dass ich unsagbar glücklich war.

Hin und wieder kam ich an einem Haus vorüber und sah Kinder, die ihr Spiel unterbrachen, um mich zu beobachten und mir zuzuwinken, scheu, aber mit sichtlicher Begeiste-

rung. Der mutigste unter ihnen, ein Junge, schien strammzu-
stehen und rief mir »Hallo, Engländer!« zu, wobei er sowohl
meine Nationalität als auch meine Geschlechtszugehörigkeit
falsch einschätzte. Ich erwiderte das Lächeln, rief ebenfalls
Hallo und winkte. Daraufhin erfolgte ein erneutes Lächeln
und Winken, offenbar fühlte er sich für seine Mühe belohnt.
Ich war mit Sicherheit das Interessanteste, was ihm und seinen Spielkameraden seit geraumer Zeit auf dem Weg begegnet war.

Wie auf Stichwort schob sich eine Kuhherde an mir vorbei,
unterwegs an das andere Ende des Tals. Ein beißender Geruch nach Gras und Exkrementen ging von ihnen aus. Manche trugen Glocken um den Hals, die bei jedem Schritt läute-
ten. Ich ließ meine Gedanken schweifen, malte mir aus, ein
Kuhhirte in einem entlegenen Tal des Himalaja zu sein. Oder
auch eine Kuh. Kein schlechtes Leben, wie mir schien.

Nach etwa zwei Stunden wurden die Hänge, die das Tal zu
beiden Seiten säumten, steiler, die Berge imposanter. Es war
eine Weile her, seit ich das letzte Mal Menschen oder Kühe
gesehen hatte. Durch die Höhe, gepaart mit der körperlichen
Anstrengung, verspürte ich mit einem Mal großen Hunger.
Obwohl die Kulisse nach wie vor atemberaubend war, schien
es angeraten, umzukehren und ins Hotel zurückzugehen, wo
gewiss schon ein ausgiebiges Mittagessen auf mich wartete.

Doch vorher wollte ich mich im Fluss erfrischen, dessen
Ufer sich auf der rechten Seite des schmalen Weges befand,
etwa hundertfünfzig Meter entfernt. Der Mochu war an dieser
Stelle breit und flach, das kristallklare Wasser floss über
glatte braune Steine. Ich hatte das Rauschen während der
ganzen Wanderung vernommen. Ich zog Schuhe und Socken

aus und krempelte die Hosenbeine bis zu den Knien hoch. Es würde eine Wohltat sein, die Füße in das eiskalte Wasser zu halten. Diese Geschichte würde ich meinen Enkelkindern erzählen, wenn ich jemals welche haben sollte. Ich tauchte die Zehen vorsichtig in das kühle Nass und genau in dem Moment, als ich merkte, wie glitschig die Steine waren und dass ich aufpassen musste, rutschte ich aus und fiel hin.

Lachend rappelte ich mich hoch. Als ich mein Gewicht auf den linken Fuß verlagerte, spürte ich einen stechenden Schmerz, der bis zum Oberschenkel hinauffuhr. Schlagartig verging mir das Lachen. Ich setzte mich ans Ufer und inspizierte meinen Fuß. Ich hatte mir offenbar den Knöchel verstaucht, nicht schlimm, aber er fühlte sich heiß an und begann bereits anzuschwellen. Bei dem Gedanken an den Rückweg zum Hotel, der die letzten zwanzig Minuten auch noch bergauf verlief, zuckte ich zusammen. Meine Wanderung hatte eine unliebsame Wende genommen.

Während ich vorsichtig meine Socken und Bergschuhe anzog, versuchte ich, Ruhe und Zuversicht zu bewahren, indem ich mich an schlimmere Notlagen erinnerte, in denen ich mich schon befunden hatte. Leider fielen mir auf Anhieb keine ein. Verletzt oder krank zu werden ist ein Albtraum für jede allein reisende Frau und bisher war es mir gelungen, von beidem verschont zu bleiben. Mit größter Anstrengung gelang es mir, meine Stiefel anzuziehen. Sie reichten über den verletzten Knöchel hinaus, gaben ihm Halt und das war gut so. *Alles halb so schlimm*, dachte ich. Fälschlicherweise.

Ich schaffte es, zur Straße zurückzugelangen. Weit und breit waren weder Autos noch Lastwagen oder Menschen in Sicht, nicht einmal Hunde, die es überall in Bhutan gibt. Wo steckten sie? Ich humpelte weiter, zog den verletzten Fuß nach und redete mir ein, dass alles gut werden würde. Ich hatte mich schließlich nicht in der Wildnis verirrt. Irgendwann würden die Leute aus dem Hotel nach mir suchen, zumal ich ihr einziger Gast war. Wenn ich der Straße folgte, würde ich irgendwann auf ein Auto, einen Lastwagen, einen Traktor oder einen anderen fahrbaren Untersatz stoßen, der mich mitnehmen konnte.

Doch bald nahmen die Schmerzen überhand, bestimmten mein ganzes Denken. Schon nach einer kurzen Entfernung musste ich anhalten und eine Pause einlegen. Ich setzte mich an den Straßenrand auf einen Stein unweit eines kleinen Tempels, der teilweise von einem riesigen Felsen verdeckt wurde.

Ich weiß nicht, wie lange ich dort saß, bis mir klar wurde, dass niemand vorbeikommen würde. Mir blieb keine andere Wahl, als mich aufzuraffen und den beschwerlichen Fußmarsch fortzusetzen. Kaum setzte ich mich in Marsch, als ich auch schon das Geräusch eines nahenden Motorrads hinter mir vernahm. Ich streckte den Arm aus und wedelte durch die Luft, wie ich es bei Leuten gesehen hatte, die in Bhutan per Anhalter fuhren. Ein Mann, der den traditionellen *Gho* und einen schwarzen Helm mit Visier trug, fuhr langsam an mir vorbei. Er warf nicht einmal einen flüchtigen Blick in meine Richtung. Ich war einer Panik nahe.

Ein paar Meter weiter drehte er um und kehrte zurück. »Wo gehen?«, erkundigte er sich. Die meisten Bhutaner sprechen ein paar Brocken Englisch.

Ich humpelte zu ihm. »Darf ich aufsteigen? Nehmen Sie mich mit?« Er antwortete nicht. Zu viele Fragen. »Bitte lassen

Sie mich mitfahren«, wiederholte ich, während ich mein Gewicht auf das gesunde Bein verlagerte und das verletzte über den Beifahrersitz des Motorrads schwang. Ich musste unbedingt verhindern, dass er mir entwischte.

Er drehte den Kopf zur Seite. »Wo gehen?«

»Das Hotel auf dem Berg«, erwiderte ich hastig. »Zang-topel-ri.«

Er brach in schallendes Gelächter aus.

Später erfuhr ich, dass Zangtopelri nicht nur der Name des Hotels, sondern auch die Bezeichnung für die himmlische Heimat des Guru Rinpoche ist. Dieser große buddhistische Lehrer, der die Dämonen besiegte, ist ein hoch geschätzter heiliger Mann und Schutzpatron Bhutans, der im 8. Jahrhundert einen tantrischen Buddhismus eigener Prägung in der Region einführte. Ich hatte nach oben gedeutet und erklärt, ich wolle in den Himmel. Kein Wunder, dass er sich köstlich amüsierte.

Auf dem hinteren Sitz eines Motorrads den Heimweg anzutreten war dennoch ein himmlisches Gefühl. Es war eine Wohltat, den Knöchel nicht mehr belasten zu müssen, und ich genoss die Fahrt im Freien in vollen Zügen. Heute schien mein Glückstag zu sein. Dieser Mann hatte sich als Retter in der Not erwiesen. Er war außerdem ein umsichtiger Fahrer, mied Schlaglöcher und Bodenwellen und bremste sogar ab, als wir an dem Haus mit den Kindern vorüberkamen, die draußen spielten. Vermutlich waren es seine eigenen. Sie schoben einen kleinen Jungen in einem Pappkarton durch den Hof. Sie blickten kurz hoch und als sie mich wiedersahen, dieses Mal auf dem Rücksitz eines Motorrads, quietschten sie vor Begeisterung.

Ein kleines Mädchen fuchtelte wild mit den Armen und rief mir zu: »Hallo, Darling!« Alle kicherten, winkten und strahlten über das ganze Gesicht. Ich winkte genauso stürmisch mit einer Hand zurück, während ich mich mit der anderen an den *Gho* des Fahrers klammerte.

Vor dem Eingang des Hotels angekommen, stieg ich ungelenk vom Motorrad. »Wie kann ich Ihnen danken? Darf ich Sie zu einer Tasse Tee hereinbitten?«, fragte ich.

»*Me jhu*. *Me jhu*«, erwiderte er. »Nein danke. Nein danke.«

Wie konnte ich mich nur erkenntlich zeigen? Ich wollte nicht, dass die dramatische Rettungsaktion so sang- und klanglos endete. »Dann lade ich Sie zum Mittagessen ein.«

Er schüttelte den Kopf. Also auch kein Mittagessen. Ich wühlte in meinen Taschen und zog einen zerknitterten Fünfhundert-Ngultrum-Schein hervor, ungefähr fünfzehn US-Dollar zur damaligen Zeit, eine geringfügige Summe, aber vermutlich mehr Geld, als er in einer ganzen Woche verdiente. Wieder schüttelte er den Kopf. Offenbar war es nicht genug.

»Warten Sie! Warten Sie«, rief ich aus und humpelte zum Eingang des Hotels. »Einen Moment noch!« Ich hob die Hand, eine Geste, die weltweit bekannt ist. Sofort eilten zwei Bedienstete des Hotels die Treppe hinunter.

»Haben Sie ein bisschen Geld bei sich, das Sie mir leihen können? Sie bekommen es gleich zurück.« Die beiden sahen mich erschrocken an. »Alles in Ordnung«, versicherte ich. »Der Mann hat mich hergefahren.«

Einer der beiden zauberte aus der Tasche seines *Gho*, in denen allerlei verstaut werden kann, ein Bündel Geldscheine hervor.

»Wie viel?«, wollte er wissen.

»Alles«, antwortete ich. Ich riss ihm die Scheine aus der Hand, hinkte zum Motorrad zurück und versuchte, dem Fahrer das Geld in die Hand zu drücken, schätzungsweise tausend Ngultrum. Er trug immer noch den Helm mit dem schwarzen Visier, sodass ich sein Gesicht nicht genau erkennen konnte, aber ich sah, wie er die Lippen schürzte und den Kopf kaum merklich von mir abwandte, als sei er gekränkt, dass ich ihn mit dem schnöden Mammon entlohnen wollte. In Bhutan muss man Geschenke mindestens drei Mal anbieten; das ist der Brauch. Also versuchte ich es ein zweites und ein drittes Mal. Doch Fehlanzeige: Wie oft ich mein Angebot auch wiederholte, er lehnte ab.

»Er wird es nicht nehmen, Madam«, sagte plötzlich eine Stimme hinter mir.

»Vielen Dank«, sagte ich schließlich resigniert. Ich streckte die Hand aus.

»Gern geschehen«, erwiderte der Motorradfahrer lächelnd und schüttelte mir die Hand. Dann ließ er sein Motorrad wieder an und brauste davon.

Nachdem ich ein paar Tage lesend in der Empfangshalle der himmlischen Heimstatt von Guru Rinpoche verbracht hatte, den verstauchten Fuß hochgelagert und vom Hotelpersonal umsorgt, das mich wie ein Bienenschwarm umschwirrte, konnte ich endlich wieder auftreten.

Der Fahrer und der Reiseleiter machten mit mir einen Ausflug in ein malerisches Tal östlich von Bumthang, das zu den heiligsten Stätten in Bhutan gehört. Unterwegs hielten wir in einer kleinen Stadt namens Wangdue (Wongdie gesprochen), eine Kurzform von Wangdue Phodrang (vergessen wir das lieber), die sich im Zickzack über einen gewaltigen Bergkamm erstreckte, mit einem Dzong auf dem Gipfel.

Draußen vor dem Gästehaus, wo wir zu Mittag aßen, entdeckte ich eine Babykobra, die direkt vor meinen Augen den Weg entlangglitt. Aufgeregt machte ich den Reiseleiter darauf aufmerksam. Er setzte eine besorgte Miene auf, bückte sich und ließ das Gras durch seine Hände gleiten. »Was machen Sie da?«, fragte ich. »Die Schlange ist doch längst weg.«

»Ich suche nach vierblättrigen Kleeblättern«, erwiderte er grimmig. Allem Anschein nach gelten sie weltweit als Glücksbringer.

Offenbar war die Schlange, die unseren Weg gekreuzt hatte, ein unheilvolles Omen. Vielleicht legte er keinen Wert auf einen Fahrgast, der das Zeichen des Antichristen oder seiner buddhistischen Entsprechung trug. Ich beschloss, ihm zu verschweigen, dass ich auf dem Flug nach Bhutan neben einem Schlangenbeschwörer gesessen hatte, der eine Kobra im Sack mit sich führte. Er gehörte zu einer Tanztruppe aus Rajasthan, die anlässlich der Feierlichkeiten zum Tag der Unabhängigkeit von Indien eingeflogen wurde, als Teil des Unterhaltungsprogramms für hohe Regierungsbeamte und indische Diplomaten. Wir (der Reiseführer, der Fahrer und ich) hielten von jetzt an überall nach vierblättrigen Kleeblättern Ausschau. Und wir wurden oft fündig. Die Seiten meines kleinen Reisetagebuchs sind noch heute voll davon, gepresst und getrocknet.

Nach einer anstrengenden Tagesfahrt über die engen, steilen Bergpässe verschlug mir der erste Blick auf das Bumthang-Tal mit seiner beinahe überirdischen Schönheit den Atem. Zwischen Himmel und Erde schwebend, schienen sich die grünen sanften Hügel und weitläufigen Felder mit ihren Bauernhäusern und Tempeln endlos fortzusetzen. Kein Wunder, dass die idyllische Landschaft bei den ersten Reisenden, die in diesen Teil der Welt gelangten, als heilige Stätte galt. Wenn es magische Orte in der Welt gibt, und davon bin ich überzeugt, gehört das Bumthang-Tal dazu.

Das Gästehaus in Bumthang befand sich unmittelbar neben dem Eingang einer baufälligen kleinen Grundschule, der Chumey Primary. Der Paradeplatz, ein brachliegendes Feld neben dem Schulgebäude, sah aus, als sei er ein fruchtbarer Nährboden für Klee. Gleich am nächsten Morgen eilte ich hinüber und schritt das Terrain ab. Das Gras war mit frischem Tau benetzt und unweit der Schule hatten sich bereits mehrere Kinder in Schuluniform eingefunden, obwohl der Unterricht erst viel später begann. Ein Junge grüßte mich auf Englisch und wollte wissen, was ich da machte.

»Ich suche vierblättrige Kleeblätter«, antwortete ich. Wortlos legten alle ihre Bücher und Lunchpakete ab – Blechbüchsen, in Stoff eingeschlagen und verschnürt – und halfen mir bei der Suche. Nach einigen Minuten vergeblicher Mühe blickte ich hoch und sah die Kinder vor mir stehen. Jedes hielt ein dickes Büschel vierblättriger Kleeblätter in der Hand.

Immer mehr Kinder trafen vor der Schule ein und danach kamen die Lehrer und der Rektor. Die Schüler stellten sich in einer Reihe auf, die Gesichter einer kleinen Plattform und der bhutanischen Flagge zugewandt, die an einem Fahnenmast aufgezogen war, und die morgendliche Versammlung konnte beginnen. Sie sangen die Nationalhymne, die einem Klagelied glich, und im Anschluss daran hielt der Rektor eine Rede in Dzongkha, der Amtssprache.

Nach der Versammlung lud mich ein kleiner kahlköpfiger Inder zu einem Besuch des Englischunterrichts ein, den er erteilte. Er war ein freundlicher und engagierter Lehrer mit dem typischen angloindischen Akzent, bei dem das letzte Wort in jedem Satz eine Oktave höher gesprochen wird. Er hatte seine Klasse fest im Griff, herrschte mit eiserner Hand. Er wollte als Erstes wissen, ob die Schüler ihre Hausaufgaben gemacht hatten.

»Ja, Sir!«, erfolgte die Antwort einstimmig und mit militärischer Präzision. Die Schüler waren vermutlich zwischen acht und fünfzehn Jahre alt, aber das genaue Alter konnte man nur schwer schätzen. Bhutanische Kinder sehen meistens jünger aus und sind kleiner als ihre gleichaltrigen westlichen Entsprechungen. Ungefähr dreißig Schüler waren in dem winzigen Raum mit den Holzwänden zusammengepfercht, saßen mit gekreuzten Beinen auf dem Fußboden, vor einem niedrigen Bänkchen für Bücher und Arbeitsblätter.

Einige hatten kein eigenes Bänkchen, sondern mussten die Ablage mit ihren Sitznachbarn teilen.

Der Lehrer erklärte, er habe die Hausaufgabe gestellt, eine Ziege zu zeichnen.

»Welcher schlaue Junge kommt nach vorne und erzählt uns etwas über seine Ziege?«, forderte der Lehrer die Klasse auf.

Zahlreiche Schüler hoben die Hand, fuchtelten wild herum, erpicht darauf, sich hervorzutun. Der Lehrer wählte einen Jungen aus. Die Hände sanken herab, resigniert, die Unruhe ebbte ab. Vor der Klasse stehend, hob der Junge seine Zeichnung in Brusthöhe, damit seine Klassenkameraden sie sehen konnten. Dann sagte er, in abgehacktem Tonfall: »Das. Ist. Meine. Ziege. Sie. Ist. Weiß.«

»Gut, sehr gut.« Der Lehrer war zufrieden. »Und welches aufgeweckte Mädchen kommt nach vorne und zeigt uns ihre Ziege?«

Die kleinen Mädchen in der Klasse schwenkten enthusiastisch die erhobenen Hände. Der Lehrer deutete auf eines, das vor die Klasse trat und seine Zeichnung hochhielt.

»Das ist meine Ziege. Sie ist rosa«, sagte es.

Zu meiner Überraschung sprang der Lehrer von seinem Sitz auf. »Nein! Nein! NEIN!«, schrie er. Sein Gesicht war gerötet, als er mit dem Zeigefinger das Brillengestell hochschob, das ihm auf die Nase gerutscht war, und das Mädchen mit einem finsteren Blick bedachte.

»Sie kann nicht rosa sein! Rosa Ziegen gibt es nicht! Es gibt weiße, schwarze und braune Ziegen. Aber keine ... rosa ... Ziegen! Setzen.«

Nach dem Unterricht unterhielt ich mich mit dem Lehrer. Er war gutherzig, intelligent und engagiert, doch in seinem Universum gab es einfach keinen Platz für rosafarbene Ziegen. In meinem schon. In meiner Klasse wären rosa Ziegen, tanzende Ziegen und Ziegen am Steuer eines Autos willkommen. Ich hatte nichts dagegen, wenn sie auf dem Mond landeten und die Nationalhymne sangen. Der Realismus war nur eine von vielen Optionen in Bhutan.

Bhutans Zauber ist machtvoll. Er nahm mich gefangen. Wie so viele, die das Land besuchten, dachte ich bereits über Möglichkeiten nach, zurückzukehren.

Nach einem zweiwöchigen Aufenthalt in Bhutan reiste ich nach Südindien weiter. Ich wohnte im Taj Holiday Village in Goa, einem Urlaubsparadies am Arabischen Meer. Es war der einsamste Ort der Welt, wie mir schien. Die Monsunregen im Spätsommer hatten den Ozean anschwellen lassen, sodass er gewaltig und grau wirkte, wie der Himmel über der einstigen Hippie-Hochburg. In unmittelbarer Nähe der Küste war ein riesiger liberischer Öltanker von derselben trübseligen Farbe auf Grund gelaufen, dümpelte in gespenstischer Schräglage im Wasser. Die Welt außerhalb von Bhutan kam mir mit einem Mal farblos vor. Nie zuvor hatte ich mich dermaßen in ein Land und seine Bewohner verliebt. Zum ersten Mal in meinem Leben verspürte ich Sehnsucht.

Von Indien aus ging es weiter nach Italien, wo ich mich mit Freunden traf. In einem Straßencafé auf der Piazza del Duomo erzählte ich ohne Unterlass von Bhutan, während meine Freunde Kaffee tranken, die Augen verdrehten und versuchten, die malerische Schönheit des Platzes zu genießen. Ich hatte sogar meinen Film von Bhutan entwickeln lassen und nötigte sie, sich die Fotos anzuschauen.

»Fang ja nicht wieder mit Bhutan an«, ermahnten sie mich scherzhaft. »Was ist mit Indien? Du warst doch zwei Monate dort, oder? Da hast du sicher viel zu erzählen. Schau dich um. Jetzt bist du in Italien. Anschließend reist du weiter nach Frankreich!«

»Ich will nach Bhutan zurück.«

»Na toll!« Am liebsten hätten sie mich wohl auf den Mond geschossen oder zurück in den Himalaja. Aber ich war machtlos gegen meine Gefühle und gegen meine Gedanken, die ständig nach Bhutan abschweiften.

Der Dalai Lama entdeckte einen Hotdog-Verkäufer
an einer Straße in New York und ging zu ihm.
»Ein Hotdog bitte, mit allem«, sagte er.
Der Verkäufer machte ihm ein Hotdog
mit sämtlichen Zutaten zurecht.
Der Dalai Lama reichte ihm
einen Zwanzigdollarschein.
Der Verkäufer steckte ihn in die Tasche.
»Was ist mit meinem Wechselgeld?«,
fragte der Dalai Lama.
»Wechsel und Wandel müssen von innen kommen«,
erwiderte der Hotdog-Verkäufer.

Nach der Rückkehr in die USA erhielt mein Leben einen neuen Fokus. Gleich was ich auch tat, ich dachte nur noch an Bhutan und die Möglichkeit, auf schnellstem Weg wieder dorthin zu gelangen. Ich erzählte jedem, dem ich begegnete, von meinem brennenden Wunsch, im »Land des Donnerdrachen« zu leben und zu arbeiten.

1995 und 1996 unternahm ich zwei längere Reisen nach Bhutan. Ich erkundete mehrere Monate selbst die entlegensten Winkel des Landes, nutzte jede Chance, die Bewohner und ihre Lebensweise kennenzulernen. Die Bhutaner waren sehr freundlich und entgegenkommend. Einige wollten wissen, was mir an ihrem Land so gut gefiel. »Hier kann ich ein besserer Mensch sein«, pflegte ich zu erwidern. Das war ernst gemeint. Bhutan lehrte mich, Dinge wiederzuentdecken, die ich im Westen aus den Augen verloren hatte. Hier blieb mir genug Zeit und Muße, nach innen zu schauen, mich selbst wahrzunehmen.

»Vielleicht warst du in einem früheren Leben Bhutanerin«, meinten einige lachend. Mir gefällt der Gedanke, ich könnte irgendwann einmal in Bhutan das Licht der Welt erblickt haben. In meinen Augen ist das die einzig mögliche Erklärung für die uneingeschränkte leidenschaftliche Liebe, mit der mich dieses Land erfüllt. Viele Leute, mit denen ich mich im Lauf der Jahre unterhalten habe, sind fasziniert von Bhutan; etliche kommen mehrmals hierher, als Touristen oder als

Arbeitskräfte auf Zeit. Manche hoffen auf ein Wiedersehen, aber ihr Leben nimmt einen Verlauf, der ihrem Wunsch entgegensteht: Angehörige, berufliche Aktivitäten oder sonstige Verpflichtungen haben letztendlich Vorrang oder sie entwickeln andere Interessen, die ihnen wichtiger sind. Das war bei mir nie der Fall; seit meinem ersten Besuch war ich Bhutan mit Haut und Haaren verfallen und daran hat sich bis heute nichts geändert. Ich erinnere mich, dass ich dachte: *Ob du wohl mit sechzig immer noch einen Weg suchen wirst, nach Bhutan zu gelangen?* Und die Antwort lautete: *Ja, diese Sehnsucht wird nie vergehen.* Sie war ein grundlegendes, übermächtiges Bedürfnis. Genauso unvermeidlich wie Hunger. Ich nahm in Kauf, mich von allen Menschen trennen zu müssen, die mir am Herzen lagen, von der Welt, die mir vertraut war, von meinem Zuhause, meinem gesamten Hab und Gut. Ich verzichtete auf meine Arbeit als freiberufliche Autorin und auf mehrere lukrative Verträge, die mir schon seit Jahren ein gesichertes Einkommen beschert hatten. Es ist wohl überflüssig zu erwähnen, dass meine Familie, Freunde und Geschäftspartner überrascht waren. Ich hob meine Ersparnisse ab und verkaufte schließlich alles, was ich besaß, um in Bhutan bleiben zu können.

1997 war es endlich so weit: Ich zog nach Bhutan, um an einer Schule für religiöse und kulturelle Studien außerhalb von Thimphu Englischunterricht zu erteilen, ohne Bezahlung. Zwei Jahre später wechselte ich, immer noch als ehrenamtliche Mitarbeiterin, an eine Kunstschule in einen Vorort von Thimphu über. Sie wurde für mich zum Mittelpunkt des Universums.

Die anderen Mitglieder des Lehrkörpers an der Traditional Art School, lokal auch »Malschule« genannt, waren bhutanische Künstler. *Thangka*-Maler – sie stellten Rollbilder nach genau festgelegten ikonografischen Vorschriften her –, Holzschnitzer, Bildhauer, Weber und Sticker, die buddhistische Kunstwerke nach altüberlieferter Tradition schufen, wahre Meister in ihrem Metier, dessen Einzelheiten nur Eingeweihten zugänglich war. Die Schüler waren wunderbar, ernst und wissbegierig. Sie verbrachten den größten Teil ihrer Zeit mit Zeichnen, Malen und Beten und zwei Stunden am Tag lernten sie bei mir Englisch. Sie waren von dem Wunsch beseelt, sich mit den wenigen Besuchern aus dem Westen unterhalten zu können, überwiegend Touristen, die gelegentlich in der Schule auftauchten und ihre kunsthandwerklichen Produkte bewunderten; deshalb waren sie erpicht darauf, die Sprache zu lernen.

Jeder, der schon einmal im Ausland unterrichtet hat, weiß, dass es auch für den Lehrer eine Menge zu lernen gibt. Kultur, Traditionen, Etikette, sprachliche Gepflogenheiten – es gibt zahlreiche Minenfelder, die es zu umgehen gilt, zahlreiche Gelegenheiten, sich zu blamieren. Ich muss gestehen, dass ich in dieser Hinsicht kein einziges Fettnäpfchen ausließ. Ich war überwältigt von all den neuen Eindrücken, die auf mich einstürmten. Die rosa Ziege geriet schnell in Vergessenheit.

Meine Schüler, zwischen acht und 23 Jahre alt, besaßen unterschiedliche Kenntnisse der englischen Sprache. Sie lernten ein wenig Englisch von mir, aber ich lernte ungeheuer viel von ihnen, nützliche Dinge, die man auf keinem Stundenplan findet: Wie man aus einer Wasserflasche trinkt, ohne sie mit den Lippen zu berühren; wie man eine Flasche ohne Flaschenöffner aufmacht; wie man aus einem Rettich, einer Zwiebel und einer Handvoll Reis eine schmackhafte Mahlzeit zubereitet; wie man durch Schlamm watet und dabei die Schuhe und den Saum der *Kira* sauber hält. Ich lernte, wie man selbst dann, wenn man arm ist und nichts besitzt, anderen mit Würde und Großherzigkeit begegnen kann; wie man sich mit einem halben Eimer Wasser von Kopf bis Fuß wäscht; wie man Stein- und Schmutzpartikel aus den Linsen klaubt; wie man auf die Toilette geht ohne Toilettenpapier oder Toilette; wie man sich in einer kalten Nacht warm hält, wenn es an Decken mangelt; wie man ein Gerstenkorn behandelt; wie man ein weinendes Baby beruhigt, das unter Koliken leidet. All das lernte ich in meinem ersten Monat nach der Ankunft.

Das Wichtigste, was ich von ihnen lernte, war, dass wir in der Regel verschiedene Möglichkeiten haben, eine Situation zu betrachten. An der Schule gab es keine Englischbücher, nur wenig Papier und nicht die geringsten pädagogischen Hilfsmittel für das Lehrpersonal, daher mussten wir improvisieren. Eine dieser Aktivitäten, die sich bei den Schülern großer Beliebtheit erfreute, bestand darin, sich im Kreis auf den Boden zu setzen und aus Bruchstücken eine Geschichte zu erzählen. Ich begann damit, die Charaktere zu beschreiben, die darin vorkommen sollten. Die nächste Person im Kreis skizzierte den Handlungsverlauf, der Sitznachbar vertiefte ihn und fügte eigene Schicksalswendungen hinzu und so ging es weiter, bis alle die Gelegenheit gehabt hatten, ihren Beitrag zur Geschichte zu leisten. An meinem Unterricht nahmen etwa zwanzig bis dreißig Schüler teil und wenn die Hälfte an die Reihe gekommen war, hatten ein oder zwei Hauptpersonen unserer Stegreifgeschichte unweigerlich das Zeitliche gesegnet.

Ich begann eine Geschichte beispielweise mit den Worten: »Karma war ein armer Dorfbewohner, der Sonam liebte, die Tochter des Dorfältesten.« Der Schüler neben mir spann den Faden weiter. »Ihr Vater wollte sie mit Leki verheiraten, einem reichen Mann im Dorf.« Und der Nächste fügte hinzu: »Leki war reich, aber böse und er hasste Karma, weil er wusste, dass Sonam ihn liebte.« Und so ging es weiter, bis irgendjemand sagte: »Sonam und Karma überquerten eine Hängebrücke, fielen herunter und ertranken im Fluss.«

In jeder anderen Kultur wäre die Geschichte mit dem Tod der beiden Hauptpersonen beendet, doch nicht in Bhutan. Ohne auch nur eine Sekunde zu zögern, fuhr der nächste Schüler fort: »Dann wurden sie wiedergeboren.« Worauf der Nächste den Gedanken aufgriff und sagte: »Sonam kam als wunderschöner Vogel und Karma als Pferd zur Welt. Der Vogel und das Pferd liebten sich.«

Ein ebenso tröstlicher wie schöner Gedanke, dass der Tod nicht das Ende, sondern ein Anfang ist.

Ich merkte, wie meine althergebrachten Vorstellungen nach und nach über Bord geworfen und durch eine andersgeartete, breiter gefasste Weltsicht ersetzt wurden. Ich bezweifle, dass meine Schüler genauso viel von mir lernten. Dass sich ihre Englischkenntnisse erheblich verbesserten, konnte ich allerdings nicht feststellen. Doch ich machte Fortschritte in Dzongkha, der Amtssprache in Bhutan. In den ersten Jahren verlief mein Unterricht noch ziemlich holperig. Ich hatte kein Pädagogikstudium absolviert, aber Kurse an Bildungsinstitutionen in den USA gegeben. Als Lehrerin ließ ich zu wünschen übrig, aber ich war eine gelehrige Schülerin. Was mir an fachlicher Ausbildung fehlte, ersetzte ich vermutlich durch Enthusiasmus. Wie auch immer, es war das größte Abenteuer meines Lebens.

Der Weg zur Schule führte bergauf und die morgendliche Luft war erfüllt vom intensiven Wacholder- und Zedernduft des Brandopfers, das von dem wohlhabenden Bewohner eines Hauses auf der Anhöhe über der Schule dargebracht wurde. Der würzige Rauch kräuselte sich und stieg zum Himmel empor. Ich rief Hallo oder hielt an, um einen kleinen Schwatz mit Aum Tshering oder Aum Tseten zu halten. Aum Tshering war eine alte Frau mit messerscharfem Verstand, vermutlich jünger, als sie aussah, da es in Bhutan weder Feuchtigkeitscreme noch Sonnenschutzmittel gibt, und sie hatte ihren Spaß daran, die Leute zu ärgern. Sie betrieb einen kleinen Laden und forderte mich oft auf, hereinzukommen, Platz zu nehmen und ihr eine Weile Gesellschaft zu leisten. Wenn noch ausreichend Zeit bis zum Beginn des Unterrichts blieb, nahm ich das Angebot gerne an.

Meistens hatten sich um diese Zeit schon drei oder vier ihrer Freunde, alte Männer und Frauen, ein oder zwei Kleinkinder und ein junges Mädchen in ihrem Laden eingefunden, um einer nationalen Lieblingsbeschäftigung nachzugehen: Tee trinken. Für sie war ich stets eine willkommene Abwechslung, eine Amerikanerin mit erbarmungswürdigen Dzongkhakenntnissen, eine moderne Version von Mrs. Malaprop, einer Figur aus Richard Brinsley Sheridans Stück *Die Rivalen*, die sich den Anschein von Gelehrsamkeit geben möchte, aber ständig Worte verwechselt oder falsch gebraucht, wie: »Ich bin erst seit kurzer Entfernung in diesem Land.« Mehrere Monate lang verwechselte ich auf unerklärliche Weise das Wort *Uzen* = Rektor mit *Dopchu* = Armreif und nannte den Leiter unserer Schule »Armreif Jigme«. Er sah mich fragend an, korrigierte mich aber nie – wahrscheinlich aus Höflichkeit. Vielleicht dachte er aber auch: »Wozu soll das gut sein?«

Falls die Besucher von Aum Tsherings Laden der englischen Sprache mächtig waren, ließen sie es nicht erkennen. Aum Tshering stellte mir Fragen, die zu beantworten ich inzwischen gelernt hatte, beispielsweise »Woher kommst du?« oder »Gefällt dir Bhutan?«.

Auf die letzte Frage pflegte ich »*Na me sa me*« zu erwidern, was so viel wie »sehr« oder »unendlich gut« heißt oder wörtlich übersetzt »zwischen Erde und Himmel«. Wenn ich die Neigung verspürte, meine dichterische Ader zu bemühen, antwortete ich: »*Nege sim Bhutan lu en, la*« – »Mein Herz ist in Bhutan«. Daraufhin brachen alle Anwesenden in schallendes Gelächter aus. Ich kam mir vor wie ein dressierter Affe, der mit seiner Leistung zufrieden war und zur Unterhaltung des Publikums beitrug, unentgeltlich, versteht sich, aber ich verstand nicht wirklich, was sie so belustigend fanden.

»Hast du einen Ehemann?«, fragte Aum Tshering jedes Mal aufs Neue in listigem Tonfall, obwohl sie sehr wohl wusste, dass ich keinen hatte. Ihre Freunde grinsten, konnten meine Antwort kaum erwarten, um erneut laut loszuprusten. Die alte Frau ließ dabei die offenbar weltweit verbreitete Neigung erkennen, mit Menschen, die ihre Sprache nicht beherrschten, besonders volltönend zu reden, als könnte die zusätzliche Lautstärke dazu beitragen, den Sinn der Worte besser zu erfassen.

»Map me!«, erwiderte ich und setzte eine überraschte Miene auf. »Keinen Ehemann!« Dabei schüttelte ich jedes Mal heftig den Kopf, mit weit aufgerissenen Augen; ich sah vermutlich aus, als hätte ich unlängst fünfzig IQ-Punkte verloren und sei dem Schwachsinn nahe.

»Nun, wenn dein Herz in Bhutan ist, warum heiratest du dann keinen bhutanischen Mann?«, lautete unweigerlich die nächste Frage, als müsste sie mir das Stichwort liefern, die Stimme der Vernunft. Daraufhin galt es, einen ernsten und zugleich hoffnungsvollen Blick aufzusetzen. »Vielleicht kannst du eine Ehe für mich arrangieren«, erwiderte ich, oder: »Ich lasse meine Haustür jede Nacht unverschlossen, aber es kommt niemand.« Ich hatte immer dasselbe Publikum und dasselbe Thema, aber ich brachte die Zuhörer immer zum Lachen.

Einmal, als ich in Aum Tsherings Laden Tee trank, entdeckte ich auf der Verkaufstheke zwischen den Süßigkeiten für eine Rupie einen Eimer mit *Doma*, Betelnüssen. Die indischen Rupien und bhutanischen Ngultrum sind in Bhutan austauschbare Währungen, die beide häufig als »Rupien« bezeichnet werden. Die Bhutaner kauen gerne *Doma*, kleine Betelnussstückchen, denen man eine leicht stimulierende Wirkung nachsagt. Sie wickeln sie in ein grünes Blatt, das mit Kalkpaste bestrichen ist, stecken das Päckchen in den Mund und kauen es wie Tabak. Eine ekelhafte Angewohnheit und der bittere Geschmack ist nicht jedermanns Sache, doch dadurch erhöht sich zweifellos der Adrenalinspiegel. Die Kombination aus Blatt und Kalkpaste erzeugt einen roten Saft, der ausgespuckt wird und alles verfärbt, womit er in Berührung kommt, auch die Zähne, Lippen und bisweilen das Kinn; diejenigen, die häufig Betelnuss kauen, sehen aus wie gutmütige Vampire oder als hätten sie Lippenstift benutzt. Einige meiner Lehrerkollegen kauten *Doma* und boten mir gelegentlich eine Kostprobe an. Ich hatte kein Bedürfnis danach, bis zu dem Tag, als es in der Schule bitterkalt wurde. Die Fenster in meinem Klassenzimmer hatten kein Glas und ein eisiger Wind wehte ungehindert herein. Ich kaute *Doma*, das mich ungefähr eine Viertelstunde lang wärmte, doch der Geschmack war grauenvoll und die Textur noch schlimmer. Es war, als hätte man Sägespäne im Mund. Ich ging zum offenen Fenster und spuckte den roten Saft in hohem Bogen auf das Pflaster. Ich brachte es nicht über mich, ihn hinunterzuschlucken. Am nächsten Morgen, während der Versammlung, prangerte der Rektor die Unart an, *Doma* auf den Gehsteig vor der Schule zu spucken, und forderte den Übeltäter auf, dies in Zukunft zu unterlassen. Er wäre schockiert gewesen, wenn er gewusst hätte, dass die aus Amerika stammende Englischlehrerin, die Neue in seinem Lehrkörper, die Übeltäterin war.

Doma wird normalerweise in einer etwa zehn Zentimeter großen, zu einem Kegel gefalteten Papiertüte verkauft, die fünf Betelnussstücke enthält und fünf Rupien kostet. Eines Tages entpuppten sich die kleinen Tüten als herausgerissene Seiten des wöchentlich erscheinenden Magazins *The New Yorker*. Ich erkannte das augenfällige Signet, die serifenlose Rasterschrift der Schlagzeilen und das Hochglanzpapier auf Anhieb. Es ist nicht etwa so, dass es in Bhutan an jeder Straßenecke einen Kiosk mit Zeitungen und Magazinen aus Amerika gäbe. Fakt ist, dass wir hier überhaupt keinen Zeitungskiosk haben. Die Anzahl der Zeitschriften, die ins Land gelangen, hält sich folglich in Grenzen; dabei handelt es sich überwiegend um indische Filmmagazine und eine Handvoll Ausgaben von Nachrichtenmagazinen, die längst überholt sind. Möglicherweise findet man in New Delhi, Kalkutta oder Bangkok Buchläden und Supermärkte, die amerikanische oder europäische Zeitschriften führen, doch die Kosten, sie per Lastwagen oder Flugzeug nach Bhutan zu schaffen, wären gewaltig. Außerdem gibt es zahlreiche andere Dinge (zum Beispiel Nahrung, Kleidung, ein Dach über dem Kopf), die für Bhutaner wichtiger sind als Hochglanzmagazine.

Die Einwohner sind traditionsgemäß wenig belesen. Bis Anfang der 1960er-Jahre, als das säkulare Schulsystem eingeführt wurde, waren nur der Klerus und die herrschende Klasse des Lesens und Schreibens kundig. Die winzigen Buchläden in der Hauptstadt, die man an einer Hand abzählen kann, verkaufen buddhistische *Dharma*-Lektüre, Kinderbücher, Schundliteratur und ein paar Klassiker wie Dickens und Dostojewski, die in Indien gedruckt werden.

Da in der »Malschule« keine Englischbücher vorhanden waren, hatte ein Angehöriger der UN ein Bündel *New Yorker* gesammelt und gespendet. Nachdem ich die Zeitschriften von vorne bis hinten durchgelesen hatte, überließ ich sie den Schülern. Sie lasen sie nicht, sondern schnitten die Bilder aus. Wir erfanden Geschichten, die sich um die Abbildungen auf der Titelseite, Cartoons, Annoncen und Fotografien rankten. Meine heranwachsenden männlichen Schüler waren von den ganzseitigen Werbeanzeigen der Automobilbranche fasziniert. Einige klebten sie sogar über ihr Bett im Schlafraum des Wohnheims, in dem sie untergebracht waren. Sie waren für ein Leben bestimmt, das der religiösen Kunst geweiht war, doch die testosterongesteuerte Faszination für dieses teure Spielzeug, die weltweit zu herrschen scheint, machte sich auch bei ihnen bemerkbar.

Ich kann mir nicht vorstellen, wie man von einer Zeitschrift wie dem *New Yorker* intensiver Gebrauch machen könnte. Als die Schüler mit ihren Collagearbeiten fertig waren, legte ich die verbliebenen Seiten in einen Karton, der draußen vor der Schule neben der Mülltonne stand. Irgendein Lumpensammler hatte die kläglichen Überreste offensichtlich an Aum Tshering verkauft, die sie zum Einwickeln der Betelnüsse verwendete. In Bhutan wird nichts verschwendet.

Vor der Einführung von Mobiltelefonen war die Kommunikation in Bhutan äußerst beschränkt. Es gab nur schwarze Telefone, schwer wie eine Bowlingkugel, die aus der Raja-Ära stammten, oder Telefone aus den 1960er-Jahren, mit einer Schnur, die sich ständig verknäuelte, und der unangenehmen Gewohnheit, herunterzufallen, wenn man zu wählen versuchte. Von der Schule aus einen Anruf zu tätigen war die nervenaufreibendste und zermürbendste Aufgabe, die ich jemals bewältigen musste.

Ich telefonierte ohnehin selten, denn in Bhutan war das Gespräch von Angesicht zu Angesicht die bevorzugte Art, Dinge zu erledigen. Wenn man jemanden an seinem Arbeitsplatz anrief, war es unwahrscheinlich, dass man ihn erreichte. Er befand sich entweder gerade in einer Besprechung oder hielt sich am anderen Ende des Ganges auf, führte endlos lange Gespräche, sodass das Telefon ständig besetzt war; es konnte aber auch defekt oder nicht richtig eingesteckt sein oder die Rechnung war nicht bezahlt. Es gab keine Vermitt-lungseinrichtungen, die dem neuesten Stand der Technik entsprachen und die Möglichkeit boten, jemanden in Warte-stellung zu halten, während auf einer anderen Leitung ge-sprochen wurde. Wenn sich eine Gruppe von Leuten gerade unterhielt und das Telefon klingelte, stand niemand auf und ging ran. Alle redeten munter weiter. Damals gab es in Bhu-tan noch keine Anrufbeantworter und selbst heute kenne ich niemanden, der ein solches Gerät besitzt. Kein Wunder, dass Stress in diesem Land so gut wie unbekannt ist.

Es ist schwer zu erklären, wie wenig sich die Bhutaner von ihrer Kommunikationsausrüstung versklaven lassen. In der westlichen Welt kann man davon ausgehen, dass das Telefon höchstens drei- bis viermal läutet, bevor jemand abhebt oder der Anrufbeantworter sich einschaltet. In Bhutan ist es kei-neswegs ungewöhnlich, es dreißig- bis vierzigmal klingeln zu lassen, wenn jemand anruft. Man beendet zuerst in aller Ruhe das, womit man gerade beschäftigt ist, bevor man ab-hebt – sofern man dann noch Lust dazu hat.

Jemandem eine Nachricht zu übermitteln entspricht nicht den Gewohnheiten bhutanischer Büroangestellter. Niemand ist erpicht darauf, etwas aufzuschreiben und auszurichten. In Bhutan herrscht eine völlig andere Denkweise. Die Bitte, eine Nachricht weiterzuleiten, wäre genauso, als würde man von jemandem erwarten, seinen Fuß hinzuhalten, während man mit dem Auto darüberfährt. Sie wird mit kaum verhohlener Feindseligkeit oder Ungläubigkeit quittiert. Selbst wenn sich jemand bereit erklärt, ihr nachzukommen, hat er gerade weder einen Bleistift oder Kugelschreiber noch ein Blatt Papier zur Hand. Ich habe lange über den Grund für dieses

Verhalten nachgedacht und bin zu dem Schluss gelangt: In Bhutan ist man weniger besessen von schriftlichen Belegen und Dokumentationen als im Rest der Welt.

In der »Malschule« gab es nur einen Fernsprecher und der befand sich in einer verschlossenen Holzkiste. Die Holzkiste stand auf einem Schemel in einer kleinen Abstellkammer neben dem Büro des Rektors, als hätte sie etwas Schlimmes angestellt und müsste eine lange Strafe absitzen. Die Tür der Kammer war durch ein großes schwarzes Vorhängeschloss gesichert, das aus Indien stammte, und besaß einen schmalen Schlitz in Augenhöhe, sodass man das Telefon vom Gang aus sehen und hören konnte. Man konnte nur nicht abheben, wenn es läutete, was ich oftmals bedauerte. Der Tagelöhner – ich nannte ihn insgeheim den Telefon-Wallah –, dessen einzige Aufgabe darin bestand, eingehende Anrufe entgegenzunehmen, das Telefon auf Hochglanz zu polieren oder die Abstellkammer und die Holzkiste aufzusperren, damit man anrufen oder angerufen werden konnte, hielt sich nur selten, falls überhaupt jemals in der Nähe des Telefons auf. Dieser Umstand verlieh dem Leben in der Schule eine existenzielle Note, als spielten wir alle in einem Stück von Samuel Beckett mit, einem absurden Theater eigener Prägung.

Einmal musste ich mich wegen der bevorstehenden Abwicklung einer Bücherbestellung mit zwei verschiedenen Verwaltungsdienststellen in Verbindung setzen. Ich hatte im Hauptbüro des Bildungsministeriums erfahren, dass sich die Bücher bereits in einem Lagerhaus in Phuenthsoling befanden. Nun galt es, im lokalen Bildungsressort anzurufen, um jemanden zu finden, der den Eingang bestätigte, und jemanden, der sich bereit erklärte, die Zustellung der Bücher zu veranlassen. Ich fragte mehrere Lehrer, ob sie den Telefon-Wallah gesehen hätten.

Man hätte meinen können, ich hätte um eine Audienz beim König ersucht. »Der ist nicht da«, teilte mir ein *Lopen* (*Lopen* ist in der bhutanischen Landessprache eine respektvolle Bezeichnung für den Lehrer) verdutzt mit. »Er ist beim Mittagessen«, erklärte ein anderer und sah mich misstrauisch an. »*Ca che be?*« »Warum?«

»Ich möchte das Telefon benutzen«, erwiderte ich verärgert. Aus welchem Grund sollte ich sonst den Telefon-Wallah suchen?

Kaum waren ein paar Stunden vergangen, geschah auch schon das Wunder. Der Telefon-Wallah erschien auf der Bildfläche, als hätte er mein dringendes Bedürfnis geahnt oder wäre wie eine Gottheit von mir heraufbeschworen worden. Ein Mann um die sechzig in einer alten Schuluniform, einem *Gho*, der zu kurz für ihn war und oberhalb der Knie endete. Dazu trug er Flipflops aus Gummi: Flipflops oder *Chappel* sind in Bhutan eine nahezu allgegenwärtige Fußbekleidung. Er verströmte einen Geruch, als hätte er sein Mittagessen in hochprozentiger Form zu sich genommen. Als ich ihm sagte, ich müsse das Telefon benutzen, blickte er mich erstaunt an. Ich holte einen *Doma*kegel aus meiner Tasche hervor, den ich ihm überreichte. Seine Miene hellte sich auf.

Er nahm das Betelnusspäckchen, versenkte seine Hand in die Tasche, die sich über dem breiten Gurt seines schmierigen *Gho* bildete, und tastete nach dem Schlüssel. Ich stand wartend daneben, das Blatt Papier mit den beiden Telefonnummern wie eine Eintrittskarte umklammernd. Ich war wild entschlossen auszuharren, bis er die Tür der Abstellkammer aufschloss, die Telefonkiste öffnete und mich meine Anrufe tätigen ließ, gleich wie lange er dazu brauchte. Ich würde keinen Schritt weichen, bis zum bitteren Ende. Ich brauchte die Bücher dringend.

Endlich zog der Telefon-Wallah eine Kette heraus, an der ein Schlüsselbund mit einer großen Anzahl von Schlüsseln hing, aus denen er auf Anhieb den richtigen, zur Abstellkammer gehörigen wählte. Rasch sperrte er die Tür auf, als sei das eine Tätigkeit, die er jeden Tag erledigte, was nicht der Fall war, wie ich wusste.

Mit neu aufkeimender Hoffnung sah ich zu, wie er die Holzkiste aufschloss. Vielleicht war das Ganze ja einfacher, als ich dachte. Mittlerweile hatte sich eine große Gruppe neugieriger Schüler und Lehrer im Gang versammelt. Jemand schickte sich an, das Telefon zu benutzen! Ich streckte die Hand nach dem Hörer aus, doch der Wallah schüttelte den Kopf und deutete an, dass er zuerst wählen müsse: Offenbar gab es bestimmte Regeln, einen Kodex für die Benutzung des Telefons. Das Wählen gehörte offenbar zu seinen Aufgaben.

Ich kam der Aufforderung mit dem größten Vergnügen nach. Sollte er doch seines Amtes walten. Ein spannender Augenblick, den ich auskosten wollte.

Ich hielt ihm das Blatt Papier mit den Telefonnummern unter die Nase. Mit übertriebener Geste deutete ich auf die ersten Zahlen: »Zwei ... zwei ... zwei ... eins ... fünf«, sagte ich. Der Telefon-Wallah sah mich bekümmert an, dann blickte er zu Boden.

»Madam, er spricht kein Wort Englisch«, half mir einer der Schüler auf die Sprünge.

Ich wiederholte die Nummer auf Dzongkha: »*Ne... ne... ne... che... nga.*«

Keine Reaktion. Ich hatte wohl zu schnell gesprochen! Der Telefon-Wallah beugte sich über den urtümlichen schwarzen Telefonapparat, ein Finger verharrte reglos über der Wählscheibe.

»*Ne*«, sagte ich. Das Wunder geschah. Er wählte die Zwei.

»*Ne*«, sagte ich als Nächstes. Er wählte abermals die Zwei.

»*Ne*«, sagte ich zum dritten Mal. Er zögerte, knallte den Hörer auf die Gabel. Die Verbindung war unterbrochen. Also das Ganze noch einmal von vorne.

»*Ne.*« Er wählte.

»*Ne.*« Er wählte erneut.

»*Ne.*« Er legte auf.

Konnte er Hand und Gehirn nicht ausreichend koordinieren, um dreimal die Zwei in Folge zu wählen? Betrunken? Möglich. Auf frustrierende Weise unfähig? Hundertprozentig.

Ich war die Geduld in Person und endlich gelang es ihm, die fünf Zahlen hintereinander zu wählen. Ich hörte das vertraute Klick, Klick, Klick, als das Telefon zu läuten begann. Allem Anschein nach war der Sieg in greifbare Nähe gerückt. Doch Fehlanzeige.

Dieses Mal knallte er den Hörer mit voller Wucht auf die Gabel. »Besetzt«, verkündete er. Er konnte also doch ein paar Brocken Englisch. Dann holte er den massiven Schlüsselbund heraus und schickte sich an, das Telefon wieder in der Holzkiste einzuschließen.

»Halt, halt!«, rief ich. »Könnten Sie es bitte noch einmal versuchen?« Ein Schüler übersetzte. Er nickte. Natürlich konnte er. Dieses Mal hörte ich das Telefon eindeutig läuten, aber er legte wieder auf und erklärte: »Besetzt!«

War er auch noch taub? Unerschrocken beharrte ich auf einem weiteren Versuch. Beim dritten Mal wirkte der Zauber. Er ließ das Telefon tatsächlich klingeln, bis die Person, mit der ich sprechen wollte, den Hörer abnahm. Ich hörte ein Hallo am anderen Ende der Leitung, ein Licht am Ende dieses verrückten Tunnels. Der Telefon-Wallah reichte mir den Hörer. Ich war in Hochstimmung. In nur wenigen Sekunden erhielt ich die Information, die ich brauchte, dankte meinem Gesprächspartner überschwänglich und gab dem Telefon-Wallah den Hörer zurück. Er legte ihn behutsam auf die Gabel, als wollte er ihn nicht länger strapazieren. Dann holte er einen schmutzigen Lappen aus seinem *Gho* und polierte damit die Rückseite des Hörers.

Die Zuschauer im Gang strahlten vor Freude. Er machte gerade Anstalten, die Telefonkiste wieder zuzusperren, als ich ausrief: »Halt, ich muss noch einen weiteren Anruf erledigen.«

Der Schüler übersetzte wieder. Der Telefon-Wallah sah mich vorwurfsvoll an, als wollte er sagen: »Haben wir nicht schon genug gelitten?«

Mir fiel ein uralter Witz ein: Wie viele Telefon-Wallahs braucht man, um eine Glühbirne einzuschrauben?

Es gelang mir schließlich, auch den zweiten Anruf zu tätigen.

Ein paar Wochen später trafen die Bücher ein, aber ich kam nie dazu, sie zu benutzen. *Lopen* Chimi, der für die Unterrichtsmittel »zuständig« war, schloss sie in einem Schrank ein, mit der Begründung, dass die Schüler sie nach Hause mitnehmen und nicht wieder zurückbringen würden.

Zum Glück schickte jemand von der UN ein neues Bündel ausrangierter *New Yorker*.

In meinem zweiten Jahr an der Schule lernte ich Phurba Namgay näher kennen, einen Lehrer und *Thangka*-Maler. Der unglaublich komplizierte Prozess, Rollbilder mit den Darstellungen eines Buddha oder anderer Gottheiten herzustellen, ist in Bhutan seit vierhundert Jahren überliefert und unverändert erhalten geblieben. Namgay war ungeheuer begabt, schüchtern und sehr, sehr nett. Er hatte hohe Wangenknochen, die seine Augen zum Verschwinden brachten, wenn er lachte, und seine Bewegungen waren von einer natürlichen Anmut. Obwohl ich ihn ziemlich exotisch und unergründlich fand, haftete ihm etwas Vertrautes an. Wir wechselten monatelang kein Wort miteinander, nickten und lächelten uns nur zu, wenn wir uns auf der Treppe begegneten. Dann lernten wir uns kennen und wurden gute Freunde. Und zum Schluss geschah das Unfassbare: Wir heirateten.

Die Männer und Frauen in Bhutan tragen auch am Arbeitsplatz traditionelle Kleidung. Der knielange *Gho* der Männer wird vorn übereinandergeschlagen, an den Seiten befestigt und durch Hochziehen auf die entsprechende Länge gebracht wird. Überschüssiges Material wird dabei auf dem Rücken zu einer riesigen Falte zusammengelegt und das Ganze von einem engen, breiten Gurt zusammengehalten.

Ich trug die *Kira*, die in der Taille mit einem engen Gurt gerafft und an den Schultern mit je einer Brosche befestigt wird. Darunter zieht man eine langärmelige Seidenbluse an, *Wonju* genannt, und den krönenden Abschluss bildet ein hüftlanges Jäckchen namens *Tego*. Wenn man die *Kira* richtig gewickelt hat, bildet sie eine Falte auf der rechten Seite, die das Gehen erleichtert. Und da der Gurt sehr eng sitzt, bildet der Stoff oberhalb der Taille eine Tasche, *Hemchu* genannt, in der man wie in einem Beutel Schlüssel, Schreibstifte und andere wichtige Utensilien verstauen kann.

Eine *Kira* muss ständig und möglichst verstohlen zurechtgezupft werden. Mit ein wenig Übung lernte ich, die notwendigen Handgriffe in mein persönliches Repertoire der nonverbalen Kommunikation einzufügen. Ich stand auf, strich über den Rock meiner *Kira*, und steckte die Hand in den Wulst an der Vorderseite, um die Falte zu glätten, ein Zeichen, dass ich zum Aufbruch bereit war. Eine unmissverständliche Geste, wie das Hochkrempeln der Ärmel. Sie bedeutet: »Ich bin fertig« oder »Danke, das war es«. Eine hervorragende Geste, vor allem für Lehrer.

Wenn eine Frau im Lauf einer Unterhaltung den Kragen der *Wonju* glättet oder mit der Hand umschlägt, geht daraus hervor, dass sie anmutig, schüchtern und mädchenhaft ist. Mit dieser Geste kann man der Bedeutung des Gesagten eine sanftere Note verleihen. Im Westen würde man vielleicht mit dem Ohrring spielen.

Wenn man eine Treppe hinaufgeht, rafft man die *Kira* ein wenig, um nicht zu stolpern. Eine Geste, die veraltet wirkt. Richtig ausgeführt, wirkt sie jedoch elegant und sexy. Ansonsten sieht sie steif und prüde aus oder wie in meinem Fall typisch für eine Frau aus dem Westen, die nicht daran gewöhnt ist, ein langes Kleid zu tragen. Der *Kera*, ein enger und breiter Gurt, der *Gho* und *Kira* zusammenhält, zwingt dazu, beim Stehen und Sitzen eine aufrechte Haltung anzunehmen. Da die Kleidungsstücke wahre Meisterstücke der traditionellen Handwerkskunst sind, lenken sie die Aufmerksamkeit auf den Körper der Träger. Ich kam mir oft wie eine Darstellerin aus der Operette *Der Mikado* vor.

Für Namgay und mich wurde die Sprache von *Kira* und *Gho* zu einer Art rituellem »Paarungstanz«. Ich war einer Ohnmacht nahe, wenn er während der Morgenversammlungen in der Schule den Rücken wölbte, über die Schulter spähte und nach dem Saum seines *Gho* tastete, als würde er überprüfen, ob die Falte richtig saß. Wenn ich die Hände in die Ärmel meines *Tego* schob, während wir uns unterhielten, wusste er, dass ich mit ihm flirtete.

Mein Mann ist Buddhist. Er ist überzeugt, dass unser Karma uns zusammengeführt hat, wie schon in früheren *Samsaras* – dem endlosen Kreislauf von Geburt, Tod und Wiedergeburt in der buddhistischen Lehre – und allen weiteren Lebenszyklen, die folgen. Vielleicht werde ich im nächsten Leben als seine Mutter zur Welt kommen und er danach als mein Hund. Es spielt keine Rolle. Was zählt, ist allein, dass wir wieder zueinanderfinden. Er zweifelt nicht daran. Wie er oft betont, hatten wir beide die Gelegenheit, den Bund fürs Leben zu schließen, bevor wir uns begegneten, aber wir ließen sie ungenutzt verstreichen. Wir warteten. Und ich kam aus weiter Ferne zu ihm, allen Hindernissen zum Trotz, die beinahe unüberwindlich waren. Seine Überzeugung ist tief verwurzelt. Inzwischen glaube ich auch daran. Ich glaube an viele Dinge, die der Vernunft zu widersprechen scheinen. So ist das nun mal in Bhutan.

Es macht nichts, wenn der Blitz von oben einschlägt,
wenn der Boden unter dir einbricht,
wenn Himmel und Erde wie ein
mächtiger Zimbelschlag aufeinanderprallen,
wenn der Kopf lodert und giftige Schlangen
auf deinen Schoß kriechen, gleich
ob du dich der Muße hingibst
oder einer Beschäftigung nachgehst,
gleich ob du hungrig oder wohlgenährt,
glücklich oder traurig bist;
was immer auch geschieht,
du solltest niemals aufgeben.

Shabdrung Ngawang Namgyal, hochrangiger heiliger Mann,
Staatsgründer, Magier und Krieger,
der Bhutan im 17. Jahrhundert vereinigte

IN GUTEN WIE IN SCHLECHTEN TAGEN

Noch vor wenigen Jahrhunderten war Bhutan eine winzige Enklave aus Bauern, Yaks und Mönchen, ähnlich wie heute vor dem Rest der Welt verborgen, mit nichts als den schneebedeckten Gipfeln des Himalaja ringsum, die Zeuge eines mühseligen, aber glücklichen Lebens waren. Damals wanderte ein Lama, ein heiliger Mann aus Tibet, durch Westbhutan. Er war den Frauen, dem Alkohol und einem ausschweifenden Leben in einem solchen Übermaß zugetan, dass er bald zum Ärgernis wurde. Drukpa Kunley, der »Himmlische Verrückte« genannt, reiste mit einem kleinen Hund durch das Land und segnete die Menschen, indem er ihnen mit einem großen Holzphallus auf den Kopf schlug. Er lebte von 1455 bis 1529.

Es hieß, dass er mit seinem erigierten Penis ein Feuerrad schlagen konnte, das sich wie die Rotorblätter eines Hubschraubers drehte, wodurch er schneller von einem Ort zum anderen gelangte. Er beherrschte auch noch andere Zaubertricks, doch dieses Kunststück war das spektakulärste. Einer Legende zufolge vertrieb er mit seinem »Feuer speienden« Penis Dämonen, die den Einheimischen das Leben zur Hölle machten. Sie zerstörten die Ernten, bewirkten, dass die Frauen unfruchtbar wurden, und lösten gigantische Schneestürme aus.

Im Repertoire der bhutanischen Sagen und Legenden gibt es zahlreiche Berichte über die haarsträubenden Reisen und

Abenteuer des Drukpa Kunley. Er kannte keine Tabus. Er scheute auch nicht vor Inzest zurück. Eine Geschichte besagt, dass er seine eigene Mutter verführte. Nachdem er sie eine Weile massiv unter Druck gesetzt hatte, erklärte sie sich schließlich einverstanden, ihm zu Willen zu sein, vorausgesetzt, dass er Stillschweigen darüber bewahrte und es schnell hinter sich brachte. Er gab ihr das Versprechen, hielt sich aber nicht daran. Er erzählte allen Bewohnern ihres Dorfes davon, um ihre Seele zu retten, indem er sie als Heuchlerin bloßstellte. Sobald die Wahrheit ans Licht gekommen war, konnte sie ihre ungeteilte Aufmerksamkeit auf den Weg der Erlösung richten.

Namgays Lieblingsgeschichte über Drukpa Kunley handelt von einem hochbegabten Maler, der ein *Thangka* von unvergleichlicher Schönheit schuf. Der Maler war laut Namgay »sehr zufrieden mit sich selbst. Mehr als zufrieden, genauer gesagt. Er war der Meinung, nicht einmal ein Buddha könne sich mit seiner Kunstfertigkeit messen.«

Da es bei bhutanischen Malern üblich ist, ihre Werke von einem hohen Lama weihen oder segnen zu lassen, bat der Maler Drukpa Kunley um den Dienst. Dieser erklärte sich einverstanden und als der Maler sein Bild behutsam auseinanderrollte, hob Drukpa Kunley seinen Kittel, entblößte seine Genitalien und leerte seine Blase direkt über dem kostbaren Kunstwerk. Die Moral: Überwinde das Ego. Und beseitige das Chaos.

Drukpa Kunley erklärte den Bhutanern, er werde nach seinem Tod nicht mehr reinkarnieren, weil ihm das Leben auf der Erde zu anstrengend sei. Doch solange er auf Erden weilte, genoss er es in vollen Zügen. Und was machten die

Bhutaner mit diesem aus der Art geschlagenen tibetischen Lama, der sich weigerte, die Spielregeln zu befolgen? Sie betrachteten ihn als einen der Ihren, »adoptierten« ihn gewissermaßen und machten einen Nationalheiligen aus ihm. Das gefällt mir so an ihnen. Sie haben begriffen, dass die fleischlichen Sünden für die Menschheit vermutlich am wenigsten schädlich sind und dass Wut, Heuchelei, Neid, Gier und Hochmut am Ende wesentlich größeres Unheil anrichten. Das war die Lehre, die Drukpa Kunley ihnen erteilte.

Drukpa Kunley lebte im 15. Jahrhundert während der Zeit des ersten und zweiten Dalai Lama; der Buddhismus in der Himalajaregion war von Aberglauben und den animistischen Religionen geprägt, die ihm vorausgingen. Die Dämonen, die Drukpa Kunley unterwarf, wurden vernichtet, vertrieben oder zum Buddhismus bekehrt und in Hüter des Glaubens verwandelt. Sein Leben war ein wunderbarer Kontrapunkt zu den starren fundamentalistisch angehauchten Repräsentanten der buddhistischen Lehre.

Als wir das erste Mal das Dorf in dem Distrikt Trongsa besuchten, in dem Namgay geboren und aufgewachsen war, hielten wir an einem großen, von einer Kuppel gekrönten Schrein am Rande der Straße, erbaut in nepalesischem Stil, mit Buddha-Augenpaaren auf allen vier Seiten, was für Bhutan untypisch ist. Der sogenannte Chendebji Chorten ist weiß gekalkt, »wie der Schnee eines heiligen Berges«. Lama Shidra errichtete ihn im 19. Jahrhundert über der Stelle, an der ein Dämon besiegt wurde – was in Bhutan häufig geschieht. Ein *Chorten* oder *Chörten*, in anderen Teilen Asiens auch *Stupa* genannt, ist ein Kompromiss zwischen Bauwerk und Skulptur, ein Grabdenkmal, das der Aufbewahrung religiöser Reliquien dient und versiegelt wird. Einige *Chorten* sind so groß, dass man sie betreten könnte, sie zählen somit zu den Bauwerken. Viele sind klein und gleichen eher einer Skulptur. Die Reliquien sind vor allem für die Drukpa-Kayukpa-Schule des Mahayana-Buddhismus wichtig, der viele Anhänger in den entlegenen Bergregionen hat, und der *Chorten* gilt folglich als Weihestätte, als ein Ort tiefer Verehrung. In Bhutan gibt es Hunderte von *Chorten*. Namgay erzählte mir, als dieser *Chorten* erbaut wurde, schickte man einen Boten nach Tibet mit dem gesamten Vermögen des Dorfes, um Reliquien für den Schrein zu erstehen. Nach langer Zeit kehrte er zurück, mit einem alten, übel riechenden Kleidungsstück, den Überresten der Unterhosen von Drukpa Kunley, wie es hieß.

Die Dorfbewohner waren hellauf begeistert.

Der Inhalt des Schreins ist an einer Seite des *Chorten* aufgeführt und Drukpa Kunleys Unterhosen sind tatsächlich aufgelistet.

Der Schrein mit den Unterhosen des Drukpa Kunley ist eine Metapher für die Bhutaner, die Aufschluss über ihre Mentalität gibt: Sie sind ehrfurchtsvoll und respektlos, fromm und pietätlos, sanft und kraftstrotzend, geradlinig und vielschichtig zugleich. Mit den scheinbaren Widersprüchen scheinen sie problemlos umgehen zu können. Und sie haben viel Humor.

Selbst die Entwicklungspolitik des Landes war ein wenig absonderlich, verglichen mit dem Rest der Welt. Der charismatische bhutanische König Jigme Singye Wangchuk erklärte in einem Interview, das er führte, als er zwischen zwanzig und dreißig war, dass er dem Bruttosozialglück seines

Volkes größeren Wert beimesse als dem Bruttosozialprodukt. Diese Verlautbarung des optimistischen und ausgesprochen jungen Herrschers gab den Anstoß für ein Entwicklungsprogramm, das Umweltschutz, verantwortungsbewusste Regierung und Erhalt von Kultur und Tradition für wichtiger erachtet als ökonomisches Wachstum. Wie könnte sich eines der wirtschaftlich am wenigsten entwickelten Länder auch sonst gegen Macht und Wohlstand der entwickelten Welt behaupten? Bhutan behauptet sich dadurch, dass es nicht am Wettbewerb teilnimmt. Dass es darauf verzichtet, sich mit anderen zu vergleichen, und stattdessen sich selbst treu bleibt. Die Bhutaner lassen viele Gelegenheiten ungenutzt, mit ihren beträchtlichen natürlichen Ressourcen Geld zu verdienen – Bauholz, Wasser, Mineralien, Pflanzen und Tiere –, um ihre Umwelt zu schonen und ihre Lebensqualität zu erhalten. Allein diese Einstellung sorgt dafür, dass Bhutan sich von anderen Nationen unterscheidet, eine Welt für sich bleibt.

Ein anderer einflussreicher heiliger Mann namens Padmasambhava, auch liebevoll Guru Rinpoche genannt, floh einige Jahrhunderte vor Drukpa Kunley von Tibet nach Bhutan. Dieser indische Heilige brachte im 8. Jahrhundert den Buddhismus nach Bhutan. Wie Drukpa Kunley war er zauberkundig. Er gelangte auf dem Rücken eines Tigers in das »Land des Donnerdrachen«. Seine Gefährtin hatte sich in das Reittier verwandelt und in die Lüfte erhoben, um ihn zu befördern. Für die Reise gen Süden hatte auch der Guru eine seiner furchterregenden Gestalten angenommen. Als Dorje Drolo verfügte er über eine feuerrote Haut, drei hervorquellende Augen und gewaltige bedrohliche Klauen. Und er war von lodernden Flammen umhüllt. Er trug ein Lendentuch aus

Tigerfell und ein Halsband aus Totenschädeln. Seine Gefährtin und er landeten hoch droben auf einem felsigen Steilhang unweit der Stadt Paro, an einer Stelle, an der sich heute das Taktsangkloster befindet.

Diese Begebenheit fällt nicht etwa in den Bereich der Mythen und Legenden, sondern wird in Bhutan wie ein Tatsachenbericht betrachtet. In der Geschichte des Himalajakönigreichs gibt es eine Fülle ähnlich magischer Erzählungen, bei denen die Grenze zwischen Fakten und Fiktion verschwimmt, wobei der Unterschied für einen Bhutaner weder wichtig noch erforderlich oder real ist.

Viele religiöse und politische Führer begaben sich in Zeiten politischer Unruhen auf den langen Marsch von Tibet oder Indien nach Bhutan. Über mehrere Jahrhunderte galt das Land als sicherer Hafen. In der frühgeschichtlichen Periode wurde es sogar teilweise von Adeligen und heiligen Männern aus Tibet regiert. Nachdem sie sich im Land niedergelassen hatten, errichteten sie ihre eigenen kleinen Fürstentümer. Wie in Europa bekämpften sich die Lehnsherren, schlossen wechselnde Bündnisse und sorgten für den Machterhalt ihrer eigenen Clans.

Was von der Entstehungsgeschichte Bhutans in Erinnerung geblieben ist, sind vor allem die Kriege – harsch und erbarmungslos, von wundersamen Ereignissen durchsetzt. Ich stelle mir die unwegsamen Bergregionen in uralter Zeit vor, vom ewigen Nebel umhüllt, und in den Wäldern und auf den Lichtungen gesichtslose Krieger, die Lederhelme und Kettenhemden trugen, mit Bogen und Schwert ausgerüstet.

Im Nationalmuseum in Paro kann man heute kunstvoll geschmiedete Schwerter und Dolche, Helme aus Leder und

Metall und runde schwarze Schilde aus Nashornhaut besichtigen. Die Kettenhemden sind brüchig vom Alter. Ausgestellt sind außerdem Pfeile mit Eisenspitzen, die sicher in Gift getaucht wurden, um zu gewährleisten, dass der Tod entweder schnell und gnädig oder langsam und qualvoll eintrat, je nachdem, welchem Feind man sich gegenübersah. Zu den weiteren Exponaten gehören Mühlsteine, Kochgeschirr aus Metall, religiöses Zubehör sowie allerlei Utensilien für das raue und spartanische Leben, das die Menschen in grauer Vorzeit führten.

Was die tatsächlichen Geschehnisse betrifft, ist man auf Spekulation angewiesen, denn bei Bränden in den Bibliotheken und *Dzongs* wurden wichtige Dokumente zerstört. Doch wir wissen, dass es zwischen dem 8. Jahrhundert, als Guru Rinpoche aus Tibet kam, und 1616, als Shabdrung Ngawang Namgyal den Grundstein für das heutige Bhutan legte und die unabhängigen Fürstentümer zu einem Reich vereinte, eine Zweiklassengesellschaft gab, bestehend aus regionalen Lehnsherren und Bauern. Das Land verfügt nur über fünf Täler, die breit genug sind, um sich für eine Besiedelung zu eignen. Das war zur damaligen Zeit gewiss nicht anders. Es gab bestimmt zahlreiche strategische Schachzüge, Abkommen und Fehden beim Kampf um die wenigen zersplitterten, landwirtschaftlich nutzbaren Areale in den malerischen Tälern des Himalaja.

Mönche und Lamas zeichneten die Chronik des Landes auf, daher erhielten Heilige und namhafte religiöse Führer besonders viel Beachtung. Die Geschichte Bhutans stellt einen Persönlichkeitskult ganz eigener Prägung dar: Guru Rinpoche, Pema Lingpa, Dorje Lingpa, Drukpa Kunley, Shabdrung

Ngawang Namgyal, Jigme Namgyal – der Vater des ersten Königs Ugyen Wangchuk – bis hin zum heutigen Herrscher waren überlebensgroße Gestalten, für ein so kleines Land beinahe unfassbar.

Darüber hinaus gibt es zahllose Wasser- und Erdgeister sowie andere übernatürliche Wesen, deren Bildnisse man in ganz Bhutan findet. Auch die *Naga* (ein Wort aus dem Sanskrit, das Schlange bedeutet), die Schlangengottheiten, werden heute noch verehrt. Der Schlangenkult ging dem Buddhismus voraus und war Teil der Bön-Religion, einer uralten animistischen Glaubenslehre. Der Buddhismus in Bhutan wurde nachhaltig vom Bön beeinflusst, denn die beiden Religionen hatten viele Gemeinsamkeiten. Beide lehren Achtung vor der Erde und allen Lebewesen. *Naga* sind anfällig für Luftverschmutzung und wenn man Raubbau an der Umwelt und der Erde betreibt, rächen sie sich. Bevor man in Bhutan ein Haus, ein Gebäude oder gleich welche anderen Strukturen errichtet, wird eine Zeremonie abgehalten, in der man die *Naga* um die Erlaubnis bittet, das Erdreich umzugestalten. Die Bhutaner glauben, dass viele Krankheiten, insbesondere Hautkrankheiten und Asthma, von erzürnten *Naga* herbeigeführt werden. Wer dagegen in Einklang mit der Natur lebt, wird von ihnen mit Wohlstand und einer reichen Ernte bedacht. Dem Vernehmen nach haben sie sogar Menschen, denen sie wohlgesinnt waren, Edelsteine geschenkt.

Lu sind Wassergeister, die in Seen hausen. Sie reagieren besonders sensibel auf Schäden in ihrer Umwelt. Sinkt der Wasserspiegel eines Bergsees, gilt das als Zeichen, dass die *Lu* ihn verlassen und sich eine andere Bleibe gesucht haben. Die Bewohner der Region können notfalls eine *Puja* abhalten (der Hindubegriff für »religiöse Zeremonien«, der in Bhutan oft benutzt wird), um die *Lu* zur Rückkehr zu bewegen, aber es ist besser, den See gar nicht erst zu verunreinigen. Die Anwesenheit der *Lu* wird begrüßt, denn sie zeigt an, dass das Wasser eines Sees sauber und makellos ist. Sie können außerdem auf das menschliche Schicksal einwirken, gelten allgemein als Glücksbringer. Auch sie schenken den Menschen, die ihre Gunst genießen, bisweilen Edelsteine, vor allem große Türkis-Rohlinge.

Stellen Sie sich vor, Sie wären ein Yakhirte, der die Sommermonate hoch droben auf den Weiden des Himalaja verbringt, in unmittelbarer Nähe einiger Gletscherseen von bodenloser Tiefe. Die Seen sind glasklar und tiefblau. Die intensive Färbung des Wassers lässt sich auf Splitter von Gestein- und Kristallsedimenten zurückführen, vermischt mit Gletscherabflüssen, in denen sich der strahlend blaue Himmel spiegelt. Eines Tages wandern Sie am Ufer des Sees entlang, an dem Sie Ihre Yakherde hüten, und erspähen auf einem Felsblock einen bläulich schimmernden Gesteinsbrocken in der Größe Ihrer Faust; es ist ein Türkis, der nur darauf gewartet zu haben scheint, dass Sie ihn entdecken. Vielleicht wurde er dort für Sie hinterlegt, als Belohnung, die Ihnen ein *Lu* zuteilwerden lassen wollte. Oder Sie sehen bei ihrer Wanderung um den See plötzlich eine Hand, die sich mitten aus den Wellen erhebt und einen kleinen Beutel hochhält. Der Beutel wird ans Ufer gespült, genau an die Stelle, an der Sie stehen. Sie ziehen ihn an Land und als Sie ihn öffnen, ist er mit Türkisen und Korallen gefüllt.

In Bhutan gibt es unzählige Geschichten, die von verborgenen Schätzen handeln. Terton Pema Lingpa war ein heiliger Mann, der im 15. Jahrhundert lebte und einen Teil der hundertacht Schätze fand, die Guru Rinpoche versteckt hatte. *Terton* bedeutet »Schatzfinder« und bei vielen Schätzen, die von *Tertons* entdeckt wurden, handelt es sich um alte Schriften mit religiösen Lehren.

Die Nachfahren von Pema Lingpa leben noch heute in den Tälern rund um Bumthang. Es heißt, dass einige mit sechs Zehen an jedem Fuß geboren wurden. (Ich bin einmal einer alten Frau in Semtokha begegnet, die zwölf Zehen hatte.) Die königliche Familie in Bhutan kann ihre Abstammung in direkter Linie auf Terton Pema Lingpa zurückführen, eine Reinkarnation des Guru Rinpoche: Er war Dichter, Schmied, Übersetzer, Sänger, Tänzer und ein hoher Lama. Er erhielt seine religiösen Unterweisungen von Guru Rinpoche mittels Meditation und Träumen und er spürte Texte über den Buddhismus auf, die 700 Jahre zuvor vom Guru versteckt worden waren, um sie vor Zerstörung zu bewahren.

Die Geschichte Bhutans ist reich an heiligen Männern und einigen wenigen Frauen, die sich im Alleingang auf Wanderschaft begaben. Dorje Lingpa machte sich im 14. Jahrhundert auf den Weg, um Anhänger für die von ihm gegründete buddhistische Geheimsekte zu suchen. Die buddhistische Nonne Ani Palmo, die zu einem späteren Zeitpunkt lebte, wurde aus dem Kloster ausgeschlossen, als sie an Lepra erkrankte. Sie unternahm daraufhin eine Pilgerreise nach Osten, zu einem Tempel in der Nähe von Trashigang, doch unterwegs verließen sie die Kräfte. Einer Legende zufolge war ihr Geist so rein, dass sich der Tempel umdrehte und zu ihr kam.

Die schriftlich belegte Geschichte Bhutans beginnt mit Guru Rinpoche, der im Jahre 762 unserer Zeitrechnung auf Geheiß des Königs Sindhu Raja nach Bumthang kam. Die Einzelheiten der Reise wurden 700 Jahre später von Ugyen Lingpa aufgezeichnet, dem Gründer einer einflussreichen, wenngleich schrumpfenden buddhistischen Sekte. Der Guru hinterließ dabei im ganzen Land seine Fuß-, Hand- und Körperabdrücke – auf Felsen, in Höhlen, in denen er meditierte, und an heiligen Stätten. Guru Rinpoche gilt als einigende Kraft in Bhutan, weil er den Buddhismus einführte und den Menschen eine gemeinsame Geschichte und Mythologie gab. Ob er tatsächlich übernatürliche Gaben besaß, sei dahingestellt; diese Frage zu beantworten sollte Menschen aus dem Westen, Gelehrten und Nonkonformisten überlassen bleiben. Die Loyalität und Verehrung, die das bhutanische Volk dem Guru entgegenbringt, könnte nicht realer sein.

Ein weiteres charakteristisches Merkmal ist die Tatsache, dass Bhutan nie kolonisiert wurde. Die Bhutaner verfügen infolgedessen über einen ausgeprägten Hang zur Unabhängigkeit, der zum Erhalt ihrer Kultur beigetragen hat. Nur wenige asiatische Länder blieben von der Usurpation und Fremdherrschaft einer anderen, opportunistischen Staatsmacht verschont. Auf Anhieb fallen mir keine ein. Angesichts der politischen Unruhen und Wechselfälle in der Nachbarschaft ist das keine Selbstverständlichkeit. Die Herrscher Bhutans hatten offenbar das Glück auf ihrer Seite und ein Händchen dafür, in den entscheidenden Augenblicken der Geschichte die richtigen Bündnisse zu schmieden.

An der Wende zum 20. Jahrhundert gelang es Ugyen Wangchuk, dem *Pönlop* von Trongsa, andere Provinzgouverneure in Bhutan zu überzeugen, dass man die Briten in ihren Bemühungen um mehr Einflussnahme in Tibet unterstützen müsse; er diente als Vermittler zwischen den Tibetern und den Briten. Dass die Briten 1904 Tibet besetzten, ist eine Tatsache, die nur wenigen bekannt sein dürfte. Das war nur einer von vielen Schachzügen im sogenannten Großen Spiel, dem Konflikt zwischen Großbritannien und Russland um die Vorherrschaft in China, der Mongolei, Nepal und in dem Gebiet, das die heutigen »Stans« umfasst (wie Kasachstan, Usbekistan, Turkmenistan usw.). Imperien zu errichten war damals Programm. Ugyen Wangchuk stellte sich als Unterhändler zur Verfügung, vermittelte zwischen den Briten, deren Tibet-Feldzug unter der Führung von Sir Francis Younghusband stand, und den Tibetern, die am Ende der blutigen Auseinandersetzungen zwischen 700 und 2000 Tote zu beklagen hatten. Die Bhutaner erhielten während des Duar-Krieges an ihrer Grenze zu Indien einen Vorgeschmack auf die Briten, und dank Ugyen Wangchuks geschicktem Taktieren wurde Bhutan davor bewahrt, von Britisch Indien annektiert zu werden. Seine Rettungsaktion trug maßgeblich dazu bei, dass er 1907 zum ersten König von Bhutan gekrönt wurde.

Als Indien 1947 die Unabhängigkeit von Großbritannien gewann, unterzeichnete Bhutan unverzüglich ein Abkommen mit dem Nachbarstaat, das ihm die Möglichkeit bot, der bhutanischen Außenpolitik Orientierungshilfen zu geben. Es ist eine Ironie des Schicksals, dass Bhutan kein außenpolitisches Konzept hatte. Das Land war Ausländern verschlossen und blieb auch noch weitere zwanzig Jahre vom Rest der Welt abgeschottet. Doch der Schulterschluss erwies sich für beide Länder als segensreich.

Bhutan hat weniger Einwohner als die meisten Großstädte im Westen (die Einwohnerzahl wird sehr unterschiedlich angegeben, schwankt zwischen 0,8 und 2,2 Millionen), wodurch ein starker kultureller Zusammenhalt begünstigt wird. Den Menschen bleibt nichts anderes übrig, als sich gegenseitig zu unterstützen, um in den entlegenen, unwirtlichen Hochgebirgsregionen zu überleben. Sie haben einen ausgeprägten Gemeinsinn entwickelt, kümmern sich umeinander.

Obwohl der Einzelne wichtig ist, sehen sich die Bhutaner weniger als Individuen, sondern vielmehr als Angehörige eines Kollektivs: eines Familienclans, einer gesellschaftlichen Gruppierung, eines Stammes oder eines Landes. Die soziale Vernetzung verleiht ihnen ein Gefühl der Sicherheit und Geborgenheit in ihrer Lebensgemeinschaft. Sie wissen, wohin sie gehören, kennen ihre Rolle und fühlen sich wohl darin. Sie betrachten sich als Teil des übergeordneten Ganzen und sind als solcher bereit, bis zu einem gewissen Grad auf individuelle Freiheiten zu verzichten, wenn es dem Wohl der Gemeinschaft dient. Dieses Verhalten ist kein politisches Kalkül, sondern rein pragmatisch. Das Gefühl der Verbundenheit und Zugehörigkeit scheint genau das zu sein, wonach viele Menschen im Westen heute verzweifelt suchen.

In den Ländern des Westens, vor allem in den USA, herrscht die entgegengesetzte Einstellung. Vielleicht liegt es daran, dass Amerika früher eine englische Kolonie war. Dem Einzelnen wird eine überragende Bedeutung beigemessen und wir lernen von Kindesbeinen an, welche Persönlichkeitsrechte wir besitzen. Individualität wird belohnt. Es gibt zahlreiche Beispiele für diese Werte, die wir gar nicht mehr wahrnehmen, weil wir in der entsprechenden Gesellschaft leben. Wir mögen uns über die bhutanische Kleiderordnung wundern, doch die Bhutaner staunen gleichermaßen über die Rechtsansprüche, die Amerikaner geltend machen, beispielsweise übergewichtige Flugpassagiere, die eine Sammelklage einreichen, weil der Gurt zum Anschnallen nicht passt. Es würde Bhutanern nie einfallen, eine Fluggesellschaft für ihren Leibesumfang verantwortlich zu machen.

Es mag unfair sein, die beiden Länder zu vergleichen wie Äpfel und Birnen. Im Westen hat sich aus gutem Grund eine eigene Denkweise entwickelt, genau wie in Bhutan. Doch wir sollten uns vor Augen halten, dass es Menschen gibt, deren Denkweise sich von unserer unterscheidet. Wenn wir mehr Toleranz entwickeln, können wir meiner Meinung nach verborgene Ängste abbauen und zufriedener leben.

Das entspricht auch der buddhistischen Lehre. In Bhutan, einem buddhistisch geprägten Land, sind Harmonie und inneres Gleichgewicht wichtige Werthaltungen, angespornt von einer Philosophie, die Gewaltlosigkeit, Achtsamkeit und das Streben nach vollkommenem inneren Frieden predigt. In einer Welt, die Zeuge unermesslichen Leids ist, verursacht durch religiösen Fundamentalismus, Terrorismus, Habgier, korrupte Regierungen und Umweltzerstörung, bietet der Buddhismus die Weisheit und Ausgewogenheit, die so dringend notwendig wären. Wenn die Außenwelt Härten mit sich bringt, ist es sinnvoll, den Blick nach innen zu richten.

Weggehen bedeutet »Lebewohl« sagen.
Ein Messer auf den Magen richten bedeutet:
»Bitte sag das nie wieder.«
Sich vorbeugen bedeutet: »Ich liebe dich.«
Den Finger heben bedeutet: »Ich stimme begeistert zu.«
»Möglich« bedeutet »Nein«.
»Ja« bedeutet »Vielleicht«.
Jemanden auf diese Weise anschauen bedeutet:
»Du hattest deine Chance.«

William Stafford,
Purifying the language of the tribe

MIT DIESEM RING NEHME ICH DICH ...

Dzongkha, die Amtssprache Bhutans, gehört zu den undurchsichtigsten, schwierigsten und überflüssigsten Sprachen der Welt aus der Sicht derer, die sie beherrschen, und das sind rund 100 000 bis 150 000 Menschen. Die meisten sprechen darüber hinaus Englisch, Nepali und ein kunterbuntes Sammelsurium weiterer Sprachen aus der Region, wie Hindi, ganz zu schweigen von ungefähr zweihundert Dialekten. Außerhalb von Bhutan spricht niemand Dzongkha. Als ich nach Bhutan übersiedelte, war ich natürlich erpicht darauf, die Sprache zu lernen.

Ich legte mir ein kleines Heft zu, in dem ich Vokabeln und ihre Bedeutung notierte. Ich konnte Hallo, Auf Wiedersehen, Danke, Verpiss dich, Du kannst mich mal kreuzweise, Leck mich, Heiße Affenliebe sagen und beherrschte zahlreiche weitere wichtige Redewendungen und idiomatische Ausdrücke, die das Leben bereichern.

Ich fragte Palden, einen der Lehrer an der Schule, an der ich unterrichtete, ob er mit mir an der Verbesserung meiner Sprachkenntnisse arbeiten würde, und er erklärte sich einverstanden.

In Bhutan lernt man anders als im Westen. Das ist eine nützliche Information, die ich erst entdeckte, als ich schon zwei Jahre unterrichtete. Das lässt natürlich Rückschlüsse auf meine pädagogischen Fähigkeiten zu. Die Lernmethode ist unserer diametral entgegengesetzt. Bhutaner prägen sich zuerst alles ein, was man ihnen beibringt, auch wenn sie die Bedeutung der Informationen nicht genau verstehen. Infolgedessen entwickeln sie ein hervorragendes Gedächtnis. Es war keineswegs ungewöhnlich, in den Gängen unserer Schule zwei oder drei verschiedene Klassen zu hören, die lautstark Passagen aus Lehrbüchern zitierten.

Nach dem Auswendiglernen folgen Prüfungen, die im Grunde darin bestehen, das Gelernte zu wiederholen. Die Tests stammen aus Indien und sind standardisiert. Die Schüler geben die Informationen lediglich wieder und werden anhand der Antworten auf die Fragen benotet. Erst später »lernen« sie, das heißt, sie verinnerlichen, was sie auswendig gelernt haben, und speichern es als eigenes Wissen ab, entwickeln Assoziationen und Hypothesen, wenden die Kenntnisse an, reflektieren sie und bauen darauf auf.

Im Westen hält man sich an die sokratische Methode. Die Lehrer geben Informationen weiter. Sie beantworten Fragen der Schüler oder stellen Fragen, die von der Klasse beantwortet werden. Dadurch entsteht ein Dialog, ein reger geistiger Austausch, formal und inoffiziell. So ist unser Lernprozess beschaffen. Man trichtert den Schülern Wissen ein, aber sie merken sich das Gelernte nicht zwangsläufig. Das menschliche Gehirn funktioniert auf andere Weise; um Informationen langfristig abzuspeichern, benötigt es zahlreiche Erklärungen. Danach sichten und überdenken wir die Informationen, prägen sie uns ein und schreiben Tests. Mit ein wenig Glück haben wir einige verinnerlicht, die wir praktisch umsetzen oder als Grundlage für Ableitungen und Schlussfolgerungen verwenden können. Wir erzielen gute (oder schlechte) Prüfungsergebnisse und dürfen mit Fug und Recht behaupten, etwas gelernt zu haben (oder auch nicht).

Lernen ist ein chaotischer Prozess, ungeachtet der Methode, die dabei zur Anwendung kommt.

Lopen Palden erklärte mir, ich müsse zuerst Dzongkha lesen und schreiben lernen, bevor wir zur gesprochenen Sprache übergehen könnten. Er trug das bhutanische Alphabet vor, das ich mir einprägen sollte. Es wurzelt im *Chöke*, dem alten tibetischen Alphabet, das von den Mönchen benutzt wurde, denn Dzongkha besitzt keine eigene Schreibschrift. *Selj'e Sumcu*, wie der bhutanische Name dieses »importierten« Alphabets lautet, besteht aus dreißig Buchstaben: *ka, kha, ga, nga, ca, cha, ja, na, ta, tha, da, na, pa, pha, ba, ma, tsa, tsha, dza, wa, zsa, za, a, ya, ra, la, sha, sa, ha, ah*. Der letzte Buchstabe, das »ah«, war Musik in meinen Ohren.

Trotzdem, kein Problem. Die dreißig Buchstaben kenne ich in ein paar Tagen in- und auswendig. Dachte ich. Ich hatte das Alphabet, das *Lopen* rezitierte, auf Kassette aufgenommen und wiederholte es immer wieder. Innerhalb kürzester Zeit beherrschte ich es aus dem Effeff. *Phantastisch. Ich lerne schnell. Offenbar besitze ich eine natürliche Sprachbegabung.* Dachte ich.

Doch dann setzte mir *Lopen* einen Dämpfer auf. Ich musste als Nächstes über hundert verschiedene Affixe lernen, die mit den Buchstaben dieses vermaledeiten Alphabets einhergingen und ihren Klang veränderten. Er bezeichnete sie als Konsonanten. Keine große Sache, wie man meinen könnte, aber hundert kleine »Zugaben« an dreißig Buchstaben ergeben unzählige Kombinationsmöglichkeiten. Ich war weder damals noch heute eine Leuchte in Mathematik, aber ich wusste, dass nicht nur ein schwieriger und steiniger, sondern auch ein langer Weg vor mir lag. Eine Herausforderung. Eine schmerzhafte. *Wollte ich mir das wirklich antun und Dzongkha lernen?* Ja, zum Kuckuck, schließlich hatte ich jede Menge Freizeit zur Verfügung. Ich wollte ja Dzongkha sprechen lernen. Also machte ich weiter, entschlossen, nicht so leicht aufzugeben.

Lopen Palden brachte mir einen Trick bei, damit ich mir die erste Konsonantengruppe leichter merken konnte: Sie lautete *key, koo, kay* und *ko*. Das Problem wird auf Anhieb sichtbar. Es gibt nicht nur unendliche viele Möglichkeiten, Alphabet und Konsonanten zu kombinieren, sondern die Laute lassen sich von jemandem, der nicht mit dem Sprachklang vertraut ist, kaum voneinander unterscheiden. Nach einem mehrstündigen Versuch, sie mir einzuprägen, hatte ich das Gefühl, mein Kopf müsse jeden Moment platzen, wie eine Dose mit einem kohlensäurehaltigen Getränk, die heftig geschüttelt worden war. Ich rächte mich an *Lopen*, indem ich ihn aufforderte, Zungenbrecher zu lernen (»Auf dem Rasen rasen Hasen, atmen rasselnd durch die Nasen« oder »Esel essen Nessel nicht, Nessel essen Esel nicht«).

Ich gelangte zu der Schlussfolgerung, dass meine Muttersprache die bessere ist. Warum war man in Bhutan nicht so einfühlsam und klug wie im Westen, wo viele Sprachen gemeinsame Wurzeln besaßen, Anleihe bei anderen nahmen und Laute bildeten, die sich klar und erheblich voneinander unterschieden?

Außerdem fehlen in vielen Sprachen des Westens die nervtötenden Aspirationen. Das sind für die Uneingeweihten abwegige Sprechtechniken, denen zufolge Wörter oder Silben anders klingen und eine andere Bedeutung haben, je nachdem, wo sie entstehen. Damit meine ich nicht unter der Dusche oder im Auto, sondern an welcher Stelle des Körpers, beispielsweise an Artikulationsorten wie Zwerchfell, Kehlkopf, Nase, Zungenspitze und so weiter. Mit anderen Worten: In Dzongkha kann das völlig neutrale *la* »Berg«, »Arbeit« und »Ja« bedeuten oder ein Ausdruck des Respekts sein, abhängig von dem Organ oder Muskel des Körpers, der den Laut hervorbringt. Ein Wort am falschen Ort zu erzeugen würde einen völlig falschen Eindruck vermitteln, sodass ein Gespräch über die Arbeit eine unerklärliche Wende nehmen und mit einer Unterhaltung über die Berge enden könnte, wenn man nicht achtgibt. Jetzt verstehen Sie vielleicht, welche Hindernisse es zu überwinden gilt, wenn man Dzongkha lernen möchte.

Lopen Palden versuchte, mir zu helfen: Ich sollte einen kurzen Vers auswendig lernen, um mir die erste Konsonantengruppe besser merken zu können. *Gott sei Dank!*, dachte ich. *Dann muss ich mir nur noch 96 Konsonanten eintrichtern.* Wie viel ist 96 mal 30? Freiwillige vor!

Der Vers lautete:

> *Ka-gee-goo-key*
> *Ka-shab-jew-koo*
> *Ka-dim-bow-kay*
> *Ka-narrow-ko*

Ich bin sicher, dass er irgendetwas zu bedeuten hat, ähnlich wie die Ringelreigen im Westen laut Aussage einiger Altertumsforscher auf Opfertänze in grauer Vorzeit zurückgehen. Aber es war nicht vorgesehen, nach der Bedeutung zu fragen. Meine Aufgabe bestand darin, den Vers auswendig zu lernen. Die Erklärung würde später folgen. Viel später.

Die erste Silbe ist der eigentliche Buchstabe des Alphabets und die Endsilbe besteht aus einem der vier Konsonanten, die man anfügt. »Key« ist ein kleiner Haken, der über dem Buchstaben angebracht wird. »Koo« ist ein Haken, den man unten rechts anfügt. »Kay« ist ein »Drachenschwanz«, der in der Luft hängt, und »Ko« ein kleiner Vogel, der auf dem Buchstaben sitzt.

Wenn bhutanische Kinder die erste Konsonantengruppe lernen, bringt man ihnen einen pantomimischen Tanz als Merkhilfe bei. Im Westen gibt es ebenfalls verbale Eselsbrücken für Kinder im Vorschulalter, oft begleitet von Handbewegungen, um die Gedächtnisfähigkeit zu unterstützen und zu fördern, beispielsweise Abzähl- oder Buchstabenreime.

Stellen Sie sich nun eine ausgewachsene Amerikanerin vor, die kindliche Pantomimen vor einer Gruppe bekannter oder unbekannter Asiaten aufführt, deren Höflichkeit sprichwörtlich ist. Sie lachten sich krank – bei Partys, im Büro, im Laden – und ich war stets von einer ganzen Schar höchst belustigter Bhutaner umringt, deren Aufmerksamkeit ich weckte, wenn ich verzweifelt versuchte, mich verständlich zu machen. Einsamkeit treibt bisweilen seltsame Blüten.

Aber ganz allmählich begann ich zu lernen.

Während des Unterrichts bat ich *Lopen* immer wieder, mir einen Satz oder auch zwei beizubringen, die ich im Laden oder auf dem Markt anwenden könnte, nur ein paar einfache, kurze Redewendungen, die mir die Kommunikation erleichterten. Viele Dorfbewohner hatten nie eine Schule besucht und sprachen folglich kein Wort Englisch. Er weigerte sich. Mein Ansinnen entsprach nicht der bhutanischen Methode. Er bestand darauf, dass ich zuerst lesen und schreiben lernen sollte.

Natürlich wollte ich die Sprache so lernen, wie es üblich war, aber mein Kommunikationsbedürfnis erwies sich als übermächtig, sodass ich hinter *Lopens* Rücken begann, die eine oder andere Redewendung aufzuschnappen. Ich kam mir vor wie eine Schwerverbrecherin. Ich fragte heimlich meine Freunde und Kollegen nach bestimmten Begriffen. Ich spitzte die Ohren, um im Restaurant die Unterhaltung an den Nachbartischen zu belauschen. Ich eignete mir Bruchstücke von Gesprächen an. Ich verwandelte mich in eine Wortdiebin, die klammheimlich Vokabeln und ihre phonetische Schreibweise in ihrem Notizbuch festhielt.

Ich lernte zu fragen: »Wie viel kostet das?«, was an sich sehr nützlich beim Einkaufen ist. Das Problem war nur, dass die Antwort in Dzongkha erfolgte und ich die Zahlen noch nicht kannte, weshalb ich mich genötigt sah, freundlich zu nicken und unverrichteter Dinge meiner Wege zu gehen.

Ich freundete mich mit einer anderen Lehrerin an, einer bezaubernden jungen Bhutanerin, die an unserer Schule ebenfalls Englischunterricht erteilte. Sie brachte mir idiomatische Redewendungen bei, zum Beispiel: »Alles klar?«, »Perfekt« oder »Willst du wissen, wie mir das gelungen ist?«. Ich bemühte mich, sie in Unterhaltungen einzuflechten. Wenn mir jemand eine Schüssel Reis reichte, sagte ich »Perfekt!«, selbst wenn es nicht stimmte. Wenn ich jemanden anrief, fragte ich »Wie geht's? Alles klar?«. Gelegenheiten, um »Das mache ich doch mit links« anzubringen, ergaben sich leider nicht. Und dabei wünschte ich es mir so sehr!

Im Gegenzug brachte ich meiner Freundin Ausdrücke wie »bescheuert«, »Man sieht sich« oder »zum Anbeißen« bei.

Meine mühsam errungenen Fortschritte beim Erlernen der Sprache wurden zusätzlich dadurch erschwert, dass die Bhutaner durch ihre Kultur und Religion auf Schweigsamkeit programmiert sind. Der Buddha legte seinen Schülern nahe, nur dann zu reden, wenn sie etwas Wichtiges zu sagen haben. Sinnloses Geschwätz, in vielen Ländern des Westens eine beliebte Aktivität, widerspricht dem *Dharma* – der buddhistischen Ethik und Moral –, wird vom Ego gesteuert und sollte somit vermieden werden. Mit anderen Worten, in Bhutan ist es verpönt, sich selbst zu beweihräuchern.

Als ich nach Bhutan kam, besaß ich kein Auto, deshalb fuhr ich oft per Anhalter. Das ist hier gang und gäbe: Wenn man eine Landstraße entlangmarschiert, findet man immer jemanden, der sich erbarmt und einen mitnimmt. Wenn nicht, kann man auf ein Sammeltaxi zurückgreifen. Auf dem Weg zur Schule oder nach Hause und nach dem wöchentlichen Einkauf auf dem Markt wurde ich oft mit anderen Insassen zusammengepfercht, die allerdings sehr nett waren. Kaum saß ich auf meinem Allerwertesten, knüpfte ich auch schon eine Unterhaltung an: über meinen emotionalen Status (Ich finde es aufregend ... Ich freue mich sehr ... Ich bin zutiefst betrübt ...), über das Wetter (Heute ist es aber kalt! Glauben Sie, dass der Regen irgendwann nachlässt?), über meine Dankbarkeit (Vielen Dank, dass Sie mich mitgenommen haben. Sie haben ein schönes Auto.) oder um Mitleid zu erregen (Mein linker Schuh drückt, direkt auf den großen Zeh. Ich habe mir dort eine böse Schnittwunde zugezogen. Finden Sie Fußverletzungen auch so schlimm?). In den USA und anderen Ländern des Westens hätte die Person, über die sich ein solcher Wortschwall ergoss, die Atempause genutzt und meine rhetorische Frage als Stichwort aufgefasst, ihre eigenen Erfahrungen mit Fußverletzungen zu schildern. Wenn ich in Bhutan achtsamer gewesen wäre und den Fahrer angeschaut hätte, wäre mir aufgefallen, dass er in Anbetracht meines ununterbrochenen Monologs innerlich zusammenzuckte.

Ich stamme aus den amerikanischen Südstaaten, wo man den Fluss der Unterhaltung nicht abreißen lässt und Gesprächspausen zur Folge haben, dass sich die Leute unwohl in ihrer Haut fühlen. Da, wo ich herkomme, gehört es zum guten Ton, aktiv zur Unterhaltung beizutragen. Reden, und zwar viel, ist an der Tagesordnung. Rede, wenn du etwas zu sagen hast, aber tu dir dabei keinen Zwang an. Rede auch dann, wenn du nichts zu sagen hast, um das Schweigen zu überbrücken. Wir plappern, schnattern, schwatzen, faseln und dreschen leeres Stroh, um den Äther mit Lärm zu füllen, und gewöhnlich geht es bei den endlosen Monologen nur um ein Thema: uns selbst.

Solche Gepflogenheiten sind den Bhutanern fremd.

In Bhutan gilt es als Inbegriff guter Manieren, wenig zu reden. Narzissmus ist keine im Nationalcharakter verankerte Eigenschaft. Wenn Familienmitglieder sich treffen, um Feste zu begehen, gemeinsam zu essen oder bei Geburt und Tod zugegen zu sein, entstehen oft große Lücken in der Unterhaltung. Schweigen kommt häufiger vor als Reden. Die Leute sitzen beisammen, essen und trinken und kommunizieren sogar überwiegend nonverbal. Sie besitzen, anders als im Westen, eine unglaubliche Selbstdisziplin. Es ist mehr als in Ordnung, den Mund zu halten. Das Schweigen wird hier als wohltuend empfunden.

Ich bin überzeugt, dass sich meine bhutanischen Freunde und Familienangehörigen lautlos »unterhalten«. Sie nutzen die Lücken im Gespräch, um ihre Achtung vor Werten wie Alleinsein, Zufriedenheit, Nachdenklichkeit, Glück und Traurigkeit zu bezeugen. Der aufmerksame Zuhörer ist darauf geeicht, die Signale wahrzunehmen, die der Sprecher übermittelt, auch wenn er stumm bleibt. Die Bedeutung geht aus der Körpersprache hervor, die in Bhutan sehr häufig zur Anwendung kommt. Sobald man sich an das Schweigen gewöhnt hat, fühlt man sich in seinem Element, wie zwei Amöben in einem Wassertropfen, deren Interaktionen nonverbal erfolgen.

Natürlich gibt es einige Dinge, die man unbedingt zur Sprache bringen sollte, zum Beispiel *Deine Haare brennen lichterloh. Gerade ist eine Schlange in deinen Schlafsack gekrochen. Nein danke, ich bin allergisch gegen Schellfisch.* Und was die Schweigsamkeit betrifft, auch hier bestätigen Ausnahmen die Regel. Zu ihnen gehören Bhutaner im Zustand der Trunkenheit. Sie reden, bis einem die Ohren abfallen.

Nach geraumer Zeit lernte ich, in ein Auto einzusteigen, wenn mich jemand in die Stadt mitnahm, den Fahrer und mögliche weitere Insassen mit einem höflichen Kopfnicken zu grüßen und ... den Mund zu halten. Es machte die Leute sehr viel glücklicher.

Als ich die Sprache lernte, gab es ein Wörterbuch Dzongkha-Englisch, das in vielen Läden verkauft wurde. Es war ein kleines Taschenbuch, in verschiedenen Pastellfarben erhältlich: rosa, grün, gelb oder blau. Es enthielt einige Abschnitte mit Redewendungen, die im häuslichen Bereich, am Arbeitsplatz, in der Schule, beim Besuch von Regierungsämtern, auf dem Markt und im Krankenhaus gute Dienste leisteten.

Ich blätterte ständig darin, übte die Redewendungen, lernte sie auswendig und benutzte sie fleißig. Doch beim Erlernen gleich welcher Sprache sollte man mit einer Tücke der menschlichen Wahrnehmung rechnen: Während man sich zehn Redewendungen aus einem Wörterbuch einzuprägen versucht, gehen einem andere durch den Kopf, die man am Rande bemerkt hat, aber weder braucht noch sich merken möchte, weil man sie nie verwenden würde. Und genau das sind diejenigen, die man bis an sein Lebensende behält.

Der Abschnitt über den Krankenhausaufenthalt bot eine Menge nützlicher Informationen, um beispielsweise in allen Einzelheiten zu schildern, was wehtat, um Medikamente zu bitten, sich zu erkundigen, wann der Arzt zurück sein würde, und Schmerzen als stechend, dumpf, brennend oder pochend zu beschreiben. Auch der Satz »*Go la phu bey ma nyay*« brannte sich in mein Gedächtnis ein. Der Arzt sagte ihn, bevor er mit der Untersuchung begann: »Bitte ausziehen und hinlegen.«

Aus offensichtlichen Gründen gehört er nicht zu den Sätzen, die man tagtäglich – oder jede Nacht, nebenbei bemerkt – benutzen würde. Aber er hatte die gleiche Wirkung auf mich wie ein »Ohrwurm«, ein Lied, das einem nicht mehr aus dem Kopf geht.

Eines Nachmittags betrat ich ein Stoffgeschäft in Thimphu, um eine *Khata* zu kaufen, den traditionellen weißen Seidenschal, der in der Himalajaregion unter anderem verschenkt wird, um jemandem Glück zu wünschen oder zu gratulieren. *Khatas* sind die buddhistische Entsprechung der Hallmark-Karten, die man zu verschiedenen Anlässen verschickt, und meine *Khata* wollte ich einem *Lyonpo*, einem frischgebackenen Minister, im Rahmen einer Feier anlässlich seiner Beförderung als Geschenk überreichen. Als die Verkäuferin meinen Schal einpackte, drehte ich mich um und entdeckte einen Mann, der für den Royal Civil Service tätig war, einen Beamten der mittleren Ebene, hoch angesehen und tadellos gekleidet. Er kannte mich, weil ich als Ausländerin jedes Mal, wenn ich Thimphu verlassen wollte, in seinem Büro vorstellig werden musste. Er musste ein Dokument unterzeichnen, das mir die Reise ins Hinterland genehmigte – eine bürokratische Maßnahme, die für Einheimische und Ausländer gleichermaßen frustrierend war. Er gehörte zu den Menschen, in deren Gegenwart ich immer nervös und gehemmt wurde. Er brachte die »dumme Nuss« in meinem Innern zum Vorschein. Deshalb bemühte ich mich nach besten Kräften, ihn mit meinen Pseudokenntnissen der bhutanischen Sprache zu beeindrucken. Ich drehte mich um, lächelte ihm zu und wollte sagen: »Vermutlich nehmen Sie auch am Empfang für *Lyonpo* teil, oder?«

Doch stattdessen rutschte mir heraus: »Bitte ausziehen und hinlegen.«

Ich bemerkte den Fehler erst, als ich seine entgeisterte Miene sah. Seine Augenbrauen schnellten missbilligend in die Höhe, dann machte er auf dem Absatz kehrt und verließ fluchtartig den Laden, um seine *Khata* anderswo zu kaufen, wo er vor widerwärtigen Amerikanerinnen sicher war, die ihn sexuell belästigten.

Ich stand da, zur Salzsäule erstarrt. Ich hatte das Unsägliche laut ausgesprochen, konnte meine Worte nicht mehr zurücknehmen. Ich sah die Verkäuferin hinter dem Tresen an. Auch sie stand reglos da, mein Päckchen in der ausgestreckten Hand. Unsere Blicke trafen sich.

»*Ya la* MA!«, murmelte ich, dieses Mal der Situation angemessen: »Oh mein GOTT!«

»*Embey*«, erwiderte sie. »Richtig!« Sie begann zu kichern. Ich konnte nicht umhin einzustimmen. Und dann brachen wir beide in schallendes Gelächter aus, eine gefühlte Ewigkeit.

Ich hatte einige Jahre lang meine liebe Not mit der Sprache, entwickelte einen eigenen Dzongkha-Kauderwelsch. Als Namgay und ich heirateten, verbesserten sich meine Sprachkenntnisse ein wenig. Die Bhutaner haben ein Sprichwort: Zwei Köpfe, ein Kopfkissen, das ist die beste Methode, eine Sprache zu lernen.

Ein Umstand, der sowohl für als auch gegen mich arbeitet, ist meine Forschheit. Ich habe keine Hemmungen, draufloszureden, auch wenn ich ein Wort nicht weiß; ich benutze einfach eines, das ihm in der Bedeutung nahekommt oder ähnlich klingt.

Einmal nahm ich im Haus von Namgays Schwester an einer Familien-*Puja* teil. Seine Mutter und ich saßen auf dem Bett, plauderten und tranken Tee. Natürlich spricht sie kein Wort Englisch, deshalb fand die Unterhaltung auf Dzongkha statt. Das Gespräch war schon ziemlich weit fortgeschritten, als

Namgays achtjähriger Neffe Tashi den Raum betrat. Nach ein paar Minuten bog er sich vor Lachen. Ich fragte ihn, was so lustig sei. Er hatte gelernt, Erwachsene mit Respekt zu behandeln, also schwieg er.

Ich rief Namgay und wollte wissen, was Tashi so komisch fand. Er fragte den Jungen und der antwortete zwischen zwei Lachanfällen, er habe über unser Gespräch gelacht, das er nun wiederholte; daraufhin begann Namgay ebenfalls zu lachen. Offenbar hatte ich gesagt: »Draußen ist es sehr kalt«, und meine Schwiegermutter hatte erwidert: »Ja, Paro ist ein wunderschönes Tal.« Und ich darauf: »Ich finde, Paro ist ein wunderschönes Tal«, worauf sie geantwortet hatte: »Ja, ich gehe morgen Pilze sammeln.« Wir hatten völlig aneinander vorbeigeredet, Sätze falsch gedeutet, aber beide das Gefühl gehabt, ein gutes Gespräch zu führen, auch wenn dabei jeder so klug war wie zuvor. Aber irgendwie glaube ich, dass es trotzdem ein echter Austausch war.

Ich genieße es, mich mit den Dorfbewohnern im Umkreis von Thimphu zu unterhalten. Sie sind unglaublich humorvoll und gewöhnlich perplex, einer Ausländerin zu begegnen, die ihre Sprache dermaßen kühn verhunzt.

Die Leute, die auf den Maultierpfaden von Dorf zu Dorf wandern, haben oft ein bestimmtes Alter, fünfzig oder darüber, und nie eine richtige Schulbildung genossen. Das säkulare Schulsystem wurde erst Anfang der 1960er-Jahre eingeführt und viele Kinder in den entlegenen Regionen wurden als Arbeitskräfte gebraucht, um die Bauernhöfe zu bewirtschaften. Da es nur wenige Schulen gab, mussten die Kinder ihr Elternhaus verlassen und ein Internat besuchen. Das war besonders hart für Mädchen und deshalb sprechen viele bhutanische Großmütter kein Wort Englisch.

Einmal holten eine Freundin und ich bei einer Wanderung von Gantey nach Wangdue eine alte Frau ein, die einem attraktiven jungen Mann folgte. Die beiden gehörten offensichtlich zusammen. Sie trug ein kleines Stoffbündel, das relativ leicht aussah, während er einen großen Rupfensack mit Reis auf dem Rücken hatte. Der Sack wog fünfzig Kilo.

Ich sprach die Frau an, mit einer Frage, die jeder als Erstes stellt, wenn er jemandem auf einer Landstraße oder einem Waldweg begegnet: »*Ce le om?*« (»Wo kommen Sie gerade her?«)

Wir erfuhren, dass sie in Wangdue eingekauft hatte und sich jetzt auf dem Heimweg zu ihrem Bauernhof befand. Sie deutete mit dem Kopf nach links oben. Der Fußmarsch werde noch ein paar Stunden dauern, erklärte sie. Unsere Unterhaltung machte Fortschritte, weil sie langsam sprach, und wenn ein Gespräch nicht zu weit von Themen wie Essen, Körperteile und Haushalt abschweifte, konnte ich ganz gut folgen. Möglicherweise war sie auch leicht angetrunken und sprach deshalb gemächlicher als sonst.

Die alte Frau war unterhaltsam. Und offenbar nicht schlecht situiert: Sie besaß ein eigenes kleines Stück Land. Darüber hinaus hütete sie die Rinderherde eines reichen Mannes. Das verlieh ihr vermutlich ein gewisses Ansehen in ihrem Dorf. Ihre *Kira* war handgewebt, wenngleich ein wenig verschlissen, und statt der *Wonju*, der langärmeligen Bluse, trug sie ein Flanellhemd unter der Tracht, vielleicht von dem jungen Mann ausgeliehen. Ab einem bestimmten Alter binden die Frauen in Bhutan den fünfzehn bis zwanzig Zentimeter breiten Gurt um die Hüfte statt um die Taille wie ihre jüngeren Geschlechtsgenossinnen, doch auch sie verstauen in der darüber entstehenden Tasche des knöchellangen, gewickelten Kleidungsstücks alle möglichen Dinge. Manchmal schleppen sie so viel mit sich herum, dass man meinen könnte, sie hätten einen gewaltigen Bierbauch. Meine neue Bekannte stellte in dieser Hinsicht keine Ausnahme dar. Sie trug goldene, mit Türkisen besetzte Ohrringe, eine Kette aus tibetischen *Dzi*-Perlen und einen heiß begehrten und kostbaren zylindrischen Achat mit braunen und cremefarbenen geometrischen Mustern, die altüberliefert, aber inzwischen verloren gegangen sind, an einer Schnur um den Hals. Das bedeutete, dass sie nach dörflichen Maßstäben nicht arm war. Ihr Haar war kurz geschnitten und kohlrabenschwarz, aber viele ältere Leute färben ihre Haare mit preiswerten chinesischen Färbemitteln, die man überall in Bhutan kaufen kann. Selbst aus der Ferne nahm man wahr, dass ihrer Kleidung der Rauch des Holzfeuers anhaftete. Der Geruch ist charakteristisch für das Land, beschwört unweigerlich anheimelnde Bilder herauf. Während der Wintermonate in den Dörfern bedeutet er Wärme, Nahrung und Überleben. Er gehört zu meinen Lieblingsgerüchen.

Ich deutete auf den jungen Mann. Er hätte ihr Enkel sein können, doch die meisten Frauen in den Dörfern, die ihr ganzes Leben ohne Feuchtigkeitscreme im Freien verbracht haben, sind nicht so alt, wie sie aussehen. Selbst wenn man den Schaden einkalkulierte, den die Sonne anrichtet, schätzte ich den Altersunterschied zwischen den beiden auf mindestens dreißig Jahre. Ich beschloss, auf Nummer sicher zu gehen.

»Ist das Ihr Sohn?«, fragte ich.

»Oh nein«, lachte sie. »Das ist mein Mann.«

»Tatsächlich?« Ich war baff.

»Ganz sicher«, erwiderte sie. Dann beugte sie sich vor und flüsterte mir den Satz ins Ohr, den ich von meiner Kollegin in der Schule gelernt hatte, aber nie anwenden konnte: »Willst du wissen, wie mir das gelungen ist?«

Ich sah völlig verdattert aus. Ich traute meinen Ohren nicht.

»Du hast ganz richtig gehört«, fuhr sie in Dzongkha fort, als hätte sie meine Gedanken erraten.

Sie wackelte mit dem Kopf. Ihre Augen blitzten und dann brach sie in schallendes Gelächter aus.

Gib immer dann,
wenn der Geist Zuversicht empfindet.

Buddha Shakyamuni

ZEIT DER WERBUNG

Kawajangsa liegt am Rande von Thimphu, unmittelbar an der Grenzlinie der Stadt. Rein technisch handelt es sich um einen Außenbezirk, dem es aber gelungen ist, seinen eigenen dörflichen Charakter zu bewahren. Hier befindet sich die National Art School, in der Künstler und Kunsthandwerker aus ganz Bhutan den Nachwuchs ausbilden.

Der Weg, der nach Kawajangsa führt, beginnt an der National Library, der Nationalbibliothek, einem perfekt proportionierten Gebäude, vier Stockwerke hoch und strahlend weiß, mit kunstvollen Malereien rund um Dachgesims und Fenster; sie ist ein Inbegriff der ausgeklügelten bhutanischen Architektur, die im Zuckerbäckerstil schwelgt. Die riesigen Wasserspeier mit den Drachenköpfen, die sich an allen vier Ecken des Hauses befinden, stammen von jenem *Lopen*, der auch für den Skulpturenbereich der Kunstschule zuständig ist.

Die Bibliothek, die sich über einem freien Feld auf der rechten Seite der Straße erhebt, hat die gleiche imposante Ausstrahlung, die Bibliotheksgebäuden in aller Welt zu eigen ist. Sie beherbergt zahlreiche Sammlungen buddhistischer Texte und jedes Stockwerk schmückt ein wunderschöner Altar mit Buddhastatuen, zu denen unter anderem Buddha Manjushri gehört, auch Buddha der Weisheit genannt. Überall sieht man Mönche, die religiöse Texte lesen, sodass man sich vorkommt wie in einem Tempel des Wissens.

Vor einigen Jahren gab es dort ein Problem mit Ungeziefer, das sich die religiösen Texte einverleibte. Das stellte ein moralisches Dilemma dar: Die religiösen Schriften waren buddhistisch und postulierten, jede auf ihre eigene Weise, die Unantastbarkeit aller Lebewesen auf Erden. Was sollte die Bibliotheksverwaltung tun? Bei uns in Bhutan ist Schädlingsbekämpfung verpönt, weil wir danach streben, in Harmonie mit der gesamten Schöpfung zu leben. Die Verantwortlichen gingen der Sache auf den Grund, berieten sich mit Experten und entschieden sich am Ende für eine alternative Methode, dem zerstörerischen Treiben des Ungeziefers Einhalt zu gebieten: mit Kampfer und anderen pflanzlichen Mitteln, die eine abschreckende, aber keine tödliche Wirkung haben.

Hinter der Bibliothek macht der Weg eine Biegung nach rechts, in Richtung Seven Sisters Hotel. »Hotel« bedeutet in Asien nicht zwangsläufig »Nachtquartier«: Es kann sich dabei auch um ein Restaurant oder eine Bar handeln. Die sieben Schwestern, nach denen es benannt wurde, sind meistens mitsamt ihrer umfangreichen Kinderschar vor Ort, sodass dort ständig Hochbetrieb herrscht. Danach schlängelt sich der Weg den Hügel hinauf, zu Dasho Sonam Dorjes raumgreifendem Anwesen, das über einer Kurve in der Straße aufragt. Er war der erste Leiter der Kunstschule und zählt heute zur künstlerischen Elite des Landes. Sein Haus wurde im Lauf der Jahrzehnte durch zahlreiche Anbauten erweitert, um mehreren Generationen der Familie Platz zu bieten. Genau gegenüber hat auch der *Gup* oder Bürgermeister von Kawajangsa begonnen, sein Haus auszubauen. Statt der traditionellen Lehmziegel wurden hier Beton und Bewehrungsstäbe verwendet, ein Bauwerk ganz eigener Prägung, das den

Eindruck von Wohlstand vermittelt und rechte Winkel besitzt. Im Erdgeschoss sollen Läden entstehen, in denen die Schüler der Kunstschule ihre Arbeiten verkaufen können.

Direkt hinter Sonam Dorjes Haus befindet sich das National Heritage Museum, ein dreistöckiges Lehmhaus ohne Anstrich und das älteste Gebäude in der Umgebung. Es enthält ein kunterbuntes Sammelsurium aus Körben, Schüsseln, Stoffen und anderen Gebrauchsgegenständen, die Einblick in die Lebensweise früherer Generationen bieten. Das Museum wirkt wunderbar lebendig und die Ausstellungsstücke sind so geschickt positioniert, dass man meinen könnte, die Familie, die hier wohnt, wäre gerade erst vom Tisch aufgestanden und hätte sich kurz nach draußen begeben.

Einrichtungs- und Haushaltsgegenstände wie die hölzernen Reiskisten, Geschirrschränke oder Webstühle, die im Museum ausgestellt sind, finden bei den Bewohnern der umliegenden Häuser im Bezirk Kawajangsa noch heute Verwendung. Auch das Haus meiner Schwägerin, das sich nebenan befindet, enthält solche Webstühle, Kalebassen, alte Körbe und anderen traditionellen Hausrat. Der einzige Unterschied besteht darin, dass die Familie die Räume bewohnt und die Ausstattung benutzt.

Der Weg führt nun nach links um eine Anhöhe herum, auf der sich die Kunstschule befindet. Die offizielle Bezeichnung lautet *Zorig Chusum Pekhang*, Institut für die Dreizehn Kunsthandwerke Bhutans. Zu den dreizehn traditionellen Kunsthandwerken zählen (*Thangka-*) Malerei, Kalligrafie, Holzschnitzerei, Stickerei, Gießerei, Lederarbeiten, Bambusarbeiten, Schmieden, Mauern, Bildhauerei, Töpfern, Gold- und Silberschmieden und Weben. Noch vor wenigen Jahren belief sich die Anzahl der Schüler auf sechzig, die in den Schlafräumen des Erdgeschosses untergebracht waren, inzwischen sind es hundert. Bhutan wird immer jünger: Heute ist annähernd die Hälfte der Einwohner des Landes unter fünfzehn; die Schulen und Bildungseinrichtungen zu erweitern ist daher unerlässlich.

Hier säumen überall kleine Läden und Häuser den Weg, in denen die Lehrer mit ihren Familien wohnen. In Bhutan hat man immer das Gefühl, sich unter freiem Himmel zu befinden. Gleich ob drinnen oder draußen, überall weht eine leichte Brise. Kein Fenster ist abgedichtet, sodass man ständig einen leisen Luftzug verspürt. Bei vielen Fenstern gibt es weder Fliegengitter noch Glasscheiben. Häuser, die nach traditionellem Muster errichtet wurden, haben hölzerne Fensterläden, die nachts geschlossen werden.

Ein großer Teil der Häuser wurde so billig wie möglich gebaut, mit Materialien, die man gerade zur Hand hatte, wie Holz, Stein und Lehm, sodass sie ziemlich heruntergekommen wirken und keinen einzigen rechten Winkel besitzen. Das Tal, in dem Thimphu liegt, ist schmal und Wohnraum daher knapp bemessen; die Häuser stehen eng zusammen und die meisten haben zwei oder drei Stockwerke. Die Toiletten befinden sich oft im Freien, genau wie das Wasserreservoir, eine Gemeinschaftseinrichtung, obwohl die neueren Häuser und Wohnungen über eigene sanitäre Anlagen verfügen. Die Leute benutzen die Latrine und holen das Wasser zum Kochen und Waschen mit Eimern ins Haus, die sie an den kommunalen Wasserhähnen füllen.

Dieses Flickwerk besteht aus Häusern, kleinen Läden, Büros und »Kantinen« – kleine Teestuben, die Tee, *Momo* oder

Fleischbällchen, Pulverkaffee, Bier, Whisky und Suppen feil-
bieten. Es säumt die schmalen Straßen, auf denen hin und
wieder Tiere wie Huhn, Kuh oder Hund entlangwandern, verleiht dem Viertel eine Dorfatmosphäre, die an ein Gemälde
des niederländischen Renaissancemalers Brueghel erinnert.
Doch statt der rotgesichtigen Bauern sitzen hübsche schlanke
Bhutanerinnen auf den Treppenstufen, lehnen sich aus den
Erdgeschossfenstern der Häuser, um mit den Nachbarn zu
plaudern, oder waschen Kleidung inmitten der Wasserspeier
und Plastikwannen. Überall sieht man Wäsche, die zum
Trocknen aufgehängt wurde, an Wäscheleinen und auf Bü-
schen, und die farbenprächtigen handgewebten Stoffbah-
nen, aus denen Frauen in Bhutan ihre *Kira* wickeln, flattern
im Wind. Bunte Gebetsfahnen sind in Reih und Glied an langen Stangen in den Innenhöfen befestigt oder wehen auf den
Dächern der Häuser, geben der kleinen Stadt eine karnevalis-
tische Note und verstärken den Eindruck der Bewegung und
Lebendigkeit.

Es kommt häufig vor, dass man mitten auf der Straße ein
kleines Kind antrifft, das ausgelassen mit einem Hundewel-
pen spielt. Gelegentlich kommt ein Auto des Weges, langsam
und der vielfältigen Gefahren gewärtig. Manchmal blickt die
Mutter sogar hoch, hört einen Moment auf, das Hemd zu
schrubben, das sie gerade in der Mangel hat, und winkt dem
Fahrer zu, während die Räder des Vehikels eine Handbreit
an ihrem Sprössling vorbeigleiten. Angesichts der Auto-
schwemme in der Hauptstadt sollte man meinen, dass sich
die Unfälle inzwischen häufen. Doch nur sehr selten wird
jemand verletzt. Das muss am guten Karma der Bhutaner
liegen.

Obwohl auf den Straßen Geschäftigkeit herrscht, fehlt den Aktivitäten zum Glück jede Hektik und Zielstrebigkeit. Rund um die Gebäude tragen kleine Schatten spendende Apfelgärten auf erfreuliche Weise zum hohen Andrang bei. Überall sieht man Schüler in ihren Schuluniformen, blaue *Gho* und *Kira*, einzeln oder in Gruppen, die irgendwo sitzen oder entlangspazieren. Auf dem Berg oberhalb der Schule, an dem sich der Weg hinaufwindet, stehen weitere bhutanische Häuser und Wohngebäude im Zuckerbäckerstil, mit Schnickschnack überladen, und darüber, am höchsten Punkt der Straße, befindet sich das Institut für Traditionelle Medizin.

Unterhalb der Schule, vor dem Haus des Bürgermeisters, benutzt immer jemand den kommunalen Wasserhahn unter der großen Eiche, um sich von Kopf bis Fuß zu baden, die Haare oder eimerweise Wäsche zu waschen. Oberflächlich betrachtet wirkt das Leben chaotisch und scheint die Präzision und Sorgfalt der Kunstwerke Lügen zu strafen, die von den Einwohnern Kawajangsas stammen.

Genau gegenüber der Schule gab es früher eine kleine Kantine: Dort saßen oft Lehrer und Schüler einträchtig vor dem Haus, genossen die Sonne und spielten Carrom, eine Art Fingerbillard. Auf einem ungefähr 74 mal 74 Zentimeter großen Holzbrett werden kleine runde hölzerne Spielsteine mit der Spitze des Mittelfingers gegen die anderen Spielsteine auf dem Brett geschnippt, ähnlich wie die Billardkugeln mit dem Queue angestoßen werden. Das Ziel besteht darin, möglichst alle Spielsteine der eigenen Farbe in den Löchern an den Ecken des Bretts zu versenken. Der Kantinenbesitzer erhielt ein Stück Land vom König, deshalb zog er vor einigen Jahren fort. Die Kantine ist inzwischen geschlossen und die Carromspieler treffen sich nun vor einem kleinen Laden am Ende der Straße.

Die Männer und Frauen in den ländlichen Regionen haben sich ihren starken Glauben bewahrt und die Kunst ist in Bhutan Teil der Religion. *Thangkas* zu malen oder Statuen und Sakralobjekte zu fertigen gilt als religiöse Handlung. Dennoch sind die Einwohner von Kawajangsa dem Leben zugewandt. Sie verstehen es, Feste zu feiern und sich zu amüsieren.

Die beiden Läden an der Biegung der Straße gegenüber der Kunstschule sind die einzigen weit und breit, in denen man die wichtigsten Dinge kaufen kann. Beide haben in etwa das gleiche Sortiment: Eier und Käse aus der Region, Erfrischungsgetränke, Kekse, Zeichenblöcke für die Schüler, Schreibstifte, Räucherwerk, Öl für die Butterlampen, Plastikkämme, Haaröl, Shampoo, Seifen, Socken, Reis, eingelegte Chilischoten, Bier, Tee, Zucker, Milchpulver und ein paar weitere unentbehrliche Waren.

Viele Künstler der Stadt wohnen auf der Anhöhe, in Häusern, die einem bunten Flickenteppich gleichen. Im Vorübergehen hört man das Klacken der Webstühle, die von den Frauen betätigt werden, und das sporadische Zischen der Schnellkochtöpfe, die Dampf aus dem Ventil ablassen. In Bhutan benutzen sämtliche Haushalte Dampfdrucktöpfe. Da die Küchenherde mit Propangaszylindern beheizt werden, ist es sowohl wirtschaftlich als auch praktisch, für einen möglichst kurzen Garprozess zu sorgen. Mit Dampf ist das Essen schneller fertig und Mineralien und Nährstoffe bleiben weitgehend erhalten. Außerdem wird das Fleisch bei dieser Garmethode zart. Das Fleisch aus der Region ist sehr zäh. Die

Rinder erhalten keine Hormone wie im Westen, um das Fleisch mürbe zu machen, und das Auf und Ab beim Grasen an den steilen Berghängen trägt zur Entwicklung einer starken Muskulatur bei. Das Läuten der Kuhglocken und das Gelächter der Kinder tragen zum Getöse bei, das immerzu herrscht.

Solange wir an der Kunstschule arbeiteten, war Namgay der Carromchampion von Kawajangsa. An den letzten Oktobertagen, wenn sich das Schuljahr dem Ende zuneigte, eilten etliche Lehrer und Schüler während der Mittagspause zu der heruntergekommenen Kantine unweit der Schule, nahmen rund um das Spielbrett Aufstellung und verfolgten gespannt den Wettbewerb. Namgay, der auf einem Stuhl vor dem offenen Fenster saß, forderte als Titelverteidiger Lehrerkollegen, Schüler und verschiedene lokale Carromgrößen heraus. Einige Schüler steckten sogar den Kopf durch das Fenster, um sich ja nichts entgehen zu lassen. Alle versuchten natürlich, den Champion zu besiegen, doch er war unschlagbar. Er verfügte über eine sagenhafte Hand-Auge-Koordination. Es war ein Genuss, ihm zuzuschauen.

Namgays äußeres Erscheinungsbild war immer tadellos. Mit seinen schneeweißen *Lage* – zwanzig Zentimeter breiten abnehmbaren Manschetten, die Männer an den Ärmeln ihres *Gho* tragen –, den auf Hochglanz polierten schwarzen Schuhen und seiner schlanken Gestalt hob er sich deutlich von den übrigen Mitgliedern des Lehrkörpers ab. Er war einer von ihnen und dennoch etwas Besonderes. *Ob sich zwischen uns wohl etwas anbahnen könnte?*, dachte ich. Ich bezweifelte es. Wir stammten aus zwei völlig unterschiedlichen Welten.

Dennoch, Bhutan war ein magisches Land, in dem die unwahrscheinlichsten Dinge geschahen.

In dieser Phase meines Lebens verließ ich mich ausschließlich auf meinen Instinkt, wie bei einer Wildwasserfahrt in einem Kanu. Namgay und ich schienen uns immer häufiger im Treppenhaus der Schule über den Weg zu laufen. Von anderen Lehrern erfuhr ich, dass er mich sympathisch fand und mich gerne angesprochen hätte, wenn er nicht so schüchtern wäre.

Ich hatte mich an ihre Frotzeleien gewöhnt und zahlte es ihnen unverdrossen mit gleicher Münze heim. Doch Namgay schien über ihren bisweilen derben Bemerkungen zu stehen. »Lasst ihn ja in Ruhe!«, warnte ich sie. Unter ihren Händen entstanden die kunstvollsten und akribischsten buddhistischen Bilder und Skulpturen, die man sich nur vorstellen kann, aber gegenüber ihren Mitmenschen legten sie die Feinfühligkeit von Fuhrknechten an den Tag. Sie glichen Squenz, Schnock, Zettel, Flaut, Schnauz und Schlucker, den Handwerkern aus Shakespeares *Ein Sommernachtstraum*. Sie waren mir ans Herz gewachsen.

»Das ist kein Witz!«, betonten sie mit ernster Miene. Nach und nach wagte ich, einen Blick zu riskieren und genau zu beobachten, wie er sich verhielt.

Die Lehrer, ausnahmslos männlichen Geschlechts und so laut und ungestüm, wie Namgay zurückhaltend war, fügten hinzu: »Schau mal, du bist schon ziemlich alt und warst noch nie verheiratet. *Lopen* Namgay ist ebenfalls ziemlich alt und unverheiratet.« Dabei warfen sie mir einen verstohlenen Blick zu, als wollten sie sagen, mach dir selber einen Reim darauf.

»Also gut«, ließ ich mich auf das Geplänkel ein. »Ich heirate ihn. Aber nur, weil ihr vergeben seid – jammerschade, dass ihr schon eine Frau habt. Warum habt ihr nicht auf mich gewartet?«

»Aber in Bhutan kann ein Mann mehr als eine Ehefrau haben!«

»Schlagt euch das aus dem Kopf, da spiele ich nicht mit! Ich habe keine Lust, Zweitfrau zu sein. Die Zweitfrau muss eure schmutzigen Manschetten schrubben.«

Tatsächlich war Polygamie in den bhutanischen Dörfern bis vor wenigen Jahrzehnten gang und gäbe – überall in der Himalajaregion, nebenbei bemerkt; die Vielehe wurde von Männern und Frauen geschlossen. Ein Mann heiratete beispielsweise Schwestern oder eine Frau Brüder. Das galt als Zeichen des Wohlstands und gewährleistete zudem, dass der Grundbesitz in der Familie blieb und genug Arbeitskräfte für die Felder zur Verfügung standen. In den dünn besiedelten Tälern, deren Bewohner selten fortzogen oder auch nur von einem Haus in ein anderes umzogen, war das eine sinnvolle Überlebensstrategie. Heutzutage sind Vielehen eine Seltenheit. Keiner der Lehrer in der Schule hatte mehrere Ehefrauen.

Ich begann, zielstrebiger Dzongkha zu lernen, damit ich mich mit Namgay unterhalten konnte. Er verstand ein wenig Englisch, aber ich war mir sicher, dass er kein Wort sagen würde. Er beherrschte die Sprache nicht fließend. Zu Hause bat ich meine Freundin und Nachbarin Chuni, mir Worte und Redewendungen beizubringen, damit ich mich besser verständlich machen konnte.

Eines Tages fanden Namgay und ich uns während einer Unterrichtspause allein im Lehrerzimmer wieder. Ich fragte ihn auf Dzongkha, ob er verheiratet sei.

»*Amsu me*«, entgegnete er mit Nachdruck. »Nicht verheiratet.«

»Haben Sie Kinder?«, fuhr ich fort. Man kann ja nie wissen. »Keine Kinder«, lautete die Antwort.

Sein Gang war anmutig und seine Bewegungen sparsam. Aber er wirkte schrecklich verschlossen. »Er ist ein Buddha«, sagte *Lopen* Dorje.

Ich sah ihm gerne zu, wenn er die Arbeiten seiner Schüler bewertete. Sie fertigten kunstvolle Bleistiftzeichnungen auf der Grundlage der Standardikonografie an: Buddhaköpfe, Arme und Hände, Lotosblüten und Tiere aus der Mythologie, die zuerst auf einem Gitter skizziert und danach auf Papier übertragen wurden. Manchmal benutzten sie Griffel und eine Schiefertafel, die mit Kalk eingestäubt war. Wenn ein Mangel an Papier herrschte, griff man auf dieses altüberlieferte Medium zurück. Alle Zeichnungen der Schüler waren in meinen Augen ohne Fehl und Tadel, doch wenn sie auf Namgays Pult vor der Klasse landeten, betrachtete er sie einige Minuten und fing dann an, mit einem Rotstift einen Unterarm zu verlängern, oft nur um einen halben Millimeter, oder den Winkel am Fuß einer Gottheit kaum merklich zu verändern, geringfügige Korrekturen, die eine Zeichnung aber erst perfekt machten. Ich nehme an, dass alle Lehrer diese Begabung und den Blick für das Detail besaßen, aber mich interessierte nur, was ich an Namgay entdeckte.

Schon bald unterhielten wir uns jeden Tag, wenngleich die Themen auf meinen Dzongkhawortschatz beschränkt waren.

Wir redeten über das Wetter, die Schule, die Schüler und das Essen. Obwohl ich mir nicht gestattete, eine mögliche Heirat ernsthaft in Betracht zu ziehen, rumorte der Gedanke vermutlich in meinem Hinterkopf.

Zu Hause erzählte ich Chuni, dass es in der Schule einen *Lopen* gab, der mir gefiel.

»Und wer ist das?«, fragte sie. Bhutan ist so klein, dass jeder jeden kennt.

Tatsächlich kannte sie seine Familie. »Die Leute sind sehr religiös«, sagte sie. »In ihrem Dorf in Trongsa gibt es einen Fluss, von dem es heißt, wenn man das Wasser trinkt, bekommt man eine herrliche Singstimme. Ich bin sicher, er singt ausgezeichnet!«, fügte sie triumphierend hinzu. Sie erklärte, das sei genau die Eigenschaft – das fehlende Bindeglied –, die zeige, dass wir füreinander geschaffen seien.

Eine interessante Sichtweise, aber nicht ganz die moralische Unterstützung, nach der ich Ausschau hielt. Dennoch hatte ich das Gefühl, dass Namgay etwas Geheimnisvolles anhaftete. Ich fand, dass amerikanische Männer in ihrem Verhalten wesentlich vorhersehbarer waren, was sich wahrscheinlich darauf zurückführen ließ, dass wir derselben Kultur angehörten. Als Ausländerin, die im bhutanischen Kulturkreis lebte, ohne ein Teil von ihm zu sein, nahm ich eine Sonderstellung ein. Ich liebte Bhutan, aber es gab vieles, was ich nicht verstand.

Noch heute geben mir viele Dinge, die ich bei Namgay entdecke, Rätsel auf. Doch das schließt nicht aus, dass ich ihn liebe. Zur Liebe gehört meines Erachtens auch die Fähigkeit, das Geheimnisvolle am Partner und das Unergründliche an einer Beziehung zu genießen. Diese Neugierde auf das Unbekannte ist eine Marotte von mir, in meiner DNA verankert, und sie hat zur Folge, dass ich gelernt habe, mich weitgehend auf meine Intuition zu verlassen.

Die Intuition zu nutzen und zu schärfen kann eine grundlegende Veränderung der eigenen Denkweise bewirken. Eine amerikanische Freundin, die Bhutan besuchte, ließ sich über das an Besessenheit grenzende Ausmaß physischer Energie aus, das die Menschen aus dem Westen im Allgemeinen und die Amerikaner im Besonderen kennzeichnet. Wir verstehen uns meisterhaft darauf, zahlreiche Aufgaben gleichzeitig zu bewältigen, den Tag sorgfältig einzuteilen und vorauszuplanen, damit wir alles schaffen, was wir uns vorgenommen haben. Wir reden mehr über das, was uns durch den Kopf geht. In Bhutan ist es genau umgekehrt. Die »Multitasking«-Manie scheint noch nicht bis hierher vorgedrungen zu sein, das Leben folgt einem merklich langsameren Rhythmus. Doch die mentale Energie, die man hier findet, das Ausmaß der Aufmerksamkeit, das aus der Achtsamkeit erwächst, aus der Neigung, weltliche Besitztümer und Terminkalender auf weniger zu beschränken, ist beeindruckend.

Im Westen haben wir die Fähigkeit verloren, zu staunen, an Wunder zu glauben. Um sie zu bemerken, würde uns ohnehin die Zeit fehlen, wir sind ja ständig beschäftigt. Wir haben große technische Fortschritte erzielt, haben Wohlstand geschaffen und Effizienz entwickelt, aber dafür einen Großteil unserer Wahrnehmungsfähigkeit eingebüßt – den sechsten Sinn, Eingebung, wie auch immer man es nennen will. Wenn jede Minute des Tages mit irgendwelchen Aktivitäten ausgefüllt ist, bleibt einfach keine Zeit, Sinneseindrücke in ihrer ganzen Vielfalt aufzunehmen und auszuwerten.

Namgay schlug vor, mich zu Hause zum Tee zu besuchen; auf diese Weise konnten wir unser Beisammensein außerhalb der Schule genießen, wo wir auf Schritt und Tritt von den anderen *Lopen* oder Schülern beobachtet wurden.

Bei seinem ersten Besuch brachte er mir ein kleines Wörterbuch Dzongkha-Englisch mit. Das erinnerte mich an meine Großmutter, die zu sagen pflegte, es gebe nur drei Dinge, die ein echter Gentleman einer Dame schenken dürfe: ein Buch, einen Sonnenschirm und Handschuhe. Meine Schwester und ich fanden diese antiquierte Vorstellung urkomisch. Und nun passierte genau das: Ich erhielt Bücher als Mitbringsel. Als sich die Besuche häuften, hatten wir in meinem kleinen Wohnzimmer bald einen ganzen Stapel Wörterbücher zwischen uns aufgebaut. Wir unterrichteten uns gegenseitig, er lernte Englisch und ich Dzongkha. Namgay brachte mir aber auch Walnüsse, Reis, Eier und Butter sowie Webarbeiten seiner Schwestern als Gastgeschenk mit und nicht zu vergessen *Ara*, einen Weinbrand, der in der Region gebraut wird und ähnlich wie Sake schmeckt. Inzwischen war klar, dass sich zwischen uns langsam, aber sicher eine Beziehung anbahnte.

Auch dem Instinkt sind Grenzen gesetzt. Und meiner war ohnehin nicht sehr ausgeprägt. Als das Ende des Schuljahrs nahte und immer deutlicher wurde, dass die Zuneigung auf Gegenseitigkeit beruhte, stand ich unter Hochspannung. Ich kam mir vor wie ein alberner, verliebter Backfisch, kein angenehmes Gefühl. Meine Gedanken drehten sich nur noch um ihn, mein Intelligenzquotient nahm rapide ab: ich vergaß, den Wasserhahn der Badewanne zuzudrehen, vergaß zu essen, rauchte wie ein Schlot, ließ meine Geldbörse in der Kantine liegen und war das reinste Nervenbündel. Bei dem Gedanken, was er für mich empfinden mochte, bekam ich eine Gänsehaut. Es musste doch eine Möglichkeit geben, etwas in Bewegung zu setzen, um mir Klarheit zu verschaffen! Ob er sich genauso danach sehnte, mich zu küssen, wie ich ihn? Ich fand ihn umwerfend. Ich hatte natürlich bemerkt, wie er mich ansah. Er mochte mich, ohne Zweifel. Aber er wirkte so abgeklärt. Außerdem machte er keinerlei Anstalten, die Initiative zu ergreifen. Jedes Mal, wenn ich ihn sah, hätte ich mich am liebsten in seine Arme gestürzt. Empfand er das Gleiche?

Die Tageskurse waren für dieses Jahr beendet; ich saß auf den Treppenstufen vor der Schule und sah Arbeiten meiner Schüler durch. Ich hatte angenommen, alle anderen Lehrer wären bereits gegangen. Plötzlich tauchte Namgay auf und gesellte sich zu mir. Ich sah die langen schwarzen Socken, die er unter seinem *Gho* trug, und nahm den Duft von Lavendelseife wahr, seinen ganz persönlichen Geruch. Er sprach kein Wort. Er stand eine Minute oder länger schweigend da und dann sagte ich, ohne ihn anzublicken: »*Nga cheu lu gaye.*« »Ich mag dich.«

Er erwiderte »*Nga cheu lu* GAYE.« »Ich MAG dich.«

Ich war völlig durcheinander. Ich sprang auf, raffte meine Siebensachen zusammen und eilte davon, rannte vielmehr, zu Chunis Haus, wo ich Sturm läutete.

»Ich habe ihm gesagt, dass ich ihn mag«, rief ich ohne weitere Begrüßung, kaum dass sie die Tür geöffnet hatte.

»Und?«

»Das war ein Fehler. Er hat meine Aussprache verbessert.«

»Was?«

»Ich habe gesagt ›*Nga cheu lu gaye*‹, und er erwiderte ›*Nga cheu lu* GAYE‹.« Die Bhutaner pflegten mich auf mein fehlerhaftes Dzongkha aufmerksam zu machen, indem sie das Gesagte mit der richtigen Betonung wiederholten, sodass ich automatisch davon ausging, dass er mich korrigiert hatte.

Chuni sah mich an, als käme ich von einem anderen Stern. »Dummkopf! Er hat deine Aussprache nicht verbessert. Er hat gesagt, dass er dich auch mag.«

»Woher willst du das wissen?«

»Ach du meine Güte. Du bist wirklich nicht zu retten.«

»Glaubst du, dass er mich mag?«

»Ja!« Sie lachte. »Entspann dich und komm ins Haus. Es ist kalt draußen.«

Danach kam Bewegung in die Beziehung zwischen Namgay und mir.

Es war Mitte Dezember und am 17. Dezember, dem bhutanischen Nationalfeiertag, sollte die Abschlussfeier der Schule stattfinden. In Kawajangsa lagen Spannung und Vorfreude in der Luft und überall wurde gehämmert: Man errichtete hölzerne Tore, die Besucher willkommen hießen, und besserte die Marktstände aus. Die Prüfungen waren abgeschlossen und alle waren erleichtert. Wenige Tage vor der Zeremonie wurden drei große weiße bhutanische Zelte auf der Rasenfläche der Schule aufgebaut. Die rechteckigen Pavillons aus Segeltuch waren so groß wie Wohnräume und hatten Seiten- und Rückwände. Die Vorderseite war offen, blickte auf den Paradeplatz hinaus.

Immer wenn in Bhutan ein Fest bevorstand, schossen die Zelte wie Pilze aus dem Boden. Jedes war mit den acht Glückssymbolen oder Glückszeichen bemalt, die man überall in Indien und in der Himalajaregion findet. Die Zeichen, ursprünglich dem Hinduismus entlehnt, haben sich im Lauf der Jahrhunderte entwickelt und repräsentieren zum einen Körperteile des Buddha und zum anderen Elemente des *Dharma*, der Lehren Buddhas.

Die Lotosblüte steht für die Reinheit des Körpers, der Rede und des Geistes und für das Mitgefühl; der endlose Knoten ist ein Zeichen der Weisheit und Liebe. Der Schirm schützt vor Krankheit und anderen negativen Einflüssen; der goldene Fisch repräsentiert die Befreiung und Erlösung aus dem Leid; die Schatzvase gilt als Inbegriff des Wohlstands und eines langen Lebens. Das rechtsläufige Schneckengehäuse, dessen Klang das *Dharma* verbreitet, wenn es bei rituellen Handlungen geblasen wird, ruft zum Gebet; das Siegesbanner symbolisiert den Triumph von Körper, Rede und Geist über Tod, Unwissenheit und Leid; Und das *Dharma*-Rad verkörpert das karmische Gesetz und die Lehren Buddhas. Die prachtvollen weißen Zelte mit den leuchtenden Glückssymbolen verliehen dem Schulgelände eine festliche Note.

Verschiedene hohe Würdenträger, die der Regierung angehörten, sollten gegen zehn Uhr morgens eintreffen, um den Schülern Auszeichnungen zu überreichen und eine Rede zu halten. Die Schüler hatten wochenlang ein Unterhaltungsprogramm ausgearbeitet, das einen Sportwettbewerb, die Aufführung eines Theaterstücks, Lieder, Tänze und die eine oder andere Parodie umfasste. Natürlich war auch eine Ausstellung der Kunstwerke vorgesehen, die von den Schülern hergestellt worden waren.

Am Morgen der Abschlussfeier begannen Mitglieder des Lehrerkollegiums und Schüler schon in aller Frühe mit der Vorbereitung eines Festmahls, das mittags gereicht werden sollte und aus Tee, Fleisch-Currys, Reis und zahlreichen weiteren Köstlichkeiten bestand, die in großen Töpfen über einer offenen Feuerstelle unweit der Küche vor sich hin köchelten. Andere rollten Teppiche in den Zelten aus und stellten Tische und Stühle auf, damit sich die Ehrengäste wohlfühlten. Einige Schüler jäteten Unkraut in den Blumenbeeten, das ziemlich hochgewuchert war, während andere grüppchenweise auf dem Rasen saßen oder ein letztes Mal ihren großen Auftritt probten. Alle waren nervös und aufgeregt, weil sie während der Abschlussfeier ihre Zeugnisse erhalten und erfahren würden, ob sie in die nächste Klasse versetzt worden waren. Die besten Schüler konnten mit einer Auszeichnung rechnen.

Inzwischen drückten alle Lehrer und sogar die Schüler Namgay und mir die Daumen. In einem bestimmten Segment der bhutanischen Gesellschaft waren solche Zusammenkünfte die typische Methode, zarte Bande zum anderen Geschlecht zu knüpfen: mit Hilfe und Ermutigung der Gemeinschaft, der man angehörte. Sie dienten als eine Art Heiratsmarkt, wie der Tanz auf der Tenne im Wilden Westen, wo sich der Schullehrerin und ihrem Verehrer die Gelegenheit bot, einander näherzukommen. Hier hatte sich das uralte Ritual der Werbung erhalten, war weder durch Fernsehen noch durch Lebenshilfegurus, Internet, Onlinekontaktbörsen, Bars oder andere Einflüsse verdrängt worden. Bei dieser Form der Werbung blieb das meiste unausgesprochen, ein stummes Menuett. Dennoch spielte die Chemie verrückt. Ich muss gestehen, es war ein atemberaubender, fesselnder Zustand, das Interessanteste, was mir jemals widerfahren war.

Ich fragte mich immer noch, *was ist bloß in mich gefahren?* Doch irgendeine Kraft, die ich nicht zu steuern vermochte, sagte mir: *Hör auf, dir den Kopf zu zerbrechen. Lass es einfach zu, ohne zu zweifeln.* Ich folgte meiner inneren Stimme. Aber ich bewegte mich eindeutig auf unbekanntem Terrain. In der westlichen Welt haben Paare ein Date oder Rendezvous. Sie gehen miteinander ins Kino oder zum Essen, besuchen Fußballspiele oder Partys. Man unterhält sich angeregt, selbst wenn die Chemie nicht stimmt oder es an Anziehungskraft mangelt. Wir reden, oft um den anderen glauben zu machen, dass wir uns auf einer Wellenlänge befinden. Doch bei Namgay und mir war es genau andersherum. Wir verstanden uns, auch ohne Worte.

Ich hatte am Morgen der Abschlussfeier nicht viel zu tun, also machte ich die Runde und erkundigte mich, ob ich helfen könne; außerdem tat ich das, was ich mir in den letzten Monaten angewöhnt hatte: Ich versuchte, Namgay rein zufällig über den Weg zu laufen. Das war ein Kinderspiel, weil er überall auftauchte. Da er mit den Feinheiten von *Driglam Namzha*, der bhutanischen Etikette bei solchen Veranstaltungen, vertraut war, leitete er die Vorbereitungen der Feierlichkeiten. Er erteilte den Schülern Anweisungen, die geschäftig hin und her eilten, um bestimmte Arbeiten zu erledigen oder das eine oder andere herbeizuschaffen. Einmal stand er am Fahnenmast und rollte die bhutanische Flagge so zusammen, dass sie sich zu Beginn der Feier, wenn sie aufgezogen wurde, entfaltete und gold- und orangefarbene Ringelblumenblütenblätter herabregneten. Ich hielt mich fern, um ihn nicht zu stören.

Kurz darauf sah ich ihn im Kreis einiger Schüler vor einem der Zelte stehen. Eines der Mädchen hatte eine Kamera und schickte sich an, Bilder zu machen. Als er mich entdeckte, hob er die Hand, winkte mich heran, um sich mit mir fotografieren zu lassen. Mir war schwindelig vor Glück. Das war eine völlig neue Wende in unserer Beziehung: Wenn sich Schüler in der Nähe befanden, nahm er mich kaum zur Kenntnis, richtete selten das Wort an mich.

Endlich trafen die hohen Würdenträger und Gäste ein und alle Anwesenden nahmen Aufstellung für die Eröffnungszeremonie. Die Nationalhymne wurde angestimmt und Namgay zog die Fahne hoch. Wie auf Stichwort regnete es Blütenblätter. Die Luft war schwer, erfüllt vom Duft des brennenden Wacholders, der als Räucherwerk diente. Es folgten ein feierliches Gebet, eine Opfergabe an die Götter und eine Begrüßung des ranghöchsten Ehrengastes, bevor der Sportwettbewerb eröffnet wurde. Der Rektor hatte Weitsprung, Hochsprung und andere Leichtathletik-Disziplinen vorgesehen. Kurz vor Beginn des Weitsprungs stand ich auf dem Rasen und unterhielt mich mit einer Gruppe Mädchen. Ich hörte, wie der Rektor munter verkündete, dass der *gesamte* Lehrkörper aufgefordert sei, am Weitsprung teilzunehmen. Alle lachten, sichtlich erfreut. Ich hätte mich leicht aus der Affäre ziehen können, aber damit lief ich Gefahr, dass Namgay mich für eine Spielverderberin hielt.

Neben dem Schulgebäude war mit Stöcken und Schnüren eine Bahn als Anlaufstrecke markiert, an deren Ende sich die mit Sand gefüllte Sprunggrube befand. In meinen Augen ein unheilvoller Anblick und ein nicht ganz ungefährliches Unterfangen. Schließlich trug ich die bodenlange Nationaltracht und dazu Schuhe mit hohen Absätzen, dem wichtigsten Accessoire der modebewussten *Kira*-Trägerin. Zwei Schülerinnen, zu beiden Seiten der Grube platziert, waren für die Messung der jeweiligen Sprungweite zuständig. Während ich gebannt zuschaute und voller Grauen darauf wartete, dass ich an die Reihe kam, wagten sich die eifrigeren Lehrer vor, ruderten mit Armen und Beinen, um eine größere Hebelwirkung zu erzielen, und landeten auf unterschiedlichen Teilen ihrer Anatomie in der Grube. Das Publikum johlte vor Begeisterung.

Es gibt mit Sicherheit kein Kleidungsstück, das beim Laufen hinderlicher ist als eine *Kira*, ganz zu schweigen von einem anmutigen Weitsprung. Aber ich wollte nicht aus der Reihe tanzen oder den Eindruck erwecken, dass es mir an Teamgeist mangelte. Ich war Ausländerin und bemüht, mich in die Gesellschaft zu integrieren. Also musste ich mich doppelt anstrengen. Das erschien mir in dem Moment wichtiger als meine physische Sicherheit. Als der Rektor meinen Namen aufrief, fühlte ich mich hundeelend. Ich hatte Angst, zu stolpern und mich zu verletzen. Aber ich wusste, es war am besten, keine Zeit zu verschwenden, nach dem Motto, Augen zu und durch, denn je länger ich das Unvermeidliche hinausschob, desto größer die Zuschauermenge, die sich einfand. Schüler, Lehrer und Gäste hatten bereits eine Kostprobe von den Leistungen meiner Kollegen erhalten und lechzten nach einer Fortsetzung des Spektakels. Und wer bot ein größeres Spektakel als die Amerikanerin, die Englisch unterrichtete, Miss Linda, von der man erwarten konnte, dass sie die Dinge immer ein bisschen anders handhabe als alle anderen? Es war ein abgekartetes Spiel und ich ließ mich freiwillig darauf ein. Die Schüler lachten, jubelten und feuerten mich an: »Nur zu, Miss, machen Sie mit!«

Alle Augen, einschließlich Namgays, ruhten auf mir. Applaus und aufmunternde Zurufe begleiteten mich, als ich mir den Weg zum Weitsprung bahnte. Ich streifte die hochhackigen Schuhe von den Füßen, raffte den Saum meiner besten *Kira* aus Khaling, verharrte einen Moment in der Ausgangsposition und sprach ein lautloses Gebet. Dann nahm ich Anlauf, stieß mich am Rand der Grube ab und sprang, die Beine hoch in der Luft. Es war kein besonders weiter Sprung, aber ich landete im kühlen Sand, wie ein Wunder mit den Füßen voran. Ich streckte die Arme nach vorne, um das Gleichgewicht zu halten, bevor ich mich hoch aufrichtete wie ein olympischer Turner, eine akrobatische Glanzleistung, die mich selbst überraschte. Die Zuschauer brachen in tosenden Beifall aus. »Gut gemacht!«, rief mir einer der Schüler zu, meine Stimme im Klassenzimmer nachahmend.

Ich gelangte mit meinem Sprung weder auf den ersten noch auf den zweiten oder dritten Platz. Ich wurde Vierte, doch ich war heilfroh, dass ich mich weder blamiert noch mir den Knöchel verstaucht hatte. Ich wagte nicht, Namgay anzusehen. Mir war, als hätte jeder Teil von mir zu einem mächtigen Sprung angesetzt und eine weite Strecke zurückgelegt, was mein Engagement und meinen Glauben an ein Leben in Bhutan, an die Ehe und an die Liebe betraf.

Ich bekam kaum einen Bissen von den zahllosen kulinarischen Köstlichkeiten hinunter, die in einem der Zelte als Buffet angerichtet waren. Die Schüler aßen in Gruppen auf dem Rasen und die Ehrengäste nahmen in einem anderen Zelt Platz, wo sie bedient wurden. Nach dem Mittagessen versammelten wir uns alle auf dem Rasen vor den Zelten, um an der Verleihung der Auszeichnungen teilzunehmen. Ich suchte mir einen Platz in der letzten Reihe, hinter Schülern, Lehrern und Gästen, insgesamt etwa einhundert Personen. Sogar einige Touristen, die aus einem großen Reisebus gestiegen waren, hatten sich am Rande der Rasenfläche eingefunden, Zuschauer, die Zuschauer in Augenschein nahmen. Ein Raunen ging durch die Menge: »Miss! Miss! Miss!«

Ich war die Miss. Sie riefen, winkten mich herbei, forderten mich auf, nach vorne zu kommen. Die Menge teilte sich wie das Rote Meer, als Schüler und Lehrer sich zu mir umdrehten und zusammenrückten, um mir einen Weg zu ebnen. Dann entdeckte ich Namgay in der ersten Reihe. Lächelnd streckte er seinen Arm und seine Hand aus, wies auf den freien Platz neben ihm. Dieser wunderbare, schüchterne Mann hieß mich in seiner Welt willkommen, bekannte sich in aller Öffentlichkeit zu mir, bat mich an seine Seite, und das vor den versammelten Schülern, Lehrern und Gästen, vor der ganzen Welt oder zumindest vor der Welt von Kawajangsa, der einzigen Welt, die für mich zählte.

Langsam schritt ich durch den Gang und nahm meinen Platz an seiner Seite ein. Ich sah ihn an. Er lächelte. Dann ergriff er meine Hand! Es war ein magischer, unvergesslicher Moment, einer der schönsten Augenblicke in meinem Leben. Noch heute, Jahre später, erinnere ich mich an das Gefühl, das mich überkam, ein Gefühl von überwältigender Intensität, als wirkten in diesem entscheidenden Augenblick sämtliche Kräfte des Universums zusammen. Das Leben erschien mir gewaltig und wundervoll. Mir war, als würde ich über mich selbst hinauswachsen.

Ich kann mich nicht mehr daran erinnern, wer den Abschluss schaffte, wer als Bester in den acht Klassen abschnitt oder was sonst noch bei der Feier geschah. Ich nahm nur noch Namgay wahr, spürte seine Hand und dachte an den Schritt, den er gewagt hatte, um Bewegung in unsere Beziehung zu bringen und unser Schicksal zu besiegeln – ein Sprung ins kalte Wasser, der für ihn bemerkenswert war.

Wenn du durch die Hölle gehst,
geh weiter.

Winston Churchill

VOM LIEBEN UND EHREN

Es war während der Winterferien, als Namgay und ich begannen, über eine Heirat nachzudenken. Wir setzten die Dzongkha- und Englischlektionen fort und es gab zahlreiche verstohlene Blicke und versehentliche Berührungen der Hände, wenn wir nach demselben Buch griffen. Es war wie im viktorianischen Zeitalter, fesselnd, wunderbar und mit viel Herzklopfen verbunden. Ich wusste nicht, was letztendlich geschehen würde, doch mein Leben hatte sich seit meiner Ankunft in Bhutan grundlegend gewandelt. Ich war inzwischen daran gewöhnt, Neuland zu erkunden. Namgay war nicht nur Lehrer, sondern auch *Thangka*-Maler und Mahayana-Buddhist. Darüber hinaus erwies er sich als Multitalent: Er konnte phantastisch kochen, Holz hacken und Gewichte stemmen, die das Dreifache seines Körpergewichts betrugen. Er konnte nähen, einen Garten bepflanzen und Vieh hüten, elektrische Leitungen im Haus verlegen und ein defektes Schloss reparieren. Er war verlässlich, fürsorglich, kultiviert, attraktiv, arbeitsam und zutiefst religiös. Er zeichnete sich durch ein hohes Maß an Spiritualität aus und war mit verschiedenen Zeremonien vertraut, um die zahlreichen Götter zu ehren und zu beschwichtigen. Das waren nicht gerade die Eigenschaften, die ich von amerikanischen Männern kannte, aber in Bhutan sind sie sehr wichtig. Namgay galt als echt guter Fang.

Er hatte eine völlig andere Erziehung und Ausbildung genossen als ich. Er malte gerne. Er verbrachte seine Kindheit bei seinem Onkel, einem Lama, und da Malutensilien wie Stifte und Papier schwer zu beschaffen waren, zeichnete er mit einem Stock Bilder in den Sand. Da Namgays künstlerische Begabung schon früh zutage trat, wurde er nicht Mönch, sondern auf die National Art School in Thimphu geschickt, um *Thangka*-Malerei zu studieren. Nach acht Jahren Unterricht und einer fünfzehnjährigen Lehre, in der er Tempel in ganz Bhutan mit seinen Kunstwerken ausschmückte, wurde er als Lehrer für *Thangka*-Malerei an die Schule berufen.

Da das bhutanische Gesellschaftssystem weitgehend matrilinear gegliedert ist, zieht der Mann nach der Hochzeit normalerweise zu seiner Frau und ihrer Familie. Auf dem Lande kommt es auch heute noch vor, dass Ehen arrangiert werden, doch die Liebesheiraten überwiegen. Die Eheschließung selbst ist oft nicht mehr als eine schlichte Übereinkunft, doch wenn das Paar das Geld aufbringen kann, findet eine Hochzeitspuja oder Feier statt.

Als wir den Entschluss fassten zu heiraten, sagte ich Namgay, ich wolle zu ihm ziehen. Ich hatte weder Grundbesitz noch Familie; mein Haus war gemietet. Er hielt nicht viel von der Idee, weil er meinte, das sei zu unbequem für mich, da mein Haus über mehr Annehmlichkeiten verfüge, beispielsweise einen Boiler, während es in seinem Haus kein heißes Wasser gab.

Doch da ich in Bhutan war und mich anschickte, einen Bhutaner zu heiraten, fand ich es nur recht und billig, wie alle anderen zu leben. Ich war schließlich daran gewöhnt, mich anzupassen – dachte ich zumindest. Außerdem wusste ich, wenn wir in meinem Häuschen am anderen Ende der Stadt wohnen würden, hätte sich Namgays Familie aufgrund der »luxuriösen Ausstattung« gehemmt gefühlt und uns nur selten besucht. Wie dem auch sei, ich erklärte, dass wir immer noch zu mir ziehen könnten, falls es nicht funktionierte. Ich wiegte mich vermutlich in einem trügerischen Sicherheitsgefühl. Es ist wahr, dass Bhutaner keine Mühen scheuen, damit sich Fremde in ihrem Land wohlfühlen. Das gehört zu ihrer Mentalität. Fakt ist auch, dass ich in den zweieinhalb Jahren meines Aufenthalts vor der Ehe mit Namgay einen Sonderstatus genossen hatte: Jeder war bestrebt, mir das Leben auf Schritt und Tritt zu erleichtern, spielte im Grunde Kindermädchen bei mir. Als ich einige Jahre zuvor aus dem gemieteten Haus in Semtokha in das Häuschen umzog, das ich bewohnte, als ich Namgay kennenlernte, nahm ich mir ein Taxi, das mich selbst und mehrere Koffer, zahlreiche Körbe mit Büchern und einige wenige Töpfe und Pfannen in meine neue Bleibe befördern sollte. Der Taxifahrer war sehr freundlich; er fuhr mehrmals hin und her und half mir sogar, das gesamte Umzugsgut aus dem alten Haus heraus- und in das neue hineinzutragen. Das einzig Traurige war, dass ich bei diesem Hin und Her einen Schuh verlor.

Ein Monat verging und als ich eines Tages aus einem Laden trat, die mit Reis und Gemüse gefüllten Einkaufstaschen fest im Griff, rief jemand: »Oh, Cinderella! Miss Cinderella!« Es war der Taxifahrer, der mir beim Umzug geholfen hatte; er strahlte über das ganze Gesicht, fuhr im Schritttempo die Straße entlang, eine Hand am Steuer und die andere zum Fenster hinausgestreckt, in der er den verlorenen Schuh schwenkte.

Namgay erklärte sich schließlich einverstanden, dass ich das Häuschen aufgab und in seine Wohnung zog, die sich im Haus seiner Schwester befand.

Wir verbrachten Wochen damit, uns vor einem aufgeschlagenen Wörterbuch und einem prasselnden Feuer im Ofen in gebrochenem Englisch und Dzongkha zu unterhalten, lernten die Sprache des anderen und schmiedeten Pläne für unsere gemeinsame Zukunft. Er bat mich, mit dem Rauchen aufzuhören, weil Guru Rinpoches Augen darunter litten. Jedes Mal, wenn ich mir eine Zigarette anzündete, fiel außerdem laut Namgay eine *Dakini* aus den himmlischen Sphären, ein erleuchtetes Geistwesen und weibliche Manifestation spiritueller Energie im Vajrayana-Buddhismus, auch Himmelstänzerin genannt. Von meiner Sucht einmal abgesehen, konnte ich das natürlich nicht verantworten, also gewöhnte ich mir das Laster ab, was mich beträchtliche Anstrengung kostete.

Nach einigen Wochen lud Namgay mich zu sich nach Hause ein, um mich seiner Familie vorzustellen.

Er wohnte auf der Anhöhe direkt über der Schule in Kawajangsa. An jenem Tag war mein Lampenfieber so groß, dass mir buchstäblich die Knie zitterten. Das war mir noch nie passiert. Ich gehöre nicht zu den Menschen, die zu Panikattacken neigen. Doch die Prüfung, die mir bevorstand, war bedeutungsvoller als jede andere bisher – ein Sprung in eine Lebenswelt, die sich radikal von meiner gewohnten unterschied. Ich wusste, dass ich Namgays wohlgeordnetes Familienleben durcheinanderbrachte. Der Besuch stellte eine Zäsur in unserer Beziehung dar, danach gab es kein Zurück mehr, das war mir klar. Die Heirat würde nur noch reine

Formsache sein, denn so sehen die bhutanischen Dorfbewohner die Ehe.

Für mich hatte das Ganze Ähnlichkeit mit einem Glücksspiel, bei dem man alles auf eine Karte setzt, und ich wundere mich noch heute, dass sie sich darauf einließen. Namgays Familie war und ist fest in ihrem buddhistischen Glauben und ihrer Tradition verwurzelt. Namgay, seine beiden Schwestern und deren Familien lebten in unmittelbarer Nachbarschaft in Kawajangsa und kümmerten sich abwechselnd um die Mutter, die ihre Zeit gleichmäßig zwischen den Haushalten ihrer Töchter aufteilte. Choki, Namgays älteste Schwester, war mit einem Holzschnitzer namens Dhendup verheiratet. Pema, der Ehemann von Karma, der zweiten Schwester, war *Thangka*-Maler und gehörte wie Namgay und ich zum Lehrkörper der National Art School.

Diese Familie schien geradezu prädestiniert zu sein, einen großen Bogen um jeden Ausländer zu machen, und in der Tat gehörten sie zu den scheuesten, unaufdringlichsten Menschen, denen ich je begegnet bin. Sie waren nicht begütert, aber zuvorkommend, fleißig und tiefreligiös. Sie lebten ihren Glauben und ließen keine Gelegenheit ungenutzt, freundlich und hilfsbereit zu sein. Sie waren keineswegs fremdenfeindlich. Es hatte sich bisher nur keine Gelegenheit ergeben, Ausländer kennenzulernen, da nur wenige in Bhutan lebten. Wahrscheinlich kam ich in ihren Augen von einem anderen Stern. Und dieses exotische Wesen mussten sie künftig in nächster Nähe ertragen. Das war es, was mir solche Angst machte, dass mir die Knie zitterten. Ein buddhistisches Sprichwort besagt: Wenn du nicht helfen kannst, verletze wenigstens niemanden. Ich wollte gewiss niemanden verletzen. Doch der Gedanke, dass wir aus so unendlich verschiedenen Welten stammten, bereitete mir Sorge, ich fürchtete, dass es uns nicht gelingen würde, uns irgendwo in der Mitte zu treffen. Ich fühlte mich wie ein Eindringling.

Am Tag des Besuchs, einem Samstag im Januar, schien morgens schon die Sonne und die Vögel zwitscherten im Garten, hüpften von Ast zu Ast, während ich mich ankleidete. Die *Kira*, die ich gewählt hatte, gefiel mir nicht, also probierte ich eine andere an und die nächste und übernächste, bis alle *Kira*s, die ich besaß, im ganzen Haus verstreut waren. Nichts schien mir für den Anlass passend und im Haus sah es aus, als wären Einbrecher am Werk gewesen. Ich flüchtete zu meiner Nachbarin Chuni, die fand, ich sei genau richtig gekleidet. »Mach dir keine Sorgen. Die Leute sind sehr nett«, versuchte sie mich zu beruhigen.

»Das macht mir ja gerade solche Sorgen«, entgegnete ich. Namgay und ich waren fest entschlossen, unser Vorhaben in die Tat umzusetzen und den Bund fürs Leben zu schließen. Seine Familie hatte keine Wahl. Mitgefangen, mitgehangen – was immer auch geschah, sie konnten nicht aussteigen.

Ich hatte eine riesige Dose dänische Butterplätzchen und einen großen Sack Walnüsse als Gastgeschenk für Namgays Mutter gekauft. Schwer beladen ging ich die Straße entlang und nahm mir ein Taxi.

Als ich die Stufen zur Eingangstür des Hauses hinaufging, trat Namgays Neffe heraus, um mich zu begrüßen. Es stellte sich heraus, dass Namgay gar nicht da war. Er war auf den Gemüsemarkt gegangen, um Lebensmittel für die Woche einzukaufen. Sein Neffe, schätzungsweise zwischen fünfzehn und achtzehn Jahre alt, erklärte mir, Namgay müsse jeden Moment zurück sein. Ich hörte mich flüstern: »Oh, dann komme ich später wieder ...« Ich drehte mich um und schickte mich zum Gehen an.

»Halt, warten Sie!«, rief er aus. »Kommen Sie doch bitte herein, auf eine Tasse Tee.«

Ich folgte ihm und trank Tee, auf dem Fußboden in Namgays Gebetsraum, wo ich im Schneidersitz auf einem Kissen saß. Die meisten Häuser in Bhutan verfügen über einen Gebetsraum oder *Choshom*, einen Altar oder Schrein. Auch wenn es im Haus keine sanitären Anlagen gibt, so hat doch jede Familie einen Raum mit einem kunstvoll geschnitzten, bunt bemalten Holzaltar, der eine ganze Wand einnimmt. Auf den Regalbrettern, unter Glas, stehen die vergoldeten Statuen der Hausgötter. Fast immer findet man hier, entsprechend den Neigungen der Familie, Darstellungen von Guru Rinpoche oder seiner zornigen Manifestation Dorje Drolo, von Shabdrung Ngawang Namgyal (dem Gründer Bhutans), von Chana Dorje, einem mächtigen Beschützer und von Chenrezig (Schutzpatron des Landes). Oft findet sich hier auch eine der beiden Taras – die Weiße Tara für langfristige Wünsche und Bestrebungen, eine harmonische Ehe und gute Gesundheit und die Grüne Tara für die kurzfristigen Bedürfnisse wie Geld oder eine sichere Reise.

Die Bhutaner geben einen großen Teil ihrer Ersparnisse für die Gestaltung des Gebetsraums aus. Wenn eine Familie nicht ganz arm ist, besitzt sie viele große kunstvoll gearbeitete Götterstatuen und schmückt die Wände mit kostbaren *Thangkas* in Brokatseidenrahmen. Auf dem Hausaltar werden vor den Statuen sieben Schalen mit Wasser aufgestellt, als symbolische Opfergabe. Die Opfergaben für die Gottheiten sollen bewusst nicht als Maßstab für den Wohlstand einer Familie dienen: Jeder Mensch kann eine Schale Wasser als Opfer darbringen, ein Brauch, dem man jeden Morgen nachkommt. Mir fiel auf, dass in Namgays Gebetsraum keine *Thangkas* hingen, nur plakatgroße Abbildungen von Gottheiten und Fotos von *Thangkas*. Obwohl er die schönsten *Thangkas* malt, die ich kenne, behält er kein einziges für sich. Sie sind ausnahmslos für andere bestimmt.

Auf dem Hausaltar standen bunt durcheinandergewürfelt große antike Messing- und Silbervasen mit roten und blauen Blumen und der Duft von Sandelholz driftete durch den Raum. Er vermischte sich mit dem Geruch nach Staub und Schimmel der uralten Bücher mit buddhistischen Schriften und Gebeten, die, in gelbe Seide gehüllt, in einer Glasvitrine in der Ecke aufbewahrt wurden. Phantastische *Torma*, kompliziert gestaltete Butterskulpturen, die hinter den Wasserschalen standen, verstärkten den Eindruck, dass der Schrein ziemlich opulent, wenn nicht überladen war. Die weißen Obelisken mit den roten, blauen, grünen und gelben Blumen auf den pyramidenförmigen Spitzen reflektierten das Licht der mehrreihigen Butterlampen – silberne Kelche mit Öl und Baumwolldochten, die nicht nur Licht, sondern auch spürbare Hitze erzeugten. Die Butterlampen, deren Name darauf zurückzuführen ist, dass in ihnen früher ausgelassene Butter (*Ghee*) verbrannt wurde, waren randvoll mit geschmolzenem Pflanzenfett gefüllt und alles, einschließlich der goldenen Götterstatuen, funkelte in ihrem hellen Schein. Ein roter Seidenbaldachin, mit einer gelben Seidenborte eingefasst, spannte sich über den größten Teil der Decke, sodass der Raum wie ein anheimelndes Zelt wirkte und vom Rauch der

Butterlampendochte eine Sepiafärbung angenommen hatte, wie eine vergilbte Fotografie. Es gab unglaublich viel Seide und Holz, in Kreuzform gelegt und an den Enden mit Schnur zu Rauten gebunden, ein Schutzsymbol aus einem Material, das leicht brennt – was aber nie geschah. Ein weiteres Zeichen, das den unerschütterlichen Glauben der Familie sichtbar zum Ausdruck brachte.

In der Ecke lehnte eine Leinwand, die auf einen Holzrahmen genäht war – ein Rollbild, das irgendjemand, vielleicht der Neffe, angefangen, aber noch nicht zu Ende gemalt hatte. Ringsherum auf dem Fußboden standen kleine Schalen mit leuchtenden Farben und mehreren Pinseln. Das *Thangka* stellte eine Waldszene dar, mit einem Elefanten, einem Affen, einem Kaninchen und einem Vogel, die unmittelbar neben einem Baum standen. Der Affe hockte auf dem Rücken des Elefanten, das Kaninchen auf dem Rücken des Affen und der Vogel, der auf dem Kopf des Affen stand, griff nach einer der leuchtend roten Beeren des Baumes. Dieses Motiv wird in Bhutan überall auf die Wände von Häusern und Tempeln gemalt; es stellt das Gleichnis von den vier treuen Freunden dar, die den Geist der Hilfsbereitschaft und Freundschaft verkörpern. Die Freunde helfen einander und gewährleisten somit ihr eigenes Überleben. Namgays Neffe Dorje, der die elfte Klasse besuchte, erzählte mir, sein Onkel erteile ihm während der Schulferien *Thangka*-Malunterricht.

Einmal dachte ich, ich hätte aus dem Augenwinkel eine alte Frau an der offenen Tür des Gebetsraums vorbeihuschen sehen. Das war vermutlich Lhamo, Namgays Mutter. Wäre ich gerade erst nach Bhutan gekommen, hätte ich ihr Verhalten seltsam gefunden und gedacht, dass sie mir aus dem Weg zu gehen versuchte. Aber ich wusste, dass sie zu gehemmt war, um den »hohen Gast« zu begrüßen. In der Familie herrschte ohnehin schon Nervosität. Schließlich handelte es sich ja nicht um irgendeinen Besuch, sondern um Namgays amerikanische Freundin.

Ich erinnerte mich daran, was mir meine Nachbarin Chuni einmal erzählt hatte: Manchmal sage ihr eine innere Stimme oder einfach das Gefühl, es sei besser, die Hände in den Schoß zu legen und abzuwarten. »Im Zweifelsfall tu nichts.« Das entspricht einer taoistischen Philosophie, dem Wu Wei oder intuitiven Wissen, wann man handeln oder nicht handeln sollte, auch als »Handeln durch Nichthandeln« oder als Grundsatz beschrieben, nicht in den natürlichen Verlauf der Dinge einzugreifen. Das ergab Sinn. Also harrte ich der Dinge, die da kommen würden, und nahm die beruhigende Atmosphäre des Gebetsraums in mich auf.

Als ich zum Fenster hinausblickte, sah ich endlich Namgay die Straße entlangkommen. Er trug einen schönen handgewebten *Gho* und hielt einen recycelten Reissack mit Gemüse in der einen und einen mit Schnur umwickelten Eierkarton in der anderen Hand. Mein Herz klopfte wie verrückt, als ich seine Schritte auf der Treppe hörte. Draußen auf dem Gang waren leise Stimmen zu vernehmen, als ihm seine Verwandten in dringlichem Tonfall zuflüsterten, dass ich mich im Gebetsraum befand. Ich hörte, wie Namgay Anweisungen auf Dzongkha erteilte. Er sorgte offenbar dafür, dass ein Festmahl zubereitet wurde, denn ich war ein Ehrengast.

Er trat ein und begrüßte mich überschwänglich. »Hallooo!«, rief er aus, wie der US-Schauspieler und Komiker Steve Martin, völlig überdreht, nur ohne jede Ironie. Seine

Familie und er hatten noch nie eine Amerikanerin zu Gast gehabt, aber er versuchte sich den Anschein zu geben, als sei das ganz alltäglich. Seine Unbeholfenheit tat mir in der Seele weh. Die Leichtigkeit und das entspannte Miteinander, das sich während seiner ausgedehnten Besuche in meinem Häuschen eingestellt hatte, waren verschwunden. Ich befand mich nun auf seinem Territorium. Es würde einige Zeit brauchen, bis wir uns angepasst hatten.

Unsere Unterhaltung klang gestelzt, geriet ins Stocken; dann verschwand er. Nach ein paar Minuten kehrte er mit einer weiteren Tasse Tee und Keksen zurück, um sich gleich darauf wieder in Luft aufzulösen. Menschen aus dem Westen würden ein solches Verhalten vermutlich ziemlich sonderbar finden, aber für Bhutaner ist es völlig normal. Bhutaner verwöhnen ihre Gäste nach allen Regeln der Kunst: Es versteht sich von selbst, dass sie ihnen den bequemsten Sitzplatz im Haus anbieten und ein Festmahl aus dem Besten vorsetzen, was sie zu bieten haben. Gespräche sind optional, die Bewirtung der Gäste ist Ehrensache. Namgay und seine Familie hielten sich in der Küche auf und bereiteten ein opulentes Mittagessen für mich zu, wie jede bhutanische Familie, die etwas auf sich hält. Also wartete ich allein, wie es dem Brauch entspricht.

Seit Namgay zu Hause war, schwand meine Nervosität zunehmend, meine Abenteuerlust gewann offenbar die Oberhand, wenn auch nicht unbedingt mit Optimismus gepaart. Ich stellte fest, dass ich den Besuch zu genießen begann. Eine leichte Brise wehte durch das offene Fenster. Das Haus stand auf einer Anhöhe direkt über der Kunstschule. Vom Fenster aus hatte man einen Ausblick auf Thimphu, von Bergen umrahmt, die üppig begrünt und von Wolken gekrönt waren. Es war eine Kulisse von atemberaubender Schönheit. Ich hatte das Gefühl, am richtigen Platz zu sein.

Nach ungefähr einer Stunde erschien Namgay wieder und trug eine riesige Schale mit rotem Reis und eine weitere mit *Phak Sha Pha* herein, getrocknetem, gut abgelagertem Schweinespeck, eine Delikatesse in Bhutan. Er stellte beides vor mir auf dem Fußboden ab und verließ abermals den Raum. Ich wartete mehrere Minuten, weil ich dachte, er würde nun mit seinem Essen zurückkehren. In einem traditionellen bhutanischen Haushalt ist es üblich, dass die Gäste alleine speisen, doch wenn Namgay mich in meinem Haus besuchte, pflegten wir – wie in Amerika üblich – die Mahlzeiten gemeinsam einzunehmen. Er kam nicht zurück.

Ich stand auf, strich meine *Kira* glatt, nahm die Schalen mit Reis und Schweinefleisch und marschierte geradewegs in Namgays Küche. Und richtig, dort hatten sich alle eingefunden: Namgay, seine Mutter und sein Neffe saßen auf Rinderhäuten auf dem Küchenfußboden und aßen. Ich blieb auf der Türschwelle stehen. Alle sprangen auf und sahen mich erschrocken an, als sei etwas Schreckliches geschehen oder als hätte man sie auf frischer Tat ertappt. Namgay eilte herbei, um mir die Essensschalen aus der Hand zu nehmen.

Ich lachte und sagte auf Dzongkha: »Nehmt bitte wieder Platz. Ich habe mich im Gebetsraum einsam gefühlt.«

Alle sahen mich überrascht an. Das war höchst ungewöhnlich. Doch dann stimmten sie in mein Lachen ein. »*Toup*«, erklärte Namgay. »In Ordnung.«

Er stellte meine Essensschalen auf den Fußboden zwischen seine und die seiner Mutter. Dann nahm ich auf einem Bärenfell zwischen den beiden Platz. Wir alle genossen das gemeinsame Mahl. Das erste von vielen.

Es war schon spät und Namgays Mutter bot mir an, im Gebetsraum zu schlafen. Ich hatte nicht geplant, dort zu übernachten. Eigentlich hatte ich überhaupt nichts geplant.

Sie machten mir ein bequemes Nachtlager aus Teppichen und Decken zurecht. Ich legte den Gurt und die *Koma* ab, die beiden Gold- und Silberbroschen, mit denen die *Kira* an der Schulter befestigt wird, und kroch in das kleine Nest. Fast alle Bhutaner schlafen so – ohne Matratze, nur auf dem, was man als Unterlage für den Fußboden und zum Zudecken hat. Morgens wird das Bettzeug verstaut oder zum Auslüften an Wäscheleinen im Freien aufgehängt. Wenn ich mich mit Touristen unterhielt, die Bhutan besuchten, beklagten sich die meisten über die unbequemen Matratzen in den Hotels. Sie wussten offenbar nicht, dass Matratzen ein Luxus sind, eine der größten Annehmlichkeiten, die das Land Besuchern zu bieten hatte.

Während die Familie schlief, lag ich im Dunkeln wach, zu aufgewühlt und tief bewegt, um auch nur ein Auge zuzumachen. Es war kein Traum, sondern Realität. Namgay und ich würden heiraten. Für uns alle, für Namgay, seine Familie und für mich, würde ein neues, gemeinsames Leben beginnen. Wie mochte es aussehen? Ich hatte keine Ahnung. Nicht zu wissen, was mich erwartete, machte mir indes keine Angst. Ganz im Gegenteil: Es war ein herrliches Gefühl, ein großes, spannendes Abenteuer. Ich musste mich nur darauf einlassen. Ich befand mich in einem Zustand anhaltender Euphorie, ein Hochgefühl, das eintritt, wenn man weiß, dass ein Ereignis von monumentaler Bedeutung bevorsteht. Ich fühlte mich unbesiegbar, denn ich wusste, was immer auch geschehen mochte, ich war dort, wo ich sein wollte, an einem wunderbaren Ort, im Kreis wunderbarer, bemerkenswerter Menschen.

Jahre später wollte Namgay einmal von mir wissen, warum ich ihn liebe, und ich antwortete, weil er ein gutes Herz habe, attraktiv sei und eine Arbeit verrichte, die ihn Gott – oder den höheren Mächten – nahebringe. Als ich nun in seinem Gebetsraum lag, wurde mir bewusst, dass ich nicht nur mit Namgay, sondern auch mit Bhutan den Bund fürs Leben schließen würde. Wenn man einen Ausländer heiratet, heiratet man das Land mit, in dem er geboren und aufgewachsen ist. Nie zuvor in meinem Leben war ich so glücklich gewesen.

Wir hatten mehrere Hochzeitszeremonien. Die erste war ein traditionelles buddhistisches Ritual, denn es war wichtig, die Götter gnädig zu stimmen. Ein *Sip*, ein bhutanischer Astrologe, wählte den 10. März 2000 als Datum der Eheschließung aus, das Glück verhieß, wie er sagte. Es war ein strahlend schöner, wolkenloser Tag, wie die meisten Frühlingstage in Bhutan, mit einem kühlen frischen Wind, der an den Winter erinnerte. Nachdem wir mehrere Stunden in dem kleinen Gebetsraum mit Hunderten von brennenden Butterlampen verbracht hatten, die beträchtliche Hitze verbreiteten, waren wir dankbar für die Abkühlung. Fünf Mönche in roten Roben und ein Lama hielten sich mit Namgay und mir in dem Raum auf, in dem drangvolle Enge herrschte. Sie bliesen die zweieinhalb Meter langen rituellen Hörner, schlugen die Trommeln und stimmten Gebete für unser Wohlergehen und Glück an. Namgay sah phantastisch aus in seinem *Gho* aus rotgelber

Seide, den seine Schwester Karma schon vor vielen Jahren für diesen Anlass gewebt hatte. Ich trug eine prachtvolle seidene Hochzeits-*Kira*, wie es dem Brauch entsprach, in zahlreichen unterschiedlichen Rot- und Rosaschattierungen. Namgays Familie und einige unserer Freunde – insgesamt vielleicht vierzig Personen – waren ebenfalls anwesend. Sie traten nacheinander in den Gebetsraum und überreichten uns *Khatas*, die traditionellen weißen Schals, als Glücksbringer.

Da meine Familie nicht zur Hochzeit kommen konnte, sprang ein bhutanischer Freund ein und übernahm die Pflichten der Brauteltern. Den ganzen Tag lang, bis zum Abend, saßen Namgay und ich nebeneinander auf Kissen im Gebetsraum des Hauses, in dem seine Familie wohnte. Im Anschluss an die Zeremonie gab es ein Festmahl und danach fanden uns zu Ehren Tänze statt.

Ich zog mit zwei Koffern, die Kleidung enthielten, einem Auto, einem Kühlschrank, ein wenig Ess- und Kochgeschirr, einem kleinen CD-Spieler, mehreren CDs und einer brandneuen Matratze in mein neues Zuhause ein – meine gesamte weltliche Habe. Im buddhistischen Bhutan gibt es keine Mitgift.

Da ich Ausländerin war, forderte die königliche Regierung eine zivile Trauung in dem Distrikt, in dem sich der Geburtsort des Bräutigams befand. Deshalb begaben wir uns einige Monate später auf die sechsstündige Fahrt zum Dzong von Trongsa. Wir trafen am Vorabend ein und mieteten uns in einem bescheidenen Gasthof in der kleinen Stadt Trongsa ein.

Am Morgen der Zeremonie, die im Amtszimmer des Richters stattfand, trug ich *Kira* und *Rachu*, ein besticktes, über der linken Schulter drapiertes zeremonielles Schultertuch, traditionsgemäß lang und rot, das von Frauen getragen werden muss, wenn sie ein Regierungsgebäude betreten. Namgay trug *Gho* und *Kabney*, eine breite Schärpe aus Rohseide, die um den Körper gewickelt und über eine Schulter geschlungen wird. Alle bhutanischen Männer sind verpflichtet, sie in den *Dzongs* zu tragen. Der Richter, der hinter einem großen Tisch saß, führte die Zeremonie durch und verlas einen Text, der wohl den standesamtlichen Trauungen im Westen entsprach, während wir vor ihm standen. Ich hatte keine Ahnung, wovon die Rede war, aber Namgay gab mir ein Zeichen, als es an mir war, auf Dzongkha »Ich will« zu sagen.

Die Trauung war bis zum Ende eine ernste Sache. Der *Thrimpon* erklärte, wenn wir ein Problem miteinander hätten, müssten wir ihm umgehend Mitteilung davon machen. Lachend verließen wir das Amtszimmer des Richters, um uns nach nebenan in das Büro seines Gehilfen zu begeben. Dort nahmen wir an einem großen unaufgeräumten Schreibtisch Platz und wurden aufgefordert, uns in riesige Register einzutragen, die von Bediensteten in endloser Abfolge angeschleppt wurden. Es handelt sich um ein Überbleibsel des alten angloindischen Systems, wo alles, was einer Unterschrift bedurfte, mit einem kunstreichen Stempel besiegelt werden musste. Wie zu erwarten, tauchte ein Bürodiener mit einem Tablett Tee auf. Inzwischen hatte sich eine große Schar Dorfbewohner, die in den Dzong gekommen war, weil sie einen Gerichtstermin wahrnahm oder irgendeine Verwaltungsangelegenheit regeln musste, draußen vor dem Büros eingefunden, um einen Blick auf uns zu erhaschen. In Trongsa schien es ungewöhnlich, wenn nicht gar ein beispielloses Ereignis zu sein, dass eine Ausländerin einen Bhutaner heiratete.

Wir hatten Trauzeugen mitgebracht, die ebenfalls ihre Unterschrift auf der Heiratsurkunde leisten mussten. Meine Trauzeugin oder »Brautjungfer« war Aum Rinzy, eine bildhübsche Tibeterin, die das Hotel in Trongsa führte, in dem wir übernachtet hatten. Im Lauf der Jahre, als ich Bhutan noch als Touristin bereiste, war ich häufig dort abgestiegen und hatte in der wunderbaren Küche ihres Gasthofs mit dem großen Fenster gegessen; von hier konnte man beinahe das gesamte Trongsa-Tal überblicken, eine schmale, gewundene und dicht bewaldete Schlucht. Sie war hocherfreut und amüsierte sich köstlich, als sie erfuhr, dass ich einen Mann aus ihrem Dorf heiraten wollte. Sie selbst hatte vier Ehemänner, allesamt Brüder.

Wir wollten danach in ihrem Hotel zu Mittag essen und sobald sie die Heiratsurkunde mit ihrem Daumenabdruck signiert hatte, eilte sie zurück, um die Vorbereitungen zu treffen. Die einfache schnelle Mahlzeit, die wir bestellt hatten, entpuppte sich als Festbankett, das sich bis in die Abendstunden hinzog, begleitet von Musik- und Tanzeinlagen, die auf die Schnelle organisiert worden waren, und *Ara*, dem heimischen Branntwein. Fast die ganze Stadt tauchte in ihrem kleinen Gasthof auf, um uns, der Amerikanerin und dem »Jungen aus der Nachbarschaft«, *Tashi Delek*, »viel Glück«, zu wünschen.

Es war für mich ein bewegender Augenblick, unsere Hochzeit in Trongsa zu feiern und zu wissen, dass ich in eine alteingesessene, religiöse und stark traditionsverhaftete Familie einheiratete, deren Vorfahren aus Chendebji stammten, einem bekannten, etwa sechzig Kilometer westlich gelegenen Dorf im Distrikt Trongsa. Das Dorf schmiegt sich an den Hang eines hohen Berges am Rande der Black Mountains, der »Schwarzen Berge«, die mit ihrem düsteren und geheimnisvollen Aussehen ihrem Namen alle Ehre machen. Chendebji bedeutet so viel wie »der Ort, an dem die große Zypresse wächst«, doch inzwischen ist der legendäre Baum verschwunden. Das ist schade, denn altüberlieferte Texte besagen, dass acht Leute in den Hohlräumen zwischen dem Stamm und den mächtigen Wurzeln schlafen konnten.

Vor langer Zeit waren die Bewohner von Chendebji als Torwächter für die Kontrolle des Besucherstroms aus dem Osten und Westen Bhutans zum Kuenga Rabten Palast am anderen Ende des Distrikts zuständig. Die überdachte hölzerne Maleysam-Brücke unterhalb des Dorfes wurde entfernt, was während der Regierungszeit des zweiten bhutanischen Königs Jigme Wangchuk besonders häufig geschah, beispielsweise in Zeiten politischer Unruhe oder wenn der Monarch indisponiert war und sich Besucher verbat.

Da viele Menschen um eine Audienz nachsuchten, hatte der *Chipon* von Chendebji die Aufgabe, potenzielle Besucher passieren zu lassen oder unverrichteter Dinge fortzuschicken, je nach Lust und Laune des Königs; dieses Amt wurde reihum von den Haushaltsvorständen des Dorfes übernommen. Da sich die Besucher in der Regel genötigt sahen, dem *Chipon* einen kleinen Obolus zu entrichten, hatten die Dorfbewohner vermutlich ein geregeltes Auskommen.

Eine lokale Gottheit, Gyalpo Dungley Karpo, schützt das Dorf. Früher war Chendebji eine große Ansiedlung mit mehr als 100 Haushalten, heute ist die Anzahl auf 22 geschrumpft.

Jeder Haushalt erhielt vom König einen Namen und einen bestimmten Platz in der Rangordnung zugewiesen; der Name, den der Haushalt von Namgays Familie führte, lautete *Togto* und er rangierte im sozialen Gefüge auf zweithöchster Ebene. Die Familie genoss großes Ansehen im Dorf; sie brachte neun Lamas in Abfolge hervor, die als geistliches Oberhaupt von Wangdue Gompa dienten, ein großer Tempel nebst Mönchsschule in Wangdue Phodrang. Der Ort, aus dem Namgays Vorfahren stammten, sah aus, als befände er sich in Mittelerde. Das Einzige, was fehlte, waren die Hobbits.

Abgesehen von seiner unmittelbaren Familie hat Namgay eine große Verwandtschaft mit zahlreichen Onkel, Tanten, Cousins und Cousinen. Sein Vater, der inzwischen verstorben ist, war Astrologe. Nach unserer Heirat erfuhr ich von Namgay, dass sein Vater unsere Ehe vorhergesagt hatte. Er sagte, die Braut würde von sehr weit herkommen, aus einem Land, das allen unbekannt sei. Er legte Namgay dringend nahe, auf mich zu warten. Er erklärte, wir wären schon in einem früheren Leben Mann und Frau gewesen, im 17. Jahrhundert, und hätten in Punakha gelebt, am Zusammenfluss von Mochu und Pochu, dem Mutter- und Vaterfluss. Ich gestehe, als ich die Geschichte zum ersten Mal hörte, war ich skeptisch. Heute wundert mich gar nichts mehr. Das kommt davon, wenn man ein unkonventionelles Leben führt.

Ich weiß nicht mehr, wie wir das erste halbe Jahr unserer Ehe überstanden. Für mich war es wie Indien, ein Land, das ich wunderbar und schrecklich zugleich finde, und ich bin sicher, Namgay erging es nicht anders. Keine noch so sorgfältigen Vorkehrungen oder Gespräche hatten uns darauf vorbereitet.

Heute kommt mir die Zeit verschwommen und losgelöst vor, wie Szenen aus einem bizarren, wenngleich phantastischen Film, die nicht mich selbst, sondern jemand anderen betrafen.

Namgay sagt, er habe damals das Gefühl gehabt, mit einer Wildfremden unter einem Dach zu leben. Allem Anschein nach fand er mein Verhalten ziemlich sprunghaft und unvorhersehbar. Zugegeben, ich litt unter Stimmungsschwankungen, und eines Nachts verlor ich vollends die Beherrschung, als er mit einem Besen Jagd auf eine Ratte machte. Ich hörte, wie er eine Weile in der Küche herumpolterte, stand auf und kam gerade rechtzeitig, um zu sehen, wie eine Ratte von der Größe eines Chihuahua auf die Fensterbank sprang und durch das offene Fenster in die dunkle Nacht verschwand. Ich brach in Tränen aus, weinte stundenlang, schien gar nicht mehr aufhören zu können, obwohl Namgay mich aufopfernd zu trösten versuchte. Am nächsten Morgen schickten unsere wunderbaren Nachbarn Essen zu uns herüber und ich schämte mich sehr. Vermutlich hatten sie mein Gejammer gehört.

Wir waren in vielen Dingen Welten voneinander entfernt, deshalb galt es, nach und nach einen gemeinsamen Nenner zu finden. Wir mussten uns fast in jeder Hinsicht ändern oder anpassen. Statt die Toilettenspülung zu betätigen, musste ich lernen, einen Eimer Wasser nachzugießen. Statt alleine und in der relativen Anonymität einer großen Stadt zu wohnen, lebte ich auf engstem Raum mit Namgay und zahlreichen Nachbarn zusammen. Jeder wusste, was sich in unseren vier Wänden abspielte, und schien sich für jeden Schritt zu interessieren, den ich tat. In Kawajangsa lebten keine Ausländer, deshalb zog ich die Blicke auf mich, wenn ich die Straße entlangging. Eine ganze Kinderschar lief mir nach, sobald ich auftauchte, deshalb musste ich mich erst daran gewöhnen, ständig mit einem Gefolge unterwegs zu sein. Besucher waren im Haus von Namgays Familie stets willkommen, mein Mann war sehr beliebt und natürlich waren alle erpicht darauf, mich kennenzulernen. Mir lag daran, dass sie mich seiner für würdig hielten.

Da ich mein gesamtes Erwachsenenleben Single gewesen war, hatte ich im Lauf der Zeit die eine oder andere grässliche Essgewohnheit entwickelt, wie ich zugeben muss. Ich hielt mich an die Philosophie: Alles, was Schmutz verursachte, nahm man am besten über dem Spülbecken in der Küche zu sich. Gleich ob mit oder ohne Schmutz, eigentlich konnte man alles, in der Küche stehend, verzehren. Namgay war entsetzt. Er säuberte und bereitete die Nahrungsmittel sorgfältig zu, garte sie langsam und nahm dann in der Küche Platz, um sie mit Bedacht zu essen. Er genoss jede einzelne Mahlzeit und den Zubereitungsprozess. Er verbrachte jeden Tag leicht vier Stunden damit, zu kochen, zu essen und danach alles wieder aufzuräumen. Aus dem Topf zu essen ist in Bhutan verpönt.

Ich war viel zu ungeduldig, um Spaß am Kochen und Essen zu haben. Wenn ich gekocht hatte, hatte ich in aller Eile irgendetwas hergenommen, was gerade zur Hand war. Ich wäre nie auf die Idee gekommen, so aufwendig wie in Bhutan zu kochen. Hier wurde alles frisch und ohne Fertigprodukte zubereitet.

Als ich noch alleine gewesen war, hatte ich mich von Crackern, köstlichem Käse aus dem Bumthang-Tal, Obst, Keksen und Tee ernährt und gelegentlich eine Mohrrübe zu mir genommen, wenn es mir gelang, sie zu schälen. Wenn ich das Bedürfnis nach einer richtigen herzhaften Mahlzeit verspürte, war ich in ein Restaurant gegangen. Namgay musste sein kulinarisches Repertoire ebenfalls erweitern. Seine Kost ließ sich in einem Wort zusammenfassen: Reis. Jede Mahlzeit, gleich ob Frühstück, Mittag- oder Abendessen begann damit, dass er mehrere Schalen Reis in sauberem kalten Wasser säuberte und in den Reiskocher füllte. Reis ist ein Grundnahrungsmittel in Bhutan, wie überall in Asien. Ich hatte noch nie Reis gekocht. Ich wusste nicht einmal, wie das ging.

Reis schmeckt mir, ich aß ihn im Restaurant und wenn ich irgendwo eingeladen war, aber in einem bhutanischen Haushalt ist Reis allgegenwärtig. Selbst in Anbetracht der begrenzten Auswahl an Nahrungsmitteln auf den Märkten in Thimphu war ich an eine größere Vielfalt der Gerichte gewöhnt. Nachdem es einen Monat lang morgens, mittags und abends Reis und zum Nachmittagstee Puffreis gegeben hatte, hätte ich am liebsten einen Urschrei losgelassen, die Schüssel durch das offene Fenster geschleudert, meine Siebensachen gepackt und das Weite gesucht. Aber ich hielt meine Gefühle unter Verschluss und versuchte, Nudeln einzuführen. Es ging schließlich nicht an, so kurz nach der Hochzeit einen Nervenzusammenbruch mit allem Drum und Dran zu bekommen.

Neben Reis gehören scharfe Chilischoten zu den bevorzugten Nahrungsmitteln in Bhutan. Tatsache ist, wenn man den Bhutanern alle anderen Lebensmittel wegnehmen und ihnen nur Reis und Chili lassen würde, wären sie rundum glücklich. Sie lernen von Kindesbeinen an, scharf gewürzte Speisen zu lieben, und Babys erhalten schon mit der Muttermilch einen

Vorgeschmack darauf. Der Verzehr von Chili als Gewürz und eigenständiges Gericht ist eine nationale Manie. Ich hingegen wäre außerordentlich zufrieden, wenn ich bis zu meinem Lebensende nie wieder Chili essen müsste.

Normalerweise gibt es ein oder zwei Currys zum Reis, den die Bhutaner bei jeder Mahlzeit zu sich nehmen. Als *Curry* bezeichnet man alles, was zum Reis gereicht wird. *Ema Datse*, gedünstete Chilischoten mit Käsesoße, ist das bhutanische Nationalgericht. Bhutaner essen außerdem gerne Fleisch und Dörrfleisch vom Yak, auch Schwein (als getrockneter Schweinebauch) oder Rind erfreut sich großer Beliebtheit.

Ich lernte, Gemüse zu säubern, zu putzen und in einem unserer drei ziemlich unberechenbaren Dampfdruckkochtöpfe zu garen. Namgay pflegte sie als Baby-, Mutter- und Vaterkochtopf zu bezeichnen. Der mittelgroße Mutterkochtopf hatte eine Gummidichtung an der Unterseite des Deckels, die ständig verrutschte. Beim großen Vaterkochtopf fehlte der Griff. Der Babykochtopf war nahezu perfekt. Ich lernte, Reis in einem elektrischen Reiskocher zuzubereiten: Zuerst musste man den Reis dreimal in kaltem Wasser waschen, wobei man ihn mit der Hand umrührte und nach verirrten Steinchen und Spelzen Ausschau hielt, bevor man den Kocher einschaltete. Vor allem aber lernte ich, mir die Hände zu waschen, wenn ich mit Chilischoten in Berührung gekommen war. Wenn man Chili hackt und sich hinterher die Augen reibt, begreift man, warum diese Maßnahme unerlässlich ist.

Der Ablauf des häuslichen Alltags und die Notwendigkeit, sich sowohl aneinander als auch an die Lebensweise des Partners zu gewöhnen, stellten eine erhebliche Herausforderung dar. Ich erinnere mich, wie ich eines Tages nach der Schule das Wohnzimmer ausfegte. Namgay kam herein, blieb auf der Schwelle stehen und sah mich entgeistert an.

»Was ist?«

»So kehrst du den Fußboden auf?«

»Das siehst du doch. Was stimmt denn daran nicht?«, fragte ich abwehrend.

Er zeigte es mir. Er nahm den Besen und kehrte den Raum, während ich zusah. Der Unterschied wurde auf Anhieb offenkundig. Er war verblüffend. Wie der Unterschied zwischen Rührei und pochierten Eiern auf Toast, wobei ich die Rührei-Version präsentierte. Ein Unterschied wie Tag und Nacht – zwischen jemandem, der gelegentlich einen Besen in die Hand nahm, und jemandem, der mit dem Besen durch und durch vertraut war, der sein ganzes Leben lang Fußböden gekehrt hatte, mehrmals am Tag. Er lavierte ihn geschickt in jede Ecke und setzte seinen ganzen Ehrgeiz daran, jedes noch kleine Staubkorn zu erwischen. Und das alles mit dem Elan und der tänzerischen Eleganz eines Fred Astaire.

Da ich schon seit mehreren Jahren allein und ohne Waschmaschine in Bhutan gelebt hatte, war es mir gelungen, meine ganz persönliche »Einweichmethode« beim Wäschewaschen zu perfektionieren. Ich spielte mit dem Gedanken, sie mir patentieren zu lassen. Ich trennte die hellen von den dunklen Wäschestücken und ließ sie einen oder zwei Tage lang in separaten Eimern mit Seifenlauge stehen. Danach rührte ich ein bisschen im Wasser herum, spülte sie unter fließendem Wasser nach und hängte sie zum Trocknen auf. Voilà! Namgay war entsetzt. Er seifte jedes Wäschestück einzeln mit einem Stück rosafarbener Waschseife ein, breitete es auf dem Fußboden unseres Badezimmers aus, sobald es vollständig von der Lauge durchtränkt war, und schrubbte es mit einer Bürste – zuerst auf der einen, dann auf der anderen Seite. Ich fand seine Vorgehensweise zu arbeitsintensiv. Außerdem sollte man sie tunlichst unterlassen, wenn es sich bei dem Wäschestück um einen Kaschmirpullover oder einen Seidenschal handelte. Nur wenige Jahre nach unserer Heirat schafften wir uns eine unparteiische desinteressierte Waschmaschine an und das ist vermutlich der Grund, warum unsere Ehe noch heute besteht.

Diese ersten Monate sind mir wie Schnappschüsse in Erinnerung geblieben, zum Beispiel der Morgen, als ich ein Paar schwarze Strumpfhosen aus dem Schrank holte, die ich tragen wollte. Ich wusste, dass sie ein Loch hatten. Doch beim Anziehen stellte ich zu meinem Erstaunen fest, dass Namgay es gestopft hatte. Ich war fassungslos: Hatte ich einen Mann geheiratet, der Strümpfe stopfte? Offensichtlich. Ich versuchte mir andere Männer vorzustellen, die Strümpfe stopften, was mir nicht gelang. Er war in einer Kultur aufgewachsen, in der Männer sticken und nähen lernen. Das fand ich wunderbar. Abgesehen von seiner Fürsorge und Geschicklichkeit staunte ich über die Aufmerksamkeit, die er dem Detail widmete. Es stimmte mich traurig, dass Strümpfestopfen in den USA und anderen Ländern des Westens aus der Mode gekommen ist, dass dort eine Wegwerfmentalität herrscht. Dabei ist es zutiefst befriedigend, Dinge zu reparieren und instand zu setzen. Seit Namgay und ich geheiratet haben, ist mehr als ein Jahrzehnt vergangen. Unsere Ehe legt Zeugnis von der Toleranz ab, die beide Partner üben sollten; sie ist ein Maßstab für die Fähigkeit des Menschen, sich zu ändern. Auch einem alten Hund kann man neue Kunststücke beibringen.

Jeden Tag zogen Landbewohner in die Stadt. Obwohl es in Bhutan Wasser im Überfluss gibt, konnten die städtischen Wasserwerke der wachsenden Nachfrage nicht mehr nachkommen. Sie sparten Wasser, indem sie es einfach für eine Weile sperrten. Folglich herrschte in einigen Vierteln der Stadt, wie in dem dicht bevölkerten Vorort Kawajangsa, oftmals Wasserknappheit.

Als ich zu Namgay zog, hatte ich mich erkundigt, ob es dort ein Wasserproblem gab. Damit meinte ich, ob Wasser Mangelware und daher oft gesperrt sei.

»Nein«, erwiderte er. »Kein Wasserproblem.« Wie dumm von mir. Im Nachhinein wurde mir klar, dass es eine Frage der Semantik war, wie so viele Missverständnisse. Ein Wasserproblem bedeutete für ihn, kein Wasser im Haus und keine Möglichkeit, Wasser ins Haus zu bringen. Ich verstand darunter, dass es nicht rund um die Uhr, 24 Stunden am Tag und sieben Tage in der Woche, Wasser gab.

Zu dem Zeitpunkt, als ich das alles herausgefunden hatte, war ich bereits fest verwurzelt in seinem Haus in Kawajangsa, das auf einem Hügel ungefähr fünf Minuten von der Kunstschule entfernt lag, wo wir beide weiterhin arbeiteten. Ich hatte mein Häuschen am anderen Ende der Stadt mit dem riesigen Boiler und dem endlosen Wasservorrat schon aufgegeben.

Davon abgesehen lebten wir in einem gemütlichen Haus. Es hatte acht kleine Räume: Küche, Gebetsraum, Wohnzimmer, Abstellkammer, Toilette und drei Schlafzimmer. Es war im traditionellen bhutanischen Stil errichtet, aus ungebrannten, weiß gekalkten Lehmziegeln, ein unverwüstliches Baumaterial mit ausgezeichneten Dämmeigenschaften, hatte einen Fußboden aus Holzplanken und Fenster ohne Glas, aber mit Fensterläden. Unser Mobiliar beschränkte sich auf kleine Sitzbänkchen, die mit tibetischen Teppichen bedeckt waren, und große bemalte Holztruhen; in den Schlafräumen gab es eine Matratze und zwei Schränke. Die karge Einrichtung gefiel mir. Der Minimalismus in den kleinen Räumen, der einen krassen Gegensatz zu dem überladenen Gebetsraum bildete, war ganz nach meinem Geschmack. Küche und Bad waren auf das Nötigste beschränkt und funktional und das Haus war makellos sauber.

Die Elektrizität stellte, genau wie das Wasser, eine Herausforderung dar. Es gab genug Strom für den Reiskocher, einen kleinen Heizofen und die Leuchtstofflampen an den Decken der einzelnen Räume. Aber wenn ich meine Haare föhnen wollte, musste ich alle anderen elektrischen Geräte ausschalten. Für Namgay war auch das kein Problem. Wir hatten lediglich unterschiedliche Erwartungen.

Obwohl ich mich bereits seit Jahren in Bhutan aufhielt, hatte ich nie richtig begriffen, wie umweltschonend und sparsam die meisten Bhutaner leben. Eines Abends, nach einem anstrengenden Tag und einer langen Woche in der Schule, ging ich die staubige, unbefestigte Straße entlang, die zu unserem Haus führte, just in dem Moment, als die Sonne hinter den Bergen unterging. Ich sehnte mich nach einem Bad. Normalerweise füllten wir Eimer mit Wasser, das wir auf einer Heizplatte erwärmten, um uns dann im Bad, über den Eimern stehend, zu waschen. Zum Nachspülen benutzen wir Plastikschöpfkellen. Heute wünschte ich mir jedoch verzweifelt ein richtiges Bad in der Wanne und hatte schon den ganzen Tag an nichts anderes denken können.

Zu Hause angekommen, nahm ich ein Handtuch, frische Kleidung und Shampoo und drehte den Wasserhahn auf. Nichts. Ich lief in die Küche. Wir bewahrten einen Plastikkanister in der Küchenecke auf, der für solche Notfälle immer mit Wasser gefüllt war und ungefähr vier Liter fasste. Der Kanister war leer und auch aus dem Hahn in der Küche kam kein Tropfen.

Ich hockte mich auf den Küchenboden und brach in Tränen aus. Ich weinte, weil ich dringend ein Bad brauchte und mich am Ende eines harten Tages darauf gefreut hatte. Ich weinte, weil ich erschöpft war und das Gefühl hatte, für ein so mühseliges Leben nicht zäh genug zu sein. Und ich weinte, weil ich Namgay über alles liebte und mir nicht vorstellen konnte, ohne ihn zu leben. Ich befürchtete aber, dass es uns nicht gelingen würde, die zahllosen Herausforderungen zu bewältigen, die Schwierigkeiten einer Ehe zwischen zwei Menschen, die derart unterschiedlichen Kulturen angehörten, die Sprachprobleme, den Wassermangel, alles, was sich unserem Glück entgegenstellte. Ich war eine Kämpfernatur, hatte in meinem Leben schon viele Probleme gemeistert, aber diese Situation erforderte Anpassungen, die mich zu überwältigen drohten. Ich hatte es im Leben weit gebracht, aber es lag noch eine gewaltige Wegstrecke vor mir. Ich war an Privilegien und Annehmlichkeiten gewöhnt. Ich hatte noch nie mit so wenig Luxus gelebt – oder mich so großem Mangel und so gewaltigen Veränderungen gegenübergesehen.

Als Namgay eine halbe Stunde später nach Hause kam, war es dunkel. Ich saß immer noch auf dem Küchenfußboden und weinte, hatte kein Licht gemacht. Er schaltete das Licht ein, sah mich, drehte sich um und verließ wortlos das Haus. Das war das Ende unserer Ehe, er hatte offenbar die Nase voll.

Abermals flossen die Tränen, bis ich schwere Schritte auf der Außentreppe des Hauses und Wasser schwappen hörte. Er hatte zwei riesige Eimer Wasser vom Wasserhahn im Hof eines Nachbarn heraufgeschleppt, der unter uns auf der Anhöhe wohnte. Während das Wasser heiß wurde, kochte er Tee. Dann hob er mich vom Fußboden auf, wo ich wie ein Häufchen Elend vor mich hin schluchzte, trug mich auf den Armen ins Bad, zog mich aus und wusch mich sanft, wie ein heiß geliebtes, wenngleich verzogenes kleines Kind.

Danach wusch er sich und als wir endlich gegessen hatten und zu Bett gingen, lachten wir, rundum glücklich und von Kopf bis Fuß sauber.

Es gibt im Herzen der weitläufigen Himalaja-
gebirgskette einige seltsame Märkte,
auf denen man den Sturmwind
des Lebens gegen
unendliche Weisheit tauschen kann.

Jetsun Milarepa, tibetischer Yogi und Dichter

VOM HABEN UND BEWAHREN

Abgesehen von kurzen Reisen nach Indien und Nepal hatte Namgay seine Heimat noch nie verlassen. Was er über die amerikanische Kultur wusste, wusste er von mir. Wir konzentrierten uns auf die alltäglichen Belange, die Gemeinsamkeiten und manchmal unterhielten wir uns darüber, wie wir aufgewachsen waren. Er war verblüfft über den Wohlstand und Überfluss in Amerika und ihm gefiel unsere unumwundene Art, Gedanken zum Ausdruck zu bringen. Namgay findet alle Amerikaner eindrucksvoll und bewundernswert. Die meisten, die ihm begegnet sind, waren gebildet und Bildung nimmt bei ihm einen sehr hohen Stellenwert ein. Außerdem sind die Amerikaner, die er kennt, tatsächlich eindrucksvoll und bewundernswert (na ja, vielleicht nicht alle).

Als Frau mit westlicher Erziehung und Ausbildung habe ich in Bhutan einen gewissen Status. Doch der Status ist irreführend, da mich das erworbene Wissen in keiner Weise auf ein Leben in dieser Kultur vorbereitet hat und ich niemals imstande sein werde, die Erwartungen der Bhutaner zu erfüllen. Beispielsweise habe ich keine Ahnung, wie man einen DVD-Rekorder programmiert.

»Aber du hast doch eine erstklassige Ausbildung genossen«, sagt Namgay fassungslos.

In seinen Augen hätte mir meine ebenso teure wie umfassende westliche Erziehung und Ausbildung mehr Fähigkeiten und Fertigkeiten vermitteln müssen.

»Ja, aber mit meinem universitären Abschluss in Kunst und sechs Dollar kann ich mir gerade mal einen Kaffee bei Starbucks kaufen«, entgegnete ich.

»Ähm, wie?«

»Vergiss es. Wo ist die Bedienungsanleitung?«

Als wir heirateten, beschlossen wir, am Ende des ersten Jahres nach Amerika zu fliegen. Ich wollte Namgay meiner Familie vorstellen. Und natürlich wollte ich ihm meine Heimat zeigen. Ganz abgesehen davon hatte ich Bhutan seit drei Jahren nicht mehr verlassen, also war es an der Zeit, mich wieder mit meinen Wurzeln vertraut zu machen.

Neun Monate nach der Hochzeit bestiegen wir ein Flugzeug nach Bangkok. Ich dachte, das sei ein idealer Ort für einen kurzen Zwischenstopp, eine Art Dekompressionskammer, bevor wir unsere Reise in die USA fortsetzten. Die thailändische Metropole ist noch sehr asiatisch geprägt, besitzt aber ein Weltstadtflair. Davon abgesehen hatte ich keine andere Möglichkeit, ihn auf das vorzubereiten, was ihn erwartete.

Als ich am ersten Abend in Bangkok aus der Dusche kam, entdeckte ich, dass Namgay das Hotelzimmer verlassen hatte. Ich zog mich in Windeseile an und suchte nach ihm, im Gang, in der Eingangshalle, in der Bar. Ich trat auf die Straße hinaus. Er war weg, spurlos verschwunden. Mein Herz klopfte wie verrückt. Ich lief ins Zimmer zurück. Plötzlich kam er vom Balkon herein. Er hatte die Flugzeuge beobachtet, die in ununterbrochener Abfolge die Landebahn des Flughafens ansteuerten. Während unseres Aufenthalts verbrachte er Stunden damit, Start und Landung der Flugzeuge zu verfolgen.

Manchmal gesellte ich mich zu ihm und der Luftverkehr war wirklich atemberaubend: Alle vier Sekunden tauchte ein Flugzeug auf, wie eine schimmernde, an einer unsichtbaren Schnur am Himmel aufgereihte Perle, und verschwand in einer diagonalen Linie zwischen den taghellen Lichtern Bangkoks.

Namgay war in einem Land aufgewachsen, in dem nur Vögel am Himmel flogen. Kein Wunder, dass er fasziniert war. Die Flugzeuge in Bangkok zählten zu den ersten Dingen, die ich plötzlich mit Namgays Augen sah, Dinge, die ich seit frühster Kindheit kannte, die ich aber mit einem Mal aus einer völlig anderen Perspektive betrachtete.

Ich hoffte, dass es Namgay in Nashville gefiel. Es gibt einige Parallelen zwischen dem US-Bundesstaat Tennessee, wo ich aufgewachsen bin, und Bhutan. Beide Orte sind ländlich geprägt, religiös und traditionell, bestehen aus festgefügten Berggemeinschaften. Die Bhutaner verreisen selten, wie früher die Bewohner von Nashville. Sie bleiben im Land, fühlen sich der Heimat verbunden und alle leben nur einen Steinwurf weit voneinander entfernt. Die Buddhisten in Bhutan sind tiefgläubig; die Bevölkerung von Tennessee ist überwiegend baptistisch und gleichermaßen fest in ihrem Glauben verwurzelt. Tadellose Umgangsformen sind in Tennessee genauso wichtig wie in Bhutan. In Nashville bringt man Kindern von klein auf bei, »Bitte« und »Danke« zu sagen, und verglichen mit dem Rest des Landes sind die Bewohner von Tennessee ausnehmend wohlerzogen, ruhig und umgänglich. Der einzige Unterschied: In Bhutan sagt man »Ja, Madam« statt »Ma'am«.

Im Tennessee ist es üblich, dass sich die Nachbarn umeinander kümmern. Beide Länder zeichnen sich durch ihr soziales Kapital und ihre starken Frauen aus: In Tennessee werden sie Stahlmagnolien und in Bhutan Drachenfrauen genannt.

Das exotische Aussehen und die ruhige, wohlerzogene Art der Bhutaner strafen die Tatsache Lügen, dass sie tief in ihrem Herzen ausgelassenen Kindern ähneln. Einmal machte ich einen Ausflug an einen entlegenen Ort im Osten Bhutans. Unser Fahrer, ein drahtiger ehemaliger Mönch, der alles reparieren konnte, fragte, ob er seine eigene Kassette in den Kassettenrekorder unseres Autos einlegen dürfe. In diesem Teil der Welt kann man nie wissen, was für rätselhafte Blüten der laxe Umgang mit dem Urheberrecht und die asiatische Findigkeit treiben. »Klar«, erwiderte ich und wappnete mich für seltsam anmutende hybride Musik – eine reine Thai-Mädchenband, die *Rikki Don't Lose That Number* der Popgruppe Steely Dan sang, mit einem Hauch Techno aufgepeppt.

Doch die Songs stammten von Ronnie Milsap, einem Countrysänger aus Nashville. Ich hätte seine sanften Balladen überall wiedererkannt. Ich war den Tränen nahe und bat den Fahrer während der restlichen Fahrt immer wieder, die Kassette noch einmal zu spielen. Ronnie Milsap wird selbst in den entlegensten Regionen von Ostbhutan so oft gespielt wie kein anderer ausländischer Sänger vor ihm. Vor einigen Jahren konnte man sogar auf dem Markt einer winzigen Ortschaft namens Mongar, wo rot gewandete Mönche und bhutanische Bauern vor den Läden Tee trinken und schwatzen, Raubkopien seiner CDs aus Taiwan oder Thailand kaufen. Die

Bhutaner lieben Countrymusik. Sie kennen den gesamten Text des Klassikers *The Tennessee Waltz*. Es gibt sogar ein Musikinstrument, *Dramyin* genannt, das dem Banjo eng verwandt ist und in mir stets das Gefühl auslöst, nicht weit weg von daheim zu sein.

Einmal lud ich zehn Personen, bhutanische Freunde, zu einem Abendessen ein; die Gerichte waren typisch für die amerikanische Südstaatenküche: Brathuhn, Stampfkartoffeln mit Bratensoße, die mit Milch aufgekocht wird, Maisbrot, grüne Bohnen mit Speck, gegrillte Schweineschulterstreifen, in Jack Daniel's Whiskey mariniert, und als Dessert ein Schokoladenkuchen namens Mississippi Mud Pie und Bananenpudding. Einige unserer Gäste wurden ebenfalls in Jack Daniel's mariniert. Sie erklärten, es sei das Beste, was sie jemals gegessen hätten, und ich kann mir nicht vorstellen, dass es sich um eine reine Höflichkeitsfloskel handelte, denn sie aßen für drei.

In den USA waren wir beide verblüfft über das riesige Sortiment und die große Anzahl der Geschäfte. In den Ländern des Westens herrscht Überfluss, das ist eine Tatsache. In den Vororten von Nashville, wo meine Eltern wohnten, gab es allein in einem Radius von rund fünf Kilometern vier große Supermärkte. Und darüber hinaus standen zwei große Gefriertruhen in ihrer Garage. Wozu mussten sie Lebensmittel einfrieren? Für den Fall, dass den Läden die Ware ausging? Oder fürchteten sie, sich beide zur gleichen Zeit beide Beine zu brechen und außerstande zu sein, einkaufen zu gehen?

Als Namgay das erste Mal an meiner Seite einen amerikanischen Supermarkt betrat, wanderte er staunend durch die

Gänge. Er machte mich auf eine kleine Kühltheke mit »Käsespezialitäten« im vorderen Teil des Geschäfts aufmerksam. »Schau dir die vielen Käsesorten an!«, rief er aus.

»Warte ab«, sagte ich, nahm ihn an der Hand und führte ihn in die eigentliche Käseabteilung – mit Käseregalen, die sich vom vorderen bis zum hinteren Ende des Ladens von Wand zu Wand erstreckten. »Jetzt schau dir mal DIESE Käsesorten an!« Ich hob den Arm in einer weit ausholenden Geste, als würde ich einer Fernsehsendung den Hauptgewinn präsentieren. Er war völlig perplex.

An der Kasse wurden unsere Einkäufe von der Kassiererin eingescannt. »Woher weiß sie, was die einzelnen Lebensmittel kosten?«, fragte Namgay.

»Wenn sie den Strichcode, das sind die kleinen schwarzen Linien auf den Verpackungen, über das kleine Glasfenster an der Kasse zieht, wird der Preis angezeigt«, erwiderte ich, obwohl mir die Antwort selber unglaubwürdig vorkam.

»Ist Plastik in Ordnung?«, wollte ein Junge, der die Einkäufe in Tüten verstaute, von Namgay wissen.

»Nicht besonders«, erwiderte er.

»Doch, wir nehmen Plastik«, schaltete ich mich ein. »Er wollte wissen, ob er unsere Lebensmittel in Plastiktüten packen soll.«

»Warum hat er das nicht gleich gesagt?«, fragte Namgay.

»Das hat er«, erwiderte ich.

Für Namgay war Amerika genauso wunderbar und magisch, wie Bhutan es für mich war. Mit ihm das Land zu bereisen war ähnlich, als würde es einen vom Aussterben bedrohten Schneeleoparden in eine ihm völlig fremde Welt wie Las

Vegas verschlagen. Ich erinnerte mich an den Film *Tarzans Abenteuer in New York*, den ich als kleines Mädchen sah. Darin folgten Tarzan und Jane ihrem Adoptivsohn Boy, der von einem skrupellosen Zirkusdirektor geraubt und nach New York verschleppt worden war. Bevor sie das Flugzeug nach New York bestiegen, ließen sie in Hongkong? (ich glaube, sie kamen aus Afrika und legten dort einen Zwischenstopp ein) bei einem Schneider einen Anzug für Tarzan fertigen. Tarzan war breitschultrig und muskulös, daran gewöhnt, sich von Baum zu Baum zu schwingen, sodass die Naht des Jacketts bei jeder Anprobe im Rücken platzte.

Daran musste ich in Bangkok denken, wo sich Namgay bei Harry, einem Sikh mit Turban, einen Anzug maßschneidern ließ. Namgay war begeistert angesichts der Vorstellung, zum ersten Mal in seinem Leben einen Anzug zu bekommen. Ich zeigte ihm, wie man einen Windsorknoten bindet, und schon hatte er sich zumindest äußerlich in einen Mann nach westlichem Muster verwandelt.

Vor unserer Reise war er noch nie in einem Aufzug gefahren, hatte nie einen Hamburger gegessen oder einen Milchshake getrunken. Staubsauger, Spülmaschine, Abfallpresse, Bankkarte, Verkaufsautomaten, Fahrzeuge mit automatischer Türverriegelung oder Kinos im westlichen Stil waren ihm unbekannt. Er hatte nie ein Einkaufszentrum von innen gesehen, war nie auf einer Autobahn oder schneller als sechzig Kilometer pro Stunde gefahren. Er hatte weder ein Rodeo noch Museen wie das Metropolitan Museum of Art oder das Rubinmuseum of Art in New York besucht, das zahlreiche Exponate aus der Himalajaregion enthält, und er hatte nie einen Single Malt Scotch Whiskey getrunken. Heute gehören all

Die gewaltige Klosterfestung in Punakha gleicht einem verwunschenen Schloss.
Am Waschtag breiten die Mönche ihre roten Roben zum Trocknen auf dem Fels aus.

Junge Frauen tanzen vor Wangdue Gompa, einem Tempel mit einer Schule für buddhistische Mönche, der in der Vergangenheit auch als Festung diente.

Vor einem Laden in Wamrong, im südöstlichen Distrikt Samdrup Jongkhar. Ich benutz ähnliche Besen wie die in der Auslage – ein echter Knochenjob.

n der Nähe von Trashigang im östlichsten Zipfel Bhutans: Ein Mann und sein Enkel ben sich im Bogenschießen – dem Nationalsport Bhutans.

wei kleine Jungen, die am Rand der traße nach Lobesa spielen, freuen sich ber eine Tüte Popcorn.

Die sechsjährige Kinlay, die mein Mann Namgay und ich aufgenommen haben, vor einer Metallwerkstatt in Thimphu.

Namgay und ich an einem sehr kalten Wintermorgen vor dem Kloster im Ha-Tal, das in der Nähe der bhutanischen Hauptstadt Thimphu liegt.

Lächelnder Buddha in einem Tempel im Osten von Bhutan

Ein Schild aus Nashornhaut sowie Pfeil und Bogen – Insignien des beschwerlichen Lebens im früheren Bhutan

Der Garuda gilt in der südostasiatischen Mythologie als Reittier Vishnus, des Beschützers der Welt. Hier eine Darstellung von ihm an der Traufe eines Gebäudes

Wie in Bhutan üblich, hat auch Namgays Familie in ihrem Haus einen kleinen Gebetsraum, in dem die Hausgötter verehrt werden.

Hinter einem einsamen Farmhaus in der Nähe von Wangdue Gompa tauchen die schneebedeckten Gipfel der umliegenden Bergketten auf.

Auf unserer Fahrt zum Pelela-Pass begegnen wir diesem Yak. Sein Halsschmuck aus rotem Yak-Haar und Quasten weist ihn als Leittier seiner Herde aus.

in in Indien gefertigter Truck in der Nähe von Ha. Ich bin fasziniert von den kleinen
ugen über den Scheinwerfern und den Malereien über der Fahrerkabine.

vei Männer versuchen mit vollem Kör-
ereinsatz, einen Esel über eine Brücke
n Bumthang-Tal zu befördern.

Rhododendron – die in Bhutan als *Etho
Metho* bekannte Pflanze kommt hier in
allen Farben und Größen vor.

Als *Atsaras* verkleidete Jungen bei einer Zeremonie. Diese Kostüme und Masken haben eine jahrhundertealte Tradition.

diese Wunderwerke der westlichen Kultur zu seinen schönsten Erinnerungen.

»Auf den amerikanischen Straßen fahren nur Autos«, sagte er. »Niemand geht dort zu Fuß oder trocknet Weizen am Rande der Fahrbahn.« Man muss bedenken, dass Namgay bereits acht Jahre alt war, als er das erste Mal ein Auto zu Gesicht bekam. Es fuhr die gerade erst fertiggestellte Straße in der Nähe seines Dorfes entlang und ein alter Mann versuchte, es zu füttern.

Er fand, dass amerikanische Hunde außerordentlich gut erzogen wären; amerikanische Kinder weniger. Er war verrückt nach Einzelhandelsketten wie Walgreen's, die Pharmazieprodukte in rauen Mengen führten, oder Target und The Sharper Image mit ihrem technischen Schnickschnack, der Männerherzen höherschlagen lässt. Er hatte selten den Wunsch, etwas zu kaufen, sondern war damit zufrieden, sich alles anzuschauen. Einmal, in einem Einkaufszentrum in Colorado, verbrachten wir geschlagene zwei Stunden im Sharper Image.

Ich musste ihm beibringen, dass man sich wegen des Sicherheitspersonals in den Läden keine Sorgen zu machen braucht, wenn man einige grundlegende Regeln beachtet. »Lass die Hände aus den Taschen deiner Jacke und den Reißverschluss offen«, riet ich ihm. »Und nimm nicht zu viel in die Hand, wenn du dir etwas ansehen möchtest!«

Bei unserem ersten Besuch erstanden wir Mitbringsel wie Nagelknipser, Socken und hübsche Zahnbürsten für sämtliche Freunde und Bekannte in Bhutan. Infolgedessen waren wir mit Sicherheit die beliebtesten Einwohner des Landes.

Der Gedanke, dass man aus einer Vielzahl von Produkten wählen kann, fesselte Namgay, da die beschränkte Anzahl der Waren, die in den Läden von Thimphu erhältlich sind, diese Möglichkeit von vornherein ausschließt. In einem der kleinen Geschäfte in Thimphu findet man vielleicht eine Sorte Tischdecken, Unterwäsche und Schuhe. Es macht nichts, wenn das Schuhwerk hässlich ist und metallisch grün glänzt: Wenn es passt, sollte man es unbedingt kaufen – und tragen –, auch wenn man darin wie ein Heinzelmännchen aussieht.

Namgay, in den Bergen des Himalaja aufgewachsen, wo er Kühe und Schafe hütete und von seinem Onkel, dem Lama, in den religiösen Ritualen unterwiesen wurde, war gläubiger Buddhist und ein bekannter Künstler. Doch in den USA wurde er zum Technikanhänger, der auf dem Altar des Massenkonsums opferte.

Er liebte das Haus meiner Eltern, das angefüllt war mit den typischen Statussymbolen der Mittelschicht, vor allem technischen Geräten. Das eingebaute zentrale Staubsaugersystem, das ihn immer wieder aufs Neue in Erstaunen versetzte, hatte es ihm besonders angetan. Ich zeigte ihm den Hauswirtschaftsraum, in dem die Anlage installiert war, den Schlauch, der an der Wand hing, die Anschlüsse in jedem Raum, in die man Schlauch und Saugrohr einsteckte, und den Schalter, den man betätigen musste, um den Saugvorgang zu starten. Das war das Letzte, was wir von ihm sahen. Er wurde staubsaugersüchtig.

Ich saß mit meiner Mutter in der Küche. »Wo steckt eigentlich Namgay?«, fragte sie. »Keine Ahnung«, antwortete ich. Und dann hörte ich, wie oben im Raum der Staubsauger eingeschaltet wurde.

»Ich hoffe, dass er die Teppiche nicht allzu sehr abnutzt«, sagte ich.

Auf dem Rückweg kauften wir in Bangkok einen Staubsauger.

Es machte mir ungeheuren Spaß zu beobachten, wie überrascht er war, als er den raffinierten Spender der Feuchttücher sah, den meine Mutter im Badezimmerschrank aufbewahrte, und dass man die Feuchttücher eines nach dem anderen durch den Schlitz im Deckel herausziehen konnte. Eines Morgens kam er ins Schlafzimmer, um mir dieses Phänomen vorzuführen, während ich mich ankleidete. »So etwas brauchen wir unbedingt!«, rief er aus. Ich kenne niemanden, dem Reinigungsprodukte so viel Freude machen.

Er war erstaunt, dass es in fast jedem Raum des Hauses einen Abfalleimer gab, mehr oder weniger unsichtbar verstaut und mit einem weißen Plastikmüllbeutel ausgekleidet, der von Zeit zu Zeit erneuert wurde. In Bhutan werden die wenigen Plastiktüten, die es gibt, ausgewaschen, zum Trocknen aufgehängt und immer wieder benutzt. Einige befinden sich schon seit Jahren in unserem Besitz.

Namgay brachte jeden Tag den Müll nach draußen, zu den großen Abfalltonnen in der Garage meiner Eltern. Doch eines Tages dämmerte ihm, was es damit auf sich hatte, und seine Miene verfinsterte sich. »Wohin geht eigentlich der ganze Müll?«, fragte er. »Auf die Müllkippe«, erwiderte ich.

Ich sah, wie er eins und eins zusammenzählte. »Das halbe Land muss eine Müllkippe sein.«

In Bhutan kompostieren wir unsere Gemüseabfälle und bewahren Kunststoff- und Papiermüll in einem Plastikmülleimer von normaler Größe in unserer Vorratskammer auf.

Alle zwei oder drei Monate, wenn der Eimer voll ist, fahren wir ihn zur Mülldeponie, ungefähr zwanzig Minuten von unserem Haus entfernt. Im Winter benutzen wir das Papier zum Anzünden des Feuers in unserem Holzofen. Auch in Bhutan mehrt sich der Abfall, wohlgemerkt. Doch bis Bhutan und der Rest der Welt Amerika im Bereich Abfallproduktion einholen werden, dauert es hoffentlich noch eine Weile.

Ich genoss das Schauspiel, Namgays Einführung in die Welt des Massenkonsums mitzuerleben, doch nach drei Jahren in einer Welt ohne Haushaltsgeräte hatte ich einen Kulturschock. Wir hatten keinen Fernseher, keine E-Mail und keinen Internetzugang, keinen Staubsauger und keinen Geschirrspüler. Als ich meiner Mutter erzählte, dass wir nicht einmal eine Waschmaschine besaßen, brach sie in Tränen aus. Was ich ihr verschwieg, war, dass wir uns schon deshalb keine Waschmaschine angeschafft hatten, weil es die Hälfte der Zeit kein fließendes Wasser gab und wir es mit Eimern von draußen hereinholen mussten.

Dennoch, Bhutan war, wie entlegen und rückständig auch immer, Namgays und meine Heimat. Ich hatte den Besuch in Amerika genossen, aber ich freute mich, nach Bhutan zurückzukehren. Ich fragte Namgay, was ihm in den USA am besten gefallen habe.

»Das Eis und das Wasser, das aus der Kühlschranktür kommt«, erwiderte er.

Ein Mann ganz nach meinem Geschmack.

Kurz nach unserer Reise legten wir uns ein Fernsehgerät zu. Ein riesiges Modell mit einer Bildschirmgröße von 25 Zoll, das Namgay einer Frau abkaufte, die in einem UN-Büro in

Thimphu arbeitete. Ihr Vertrag lief aus und sie veräußerte einen Teil des Hausrats, bevor sie in ihre Heimat zurückkehrte.

Eine Weile genügte es uns, den Fernseher zu »besitzen«; er stand beinahe ein ganzes Jahr in einer Ecke des Schlafzimmers, bevor wir uns die Mühe machten, ihn anzuschließen und uns verkabeln zu lassen.

Wenige Monate später zogen wir um, in ein kleines Bauernhaus auf einem Gehöft außerhalb von Thimphu. Das Anwesen grenzte an das Ufer des Thimphu und es gab fließendes Wasser im Haus, Fliegengitter an den Fenstern und Innentoiletten, deren Spülung meistens funktionierte. Mit anderen Worten: Es war das Paradies auf Erden.

Wärmedämmung ist in Bhutan ein völlig neues Konzept und es gibt keine Zentralheizung, sodass die meisten Häuser im Winter kalt sind. Unser Haus stellte in dieser Hinsicht keine Ausnahme dar. Doch für den Rest des Jahres war es ein Traum. Im Sommer öffneten wir alle Fenster und genossen das Rauschen des Flusses, ein Geräusch, bei dem man herrlich schläft.

Namgay war anfangs nicht besonders begeistert von der Vorstellung, dass unser neues Domizil außerhalb der Stadt lag. Er befürchtete, unsere Benzinkosten würden durch die täglichen Hin- und Rückfahrten zum Arbeitsplatz nach Thimphu zu hoch. Das Haus konnte einen neuen Anstrich vertragen und die eine oder andere Reparatur war unumgänglich. Doch als wir eingezogen waren, schloss er es auf Anhieb ins Herz. Es machte uns große Freude, auf dem Wochenendmarkt tibetische Teppiche auszusuchen; sie stammten von Schmugglern, die Waren aus China ins Land brachten. Wir kauften Geschirr aus Bangladesch und andere Haushalts-

utensilien, die der Markt von Thimphu mit seinem begrenzten Warenangebot zu bieten hatte. Einkäufe zu erledigen war
für Namgay eine ungewohnte Tätigkeit. Doch seine diesbe-
züglichen Fähigkeiten hatten sich im Rahmen unserer Ame-
rikareise rasch entfaltet. Er kauft gerne ein und ich schaue
ihm ebenso gerne dabei zu.

In seiner Jugend ging in Bhutan niemand einkaufen. Zum
einen gab es kaum etwas zu kaufen. Zum anderen hatte kaum
jemand Geld.

»Woher hattest du denn deine Schuhe?«, fragte ich ihn
eines Tages.

»Mein Vater hat sie gemacht.«

»Woraus?«

»Aus Hirschleder, von Hand zusammengenäht.«

Seine ganze Familie trug Mokassins, die sein Vater von
Hand fertigte, und seine Mutter webte die Kleidung. Manchmal hatte ich das Gefühl, mit dem »letzten Mohikaner« verheiratet zu sein. Als Heranwachsender hatte er seinem
Lama-Onkel bei den Zeremonien geholfen und gelegentlich
steckten ihm die Leute für seine Dienste ein paar indische
Münzen zu. Sein Onkel sparte das Geld für ihn, bis genug
beisammen war, um beim nächsten gemeinsamen Besuch in
Thimphu Schuhe zu kaufen. Das war gegen Ende der 1970er-
Jahre. Für die Schuhe, die aus Indien importiert waren, zahlte
er nach heutigem Wert sechzig amerikanische Cent.

Heute bietet Thimphu den Verbrauchern wesentlich mehr
Waren als noch vor einigen Jahren und jedes Jahr kommen
neue hinzu. Aber man findet keine Einzelhandelsketten oder
überhaupt große Kaufhäuser in Bhutan. Es gibt nur winzige
Läden, die ein begrenztes Sortiment an Haushaltsartikeln

führen, zum Beispiel Bettlaken, Handtücher und Geschirr. Alles muss mit Lkws oder auf dem Luftweg mit Druk Air herbeigeschafft werden. Die Flugzeuge sind klein. Und Benzin ist teuer. Der Warenfluss, der nach Bhutan gelangt, ist daher von Haus aus spärlich. Einige wenige Einrichtungsgegenstände werden aus Indien oder Thailand importiert, doch die meisten Leute lassen ihr Mobiliar von einem Schreiner vor Ort fertigen. Man sucht sich auf dem lokalen Holzplatz das Material aus und wirft einen Blick auf die Einrichtung in einem alten IKEA-Katalog. Dann zeigt man dem Schreiner einen Tisch, Stühle oder ein Bücherregal, die einem gefallen, der sie dann originalgetreu nachbaut. Im Gegensatz zu den IKEA-Produkten bestehen die Möbel jedoch aus unverwüstlichem Hartholz, sind Unikate – und kosten nur ein Viertel.

Namgay bestellte mehrere Einrichtungsgegenstände für unser Haus: einen Spiegel, zwei Schränke, einen Arbeitstisch für mich und zwei kleine Regale. Als sie geliefert wurden, schluckte ich und warf rasch einen Blick auf die Rechnung. Ich war verblüfft, denn sie belief sich auf weniger als zweihundert Dollar.

Im Lauf der Zeit habe ich eine Menge Geschick darin entwickelt, in den kleinen Geschäften von Thimphu zu stöbern und dort genau die Dinge zu entdecken, die wir brauchen. In Thimphu gibt es kein effektives Marketingsystem, sodass die Produkte oft jahrelang in den Regalen lagern und in Vergessenheit geraten. Manche setzen Staub an oder werden brüchig mit zunehmendem Alter, aber niemand mustert sie aus. Manchmal schließt ein Laden und wenige Monate später wird ein neues Geschäft der gleichen Gattung ein paar

Schritte weiter eröffnet. Dort findet man dann einen großen Teil des Sortiments aus dem alten Laden wieder. Vielleicht ist die Inhaberin dieselbe und hat nur den Standort gewechselt. Oder der gesamte Warenbestand wurde an jemand anderen verkauft.

Ein typischer Laden in Thimphu ist ungefähr sieben Quadratmeter groß und führt ein kunterbuntes Sammelsurium an Waren: Bekleidung aus Nepal oder Bangladesch – vor allem Kinderkleidung und Schuhe, da Bhutan ein kinderreiches Land ist –, Haushaltsgeräte, Lebensmittel, Bücher und Sportzubehör. Überall in Thimphu sind über dem Ladeneingang Schilder angebracht, doch sie geben selten Aufschluss darüber, was dort erhältlich ist. Häufig steht beispielsweise auf einem Schild »Pema Shop« in Englisch und Dzongkha, den gesetzlichen Vorschriften entsprechend. Darunter liest man außerdem »Schuhe, Papierwaren und Kleidung« und es kann durchaus sein, dass der Inhaber irgendwann einmal tatsächlich beabsichtigte, all diese Artikel zu verkaufen. Doch dann wechselte der Laden vielleicht in andere Hände über oder Schuhe, Papierwaren und Kleidung waren ausverkauft, sodass der Inhaber beschloss, sein Sortiment zu diversifizieren. Beim Betreten des Ladens sieht man dann weder Schuhe noch Kleidung oder Papierwaren – *Pema*, wohlgemerkt –, sondern Reis, Zahnbürsten und Rundfunkgeräte. Niemand käme auf die Idee, das Schild zu ändern.

Ich habe inzwischen eine universelle Wahrheit entdeckt, was die Verkaufs- oder Absatzförderung betrifft: Wenn der Verbraucher ein Produkt oft genug sieht, entwickelt er nach und nach eine positive emotionale Beziehung dazu (genauer gesagt, er redet es sich schön). Die Trennlinie zwischen Ablehnung und Akzeptanz verwischt und es tritt eine Art Stockholmsyndrom in Kraft. Zwei Jahre lang strafte ich ein hässliches T-Shirt aus Polyester, vermutlich ein Import aus Indien, das in der Ladentür hing, mit Verachtung. Die Grundfarbe war ein gebrochenes Weiß und auf der Vorderseite prangten zwei riesige Urnen, die Vasen glichen, in Grün und Orange. Ein Albtraum. Kaum zu glauben, aber wahr: Eines Tages kaufte ich es. Ich trug es ein paar Mal, wohl in der Hoffnung, jemand würde mich genauer anschauen und sagen: »He, das sind aber mal hübsche Krüge.« Offenbar habe ich jegliche Perspektive verloren.

Billige T-Shirt-Imitationen, die sich an ausländischen Trends orientieren, sind in Bhutan allgegenwärtig und spiegeln den Zeitgeist wider. Als wir nach Thimphu zogen, war ein T-Shirt mit zwei Ikonen, denen ein verhängnisvolles Schicksal beschieden war, der letzte Schrei: Auf der Vorderseite war das Titelbild des Films *Titanic* und auf der Rückseite ein Kopfbild von Diana, Prinzessin von Wales, aufgedruckt. Kurz darauf machten Basketballstar Michael Jordan und das Logo der Lakers Furore. Derzeit ist alles, was als typisch amerikanisch gilt, der große Renner. Die dauerhafteste Modemarotte ist gleichwohl die Hello-Kitty-Welle, die aus Japan herüberschwappte und sogar Micky Maus von Platz eins verdrängte.

Was zu meinem großen Vergnügen immer häufiger auftaucht, sind die Symbole und Slogans amerikanischen Ursprungs, die sich die Ausbeuterbetriebe Asiens aneignen, kopieren und mit leichten Abwandlungen als Eigenkreationen in den Handel bringen. Beispielsweise ein T-Shirt mit einem großen Lkw, aus dessen Laderaum stilisierte Flammen schlagen. Darüber stand statt »Monster Truck« (Mons-ter-Lastkraftwagen) »Monster Struck« (von einem Monster heimgesucht). Einmal sah ich ein Kind in einem T-Shirt mit einem Engel auf der Vorderseite und darunter das Wort: »Hosenscheißer«. In diesen asiatischen Ausbeuterbetrie-ben scheint irgendjemand mit Ironie auf vertrautem Fuß zu stehen.

Auf dem Markt findet man oft Koch- und Essgeschirr aus Thailand – selten ein komplettes Set, sondern nur vereinzelte Stücke. Der Rest muss auf dem Weg nach Bhutan zu Bruch ge-gangen sein. Decken, Uhren, Schuhe und »Seidenstoffe« wer-den aus China geschmuggelt, spottbillig und in grellbunten Farben, mit der Garantie, dass die Materialien echt und von Hand gemacht sind. Sie weisen allerdings keinerlei Natur-fasern auf wie Baumwolle, Wolle oder echte Seide. Die Schau-fenster der Läden sind angefüllt mit Imitaten von Louis-Vuit-ton-Handtaschen, Make-up, das angeblich von Christian Dior und Lancôme stammt, Plastikkämmen, Nagellack in sämt-lichen Farben, Cremes und Lotionen aus Indien, Shampoos, Seifen, Sicherheitsnadeln, Süßigkeiten und billigem Plastik-schmuck, alles auf engstem Raum durcheinandergewürfelt.

Wir halten uns an die Philosophie, für unser Haus nach Möglichkeit Produkte aus den Entwicklungsländern zu kau-fen. Wir haben wunderschöne, ziemlich kostspielige tibeti-sche Teppiche unter den hübschen Gartenstühlen aus Thai-land, die in unserem Wohnzimmer stehen.

Das Herzstück des Esszimmers bilden ein nachgemachter IKEA-Tisch und Stühle aus massivem Ahorn: Hier essen wir, verrichten Hausarbeiten, trinken Tee, diskutieren, reden und sitzen mit Freunden beisammen. Wir besitzen eine der wenigen anständigen Matratzen im Land, ein hoch geschätztes Besitztum, das auf dem Fußboden liegt, in Ermangelung des dazu passenden Betts, das in Auftrag gegeben werden soll.

Ungefähr einmal pro Woche versuchen meine Freundin Tara und ich unser Glück in »The Boxes«. Tara ist Bhutanerin, aber in England geboren. In den 1970er-Jahren, als nur wenige Menschen nach Bhutan kamen oder das Land verließen, heiratete sie den Onkel des Königs. Sie zog drei Söhne groß, von denen einer in Indien lebt und Schauspieler ist. Sie zeichnet sich durch ihren rabenschwarzen Humor und skurrile Ideen aus, was daran liegt, dass sie Britin und eine wahre Exzentrikerin ist.

Mit »The Boxes« sind die Wühlkisten in den Ramschläden gemeint, die in Bhutan neuerdings wie Pilze aus dem Boden schießen. Die Inhaber kaufen kistenweise Waren »zweiter Wahl« bei den Bekleidungsfabriken in Bangladesch – Ware mit fehlenden Ärmeln, defekten Reißverschlüssen oder Flecken. Sie wird in riesigen Kartons aufbewahrt, Reihe um Reihe, und wir verbringen Stunden damit, darin zu kramen, aus Spaß oder auf der Suche nach einem Schnäppchen. Hin und wieder stoßen wir sogar auf ein Schmuckstück, ein jungfräuliches Kleidungsstück ohne Fehl und Tadel.

»Wie gefällt dir das?«, sage ich zu Tara und halte ein T-Shirt mit einem kleinen kaffeefarbenen Fleck an der Vorderseite in die Höhe.

»Ist das dein Stil?«

»Klar doch, dekadente Eleganz. Meinst du, dass sich der Fleck entfernen lässt?«

»Möglich. Kauf es, dann wirst du schon sehen, was du davon hast.«

Eines Tages wollte ich mehrere Briefe nach Amerika schicken. Im Gegensatz zum Einkauf in den supereffizienten USA nimmt die Suche nach Briefumschlägen, Briefmarken und anderen Papierwaren in Thimphu einen großen Teil des Tages in Anspruch und erfordert enorme Konzentration und Entschlossenheit.

Es gab zwei Papierfabriken unmittelbar neben dem Riverview Hotel oberhalb der Straße, die südlich von Thimphu am Fluss entlangführt. Der Begriff Papierfabrik war reine Schönfärberei, denn es handelte sich um Bretterbuden, die sich wie viele Gebäude in Bhutan der Schwerkraft widersetzten, indem sie sich an den Steilhang eines Hügels klammerten. Seit die Migrationswelle anschwoll, die Landbewohner in die urbanen Zentren schwemmte, baute man höher und höher den Berg hinauf. Da Wohnraum Mangelware und folglich teuer war, machte es Sinn, Häuser auf Landparzellen zu errichten, die man früher für nicht bebaubar hielt.

Das Wort »Fabrik« war außerdem irreführend. In den beiden winzigen Gebäuden mit Lehmwänden, die aus einigen kleinen Nebenräumen und einem größeren Raum in der Mitte bestanden, stellten fünf oder sechs Mitarbeiter mit viel Muße exquisites handgeschöpftes Papier her.

In der ersten Produktionsstätte war die Atmosphäre entspannt und freundlich. Der kleine Verkaufsraum war angefüllt mit Papier in allen nur erdenklichen Formen und Größen. Wunderschöne weiße Bögen mit Ringelblumen, Poinsettien und eingebetteten Hanfblättern stellten eine große Versuchung dar, aber ich hatte ein Budget und eine Mission zu erfüllen, deshalb verzichtete ich schweren Herzens auf solche Extravaganzen. Ich suchte achtzehn handfeste Umschläge in der Größe der Briefbögen aus und kaufte elf ein wenig größere Kuverts aus einem robusten Material in Naturfarben. Sie glichen den Pappkartoneinlagen, mit denen amerikanische Wäschereien die gereinigten, zusammengefalteten Hemden in Form halten, doch sie waren leichter als Luft. Der Hauptbestandteil des bhutanischen Schreibpapiers stammt von der Baumrinde des Seidelbasts. Die entfernte Rinde wächst nach und daher ist bhutanisches Schreibpapier nicht nur ein schönes, sondern auch ein umweltfreundliches Produkt.

Während ein Mitarbeiter meine bescheidenen Einkäufe – 29 handgemachte Umschläge für umgerechnet etwa drei Dollar – in hübsches, ebenfalls handgeschöpftes Papier einwickelte, unterhielt ich mich mit dem Sohn des Inhabers. Wir saßen auf kleinen Hockern in der Fabrikhalle und sahen den Arbeitern zu. Jemand brachte uns Tee, was meine Theorie bestätigte, dass man immer eine Tasse Tee erhält, gleich wo in diesem Land, wenn man lange genug auf seinem Platz ausharrt.

An diesem Tag arbeiteten nur drei Personen in der Fabrik – zwei junge Männer und eine ältere Frau. Die Frau, die eine verschlissene *Kira* trug, saß auf einem Hocker vor einem Berg Zellulosefasern, aus Baumrinde gewonnen, die sie in kleinere Streifen riss. Der Berg war über einen Meter hoch und glich einem Berg Schweineschulter vom Grill, eine Spezialität in meiner Heimat Tennessee, die man in Streifen schnitt, um damit ein Sandwich zu belegen. Selbst nach zehn Jahren in Bhutan habe ich solche trügerischen Assoziationen – Überreste meines früheren Lebens in den USA. Einmal hätte ich schwören mögen, dass ich in einem Dorf eine Frau sah, die einen Holzkohlegrill im Fluss säuberte. Ich konnte nicht erkennen, was es wirklich war, aber mit absoluter Sicherheit kein Grill.

Ganz in der Nähe stand ein Mann, nach meiner Einschätzung vielleicht Ende zwanzig, an einem hüfthohen Holzbottich auf Füßen. Er war mit Pulpe gefüllt, dem Faserbrei, der gekocht worden war und in Farbe und Textur Haferbrei glich. Mit den fließenden und sparsamen Handbewegungen eines Menschen, der seit Jahren die gleiche Tätigkeit verrichtet, tauchte er einen Bambusrahmen mit einer abnehmbaren Bambusmatte in den Faserbrei. Dann schüttelte er das Schöpfsieb, um die Fasermasse gleichmäßig zu verteilen und überschüssiges Wasser ablaufen zu lassen, und hob es mit Schwung auf einen Stapel nassen Papiers, der auf einem niedrigen Tisch lag. Wasser tropfte von dem hohen Turm rechteckiger weißer Bögen herab. Der Arbeiter zog die Matte sorgfältig ab, ein einzelnes nasses Blatt Papier hinterlassend, tauchte das Schöpfsieb abermals in die Pulpe und wiederholte den Vorgang.

Die Aufgabe des anderen Arbeiters bestand darin, die einzelnen Lagen nassen Papiers behutsam vom Stapel abzulösen und sie eine nach der anderen auf vier große erhitzte Stahlstaffeleien zu streichen, auf denen das Vlies rasch trocknete. Seine Tätigkeit erforderte das größte Durchhaltevermögen, denn sobald er die Staffeleien zu beiden Seiten mit jeweils vier Papierblättern bestückt hatte, war der erste Bogen bereits flach, trocken und zum Abnehmen bereit. Die Staffeleien, die als Trockenrahmen dienten, waren groß, an die zweieinhalb Meter lang, und er musste zügig arbeiten, damit das Papier nicht angesengt wurde.

Ich hätte noch stundenlang bei diesen rätselhaften Verrichtungen zuschauen können, denn dabei ging es zu wie in einem Bienenstock, doch ich musste noch weitere Besorgungen machen. Die bhutanischen Umschläge verschlossen sich schließlich nicht von allein. Sie hatten keine Klebstoffkante, genauso wenig wie die indischen, die wir kaufen konnten.

Ich eilte ins Stadtzentrum, zu Lhaki Hardware, nach amerikanischen Maßstäben ein heruntergekommener Laden mit einem dürftigen Sortiment, aber eine der besten Eisenwarenhandlungen in Thimphu. Der vordere Bereich, der als Verkaufsraum dient, ist bis zum Bersten mit verstaubten indischen Seilen, Plastikwaren, Blech, Draht, Verschalungen, Steckdosen, billigen indischen Heizgeräten aus Shiliguri, Badezimmerfliesen, bunten, ineinandergestapelten Eimern und anderem Krimskrams angefüllt. Er ist unglaublich klein und sieht aus wie ein Betonbunker mit einer schmalen Tür und drei großen Fenstern. Hier wird man von vier oder fünf indischen Männern in karierten Hemden und Kakihosen bedient. Wenn man etwas Bestimmtes sucht, beispielsweise ein Vorhängeschloss, das im Verkaufsbereich nicht auffindbar ist, erteilt einer der älteren Männer einem der extrem drahtigen jüngeren Männer in zackigem Ton eine Anweisung, der dann im hinteren Bereich des Ladens verschwindet und irgendwann mit dem Gewünschten zurückkehrt. Falls sich das benötigte Produkt auch nicht im Lager befindet, besorgen sie es manchmal bei einer der anderen Eisenwarenhandlungen in der gleichen Straße. Um der Wahrheit die Ehre zu geben: Viele Ladenbesitzer picken sich gegenseitig die Rosinen aus dem Kuchen.

Lhaki führt billigen indischen Klebstoff, den ich zum Verschließen der Briefumschläge benutzen konnte. Namgay hatte mir geraten, auch Siegelwachs mitzubringen, um sicherzugehen, dass die Umschläge während der Reise um den Erdball verschlossen blieben, denn indischer Klebstoff erwies sich gelegentlich als unzuverlässig. Im Zeitalter von Instant Messaging, E-Mail, SMS und Internet gefiel mir ein Anachronismus wie Siegelwachs. Die Tatsache, dass es nicht nur dekorativ, sondern auch praktisch war, begeisterte mich ohne Ende.

Lhaki hatte kein Siegelwachs und keiner der alten Männer schickte einen jüngeren los, um es zu besorgen. Aber ich ließ mich nicht beirren und drei Eisenwarenhandlungen später, an der oberen Marktstraße mit den kleinen Läden, die Tibetern gehören, wurde ich in einem neu eröffneten Geschäft fündig. Es war klein und ebenfalls mit Waren vollgestopft. Der Inhaber kletterte von Regal zu Regal, wie ein chinesischer Akrobat. Er sprang von einem Stapel Autoreifen in die Höhe und klammerte sich an einem Regal fest, das unter den Dachsparren endete. Mir stockte der Atem. Er sah aus wie eine menschliche Fliege, die in mindestens dreieinhalb Metern Höhe im Schatten der Decke herabbaumelte, sich am Regal entlanghangelte, in Schachteln spähte und mit einer Hand darin herumwühlte, während er sich mit der anderen festhielt.

»Aha!«, rief er plötzlich. Offenbar hatte seine Suche Erfolg gehabt. Daraufhin trat er den Rückweg zur Erde an, indem er auf den Reifenstapel sprang, der bei dem waghalsigen Landemanöver gefährlich schwankte und um ein Haar umkippte. Es gelang ihm aber rasch, sein Gleichgewicht wiederzufinden und sich auf eine Kiste herabzulassen, um von dort auf den Verkaufstresen, auf eine weitere Kiste und zum Schluss auf den Fußboden zu gelangen, eine einzige Stange rotes Siegelwachs in der Hand.

Er staubte das Wachs mit dem Ärmel seines *Gho* ab und fragte: »Wie viel Stangen möchten Sie?«

»Haben Sie denn mehr als eine?«

»Ich habe eine ganze Schachtel.«

»Wie viele Stangen sind in einer Schachtel?«

Er antwortete nicht, sondern sprang erneut auf den Tresen, die Kiste und die Reifen, um sich zum Schluss wieder an das Dachsparren-Trapez zu schwingen.

»Zwanzig!«, schrie er von oben herab.

»Wie viel kostet die ganze Schachtel?«

Er warf einen Blick darauf, dann sah er mich an. »Sechzig Ngultrum.« Ungefähr 1,50 US-Dollar.

»Ich gebe Ihnen fünfzig«, erwiderte ich.

Er vollführte die typisch indische Wackelkopfgeste, als besäße er eine Sprungfeder als Hals, die Kopf und Schultern verband. Das bedeutete Ja.

Mit der Siegelwachsschachtel, die in eine alte Zeitung eingewickelt war, überquerte ich die Norzin Lam, die Hauptverkehrsstraße, vorbei an der Kabine des Verkehrspolizisten, die mitten auf der Kreuzung stand, und eilte zum Postamt, um Briefmarken zu kaufen. Ich näherte mich meinem Ziel, die Briefe abschicken zu können.

Das Postamt von Thimphu nimmt den gesamten rechten Flügel eines großen dreistöckigen Gebäudes unterhalb der Stadt ein; es befindet sich in der Nähe des Gemüsemarktes, der nur am Wochenende stattfindet. Eckig und imposant,

weiß gekalkt und mit dem traditionellen roten Dach verse-
hen, hat es sich einen großen Teil des Grundstücks in bester
Lage, nämlich im Zentrum von Thimphu, einverleibt. Die
Bhutan National Bank – eine der drei Banken in Bhutan – hat
sich im linken Trakt des beeindruckenden Bauwerks niedergelassen, bei dem es sich um eine soziale Einrichtung ersten
Ranges handelt, wo man immer Bekannte trifft, die draußen
vor der Tür stehen, um einen Schwatz zu halten und die
Sonne zu genießen, oder im düsteren Innern des Gebäudes
ihre Bankgeschäfte erledigen.

Im Briefmarkenraum des Postamtes befinden sich Schau-
kästen mit Postwertzeichen, die nicht mehr gedruckt werden, an den Wänden hängen Briefumschläge, die an alte
Zeiten erinnern, und in zwei Glasvitrinen werden Gedenkmarken und Sammelalben in Geschenkformat aufbewahrt.
Alles steht zum Verkauf. Ungefähr zwanzig Jahre lang, von
Mitte der 1960er- bis Mitte der 1980er-Jahre, trugen die Ein-
nahmen aus dem Verkauf von Briefmarken an Sammler zu
etwa einem Viertel des bhutanischen Bruttosozialprodukts
bei und noch heute ist dieser Bereich ein wichtiger Faktor in
der volkswirtschaftlichen Gesamtleistung. Die Bhutaner
bringen einige der schönsten und außergewöhnlichsten
Briefmarken der Welt heraus. Zu den reproduzierten Motiven gehören auch exquisite japanische Drucke und die Gemälde der europäischen alten Meister. Einige erinnern an
weltbekannte Persönlichkeiten und Ereignisse: Es gibt 3-D-
Marken von der Mondlandung, von Gandhi, Prinzessin Diana
und den amerikanischen Astronauten. Auch Yetimarken, CD-
Roms in Briefmarkenform, auf denen die Nationalhymne von
Bhutan gespeichert ist, Marken aus Seide und Marken mit

Drachen, Blumen, Yaks, Vögeln und Buddhas sind im Handel erhältlich.

Ich habe mir das Postamt für den Schluss aufgehoben, weil ich beim Betrachten der Briefmarken immer jedes Zeitgefühl verliere. Es macht den größten Spaß, die großen Sammelalben durchzublättern, die mit phantastischen Briefmarken gefüllt sind, die einzelnen Blätter aus den Plastikhüllen zu ziehen und die gewünschten Marken abzureißen. Da man die Wahl zwischen Hunderten der unterschiedlichsten Marken hat, gelingt es mir nie, der Versuchung zu widerstehen, mehr zu kaufen, als ich brauche.

Das Postamt ist auch ein beliebtes Ziel der Touristen. An diesem Tag hoffte ich, von Reisegruppen verschont zu bleiben, vor allem deutscher Herkunft. Sie belegten die Briefmarkenalben mit Beschlag und brauchten Ewigkeiten, um sich zu entscheiden. Die Japaner waren Impulskäufer, die nicht lange überlegten und die großen Alben bereitwillig mit anderen teilten. Die Amerikaner beanspruchten sie oftmals auch stundenlang für sich.

Zum Glück war ich allein. Meine Freundin Pema, die Briefmarkenverkäuferin, begrüßte mich und wir unterhielten uns auf Dzongkha, während ich meine Auswahl traf. Sie spricht Englisch, aber aus irgendeinem Grund haben wir uns angewöhnt, in ihrer Landessprache miteinander zu kommunizieren. Meine gebrochene Satzstellung und die Wortwahl eines Kleinkinds sorgen dafür, dass sie immer etwas zu lachen hat.

Ich suchte wunderschöne Briefmarken mit Drachenmotiv aus. Eine Serie, bestehend aus sechs Gedenkmarken, die auf die amerikanischen Astronauten Bezug nahmen, gefiel mir so gut, dass ich nicht umhinkonnte, sie zu kaufen. Auch die silbernen und schwarzen holografischen Briefmarken, auf denen eine Raumfähre abgebildet war, musste ich unbedingt haben, und nicht zu vergessen die Yakmarken.

Pema rief in der Kantine der Post unter dem Hauptstockwerk an und ein *Peon*, ein Lohndiener, brachte uns zwei dampfende Tassen Tee mit Milch und Zucker. Es war meine vierte an diesem Tag. Einkaufen gehört zu den Tätigkeiten, bei denen ich immer massenhaft Tee zu mir nehme. Ich setzte mich zu Pema hinter den Verkaufstresen, bis ein Reiseführer mit zwei munteren, nicht mehr ganz jungen amerikanischen Touristinnen im Schlepptau den Raum betrat, die Sammelalben im Wert von vierhundert Dollar als Geschenk für ihre Enkelkinder erstanden. Ich hatte inzwischen so viel Geld ausgegeben, dass es für die Marken nicht mehr reichte. Pema erlaubte mir netterweise, den Restbetrag – ungefähr fünf US-Dollar – irgendwann vorbeizubringen. Damals gab es noch keine Kreditkarten in Thimphu, aber wir hatten Kredit.

Inzwischen war es drei Uhr nachmittags. Ich hatte Hunger, da mein Mittagessen ausgefallen war, und es war höchste Zeit, nach Hause zurückzukehren. Eigentlich hätte ich noch Papier von guter Qualität zum Schreiben gebraucht, doch das würde bis zum nächsten Mal warten müssen.

Auf dem Heimweg erinnerte ich mich daran, wie ich mit Namgay in Nashville Briefumschläge gekauft hatte. Wir waren erst eineinhalb Tage zuvor in Amerika angekommen. Noch immer benommen und unter der Zeitverschiebung leidend, fühlten wir uns wie Besucher von einem anderen Stern, die auf der Erde gelandet waren, als wir mit meinem Vater ein Office Depot betraten, das Büromaterialien führt. Die Größe des Geschäfts und die riesige Auswahl versetzten uns gleichzeitig in einen Zustand der Lähmung und der Nervosität. Ich bat meinen Vater, uns in einen kleineren Laden mit einem weniger umfangreichen Sortiment zu bringen. Vermutlich hielt er mich für verrückt. Ich war einer Panik nahe und Namgay sah aus, als litte er unter Halluzinationen. Wie konnte man angesichts der hundert, zweihundert oder fünfhundert verschiedenen Briefumschläge eine Entscheidung treffen? Wollten wir säurefreie Umschläge kaufen? Umschläge mit zwei Fenstern, das eine für die Adresse des Absenders und das andere für die Anschrift des Empfängers? Aus Pergamentpapier? Oder aus Recyclingpapier? Umschläge mit Doppelfenster? Für verschiedene Zwecke? Selbstklebende? Schutzumschläge für Dokumente? Selbsthaftende Schutzumschläge? Weiße broschierte? Im Format C4 oder C5? Versandtaschen aus Baumwollpapier? Edle Geschäftsumschläge? Farbechte Umschläge?

Die Besucher aus dem Westen machen genau die umgekehrte Erfahrung in Bhutan, doch das Gefühl ist das gleiche. Sie denken: *Wie können die Bhutaner mit so wenig Komfort und so wenig Wahlmöglichkeiten leben? Wie kommen sie mit den leeren Läden und ohne selbsthaftende Umschläge zurecht?* Andrerseits würde ich in den USA jedem abraten, alles stehen und liegen zu lassen, um einzelne handgeschöpfte Umschläge direkt beim Hersteller zu kaufen. Ich bin sicher, er müsste sich auf eine zeitraubende Suche gefasst machen. Ich bin nicht einmal sicher, ob er fündig würde. Wenn ja, wäre das ein Kraftakt ohnegleichen – und ein teurer dazu.

Wenn man lange genug an einem Ort lebt, wird er einem schließlich vertraut. Und wenn man umgekehrt lange Zeit weg war, kommt einem mit einem Mal alles fremd und exotisch vor. Nach zehn Jahren Aufenthalt in Bhutan habe ich das Gefühl, dass sich das Blatt gewendet hat. Das Einkaufen in Amerika ist der helle Wahnsinn.

Namgay sagt, dass die Lebensmittelläden in den USA wie Tempel aussehen.

»Was heißt hier aussehen? Es sind Tempel«, erwidere ich scherzhaft.

*Weisheit bedeutet, das Richtige
im Leben zu tun und
zu wissen, warum.*

William Stafford,
The little Ways that encourage good Fortune

VOLLKOMMEN EINS

Es ist Spätherbst und unser Haus wird kalt, sobald die Sonne untergeht, deshalb gehen wir früh zu Bett.

So wie wir leben, kommt die Innentemperatur der Außentemperatur ziemlich nahe. Zwischen Fenstern und Wänden klaffen breite Ritzen und wenn ich morgens einen Stapel Papiere auf den Esstisch lege, finde ich die meisten Blätter am späten Nachmittag auf dem Fußboden verstreut wieder. Wir ziehen Kleidung in mehreren Schichten übereinander an. Im Winter *Kira* zu tragen ist ein wunderbares Gefühl, als hätte man sich eine Decke umgehängt.

Der Garten wirkt verwahrlost und ganze Vogelschwärme legen auf ihrem Weg nach Indien in den Reisfeldern am anderen Ufer des Flusses Zwischenstation ein, um Kraft zu tanken. Es ist Nachmittag und ich gehe spazieren. Ich habe unlängst ein idyllisches Plätzchen an der Biegung des Flusses entdeckt. Ich nehme eine Abkürzung quer über das Stück Land unseres Nachbarn, der nichts dagegen hat.

Ich brauche zwanzig Minuten, um von unserem Haus zu meinem Lieblingsplatz zu gelangen; der Weg führt an dem dreistöckigen weißen Haus des Nachbarn vorbei, das im traditionellen bhutanischen Stil erbaut ist, und an den terrassenförmig angelegten Reisfeldern, die erst kürzlich abgeerntet wurden. Nun ist der Boden hart und rissig und überall stehen die gelbbraunen Halme der Reispflanzen, die abgestorbenem Gras gleichen.

Eine unbefestigte Straße verläuft parallel zum Fluss, und ich komme an der Hütte des Cowboys vorüber, die ständig ausgebaut wird. Er ist ein richtiger Viehhirte, im Gegensatz zu den Cowboys aus der Marlboro-Werbung, denn er hütet die Herde unseres Nachbarn. Er hat sich inzwischen eine Frau und zwei Kinder zugelegt, sodass er mehr Platz braucht. Vor Kurzem wurde sein Haus elektrifiziert, was bedeutet, dass er sich auch ein Fernsehgerät angeschafft hat. Durch das Fenster nehme ich das Flimmern des Bildschirms wahr. Eine Kuh schaut zum Fenster hinein; vielleicht sieht sie ja ebenfalls fern.

Noch zwei Tore und die Überreste eines Getreidefeldes, dann bin ich am Fluss. Ich setze mich auf ein dickes Büschel abgestorbenes Gras oberhalb der runden Flussfelsen, lausche dem Tosen des Wassers und genieße die warme Wintersonne auf meinem Rücken. Es ist ein Paradies für die Sinne, das Beste, was es gibt, um einen klaren Kopf zu bekommen. Dazu muss man sämtliche Gedanken über Bord werfen. Eine Weile wirbeln sie noch in meinem Kopf umher, drängen an die Oberfläche.

Dieses idyllische Fleckchen Erde ist für mich eine verborgene Zuflucht. In Bhutan zu leben bedeutet ohnehin schon, vom Rest der Welt abgeschottet zu sein, deshalb bin ich hier so weit von ihr entfernt wie möglich, ohne unseren Planeten zu verlassen, ein Versteck innerhalb eines Verstecks. Zwei Dinge würde ich jedem empfehlen, der herausfinden will, wer er wirklich ist, was in ihm steckt, was er zu ertragen vermag und wie es um seinen Humor bestellt ist: weglaufen und sich verstecken. Wenn man im Leben die Chance hat, eines von beidem oder beides zu tun, sollte man sie ergreifen.

Zwei Bäume an der Biegung des Flusses tarnen das Versteck. Manche Leute würden das, was ich tue, Meditation nennen, doch ich ziehe den Begriff Tagträumen vor. Es ist eine Kunst, die wir verlernt haben.

Ich blicke mich um. Die Umgebung ist von einer geradezu schmerzlichen Schönheit, alles erhält in der kristallklaren Luft einen schimmernden Glanz. Das unvergleichliche Licht zu Beginn des Winters, der Fluss, dessen leuchtendes Blau nun den Himmel widerspiegelt, die weißen Schaumkronen der Wellen, perfekt in ihrem wässrigen Element – wie weiße Tupfer flüssiger Energie in ihrer unverbildeten Form –, all das vermittelt mir ein Gefühl tiefster Entspannung.

Ich denke an den Film *White Mischief* (*Die letzten Tage in Kenya*) und die weibliche Hauptrolle, die von der Schauspielerin Sarah Miles verkörpert wird; sie spielt eine übersättigte amerikanische Erbin, die in Kenia lebt. Jeden Morgen öffnet sie die Fenstertüren ihres Schlafzimmers, betrachtet die spektakuläre kenianische Landschaft und den wolkenlosen Himmel und sagt:»Oh Gott, nicht schon wieder so ein verdammt schöner Tag.« Ich könnte mich an dieser Schönheit niemals sattsehen.

Das Wasser weist eine starke Strömung auf und ist so klar, dass man die glänzenden schwarzen und braunen Steine auf dem Grund des Flusses erkennen kann. Alles glänzt, genau genommen. Die Luft ist prickelnd und fühlt sich an wie elektrisch aufgeladen. Der Dunst in der Ferne wird sich ungefähr in einer Stunde aufgelöst haben. Die Sonne steht hoch am Himmel, strahlt Wärme aus und mildert die Kälte, sodass sie gut zu ertragen ist. Auf dem mit Gestrüpp bedeckten Felsvorsprung zu meiner Rechten habe ich vor ein paar Wochen

Bärenspuren entdeckt. Die Bären begeben sich auf Nahrungssuche, bereiten sich auf den Winterschlaf vor. Der Wald, dessen Grenze oberhalb der Stelle verläuft, zieht sich den gesamten schmalen Steilhang hinauf, ragt in den Himmel hinein. Die Landschaft besteht zu einem Drittel aus blauem Himmel und zu zwei Dritteln aus Sandboden und immergrünen Bäumen, die nach oben weisen, den Blick zum Himmel lenken. Ganz in der Nähe flattern grüne und rote Gebetsfahnen an langen Stangen leise im Wind, tragen dem Universum die Gebete zu.

Ich male mir aus, wie es wäre, ein Baum zu sein. Meine Knie verknoten sich an der Stelle, an der sie mit dem Boden in Berührung kommen, aus meinem Gesäß wachsen lange Wurzeln, die sich in die Erde eingraben. Meine Wirbelsäule bildet eine gerade lange braune Pfahlwurzel, die sich im Boden verankert, während sie gleichzeitig Feinwurzeln in alle Richtungen austreibt. Ich stehe unbeweglich da, felsenfest und unverrückbar.

Flüsse nehmen einen großen Stellenwert in meinen persönlichen Metaphern ein: Wasser befindet sich in stetigem Fluss, eine Eigenschaft, die ich mit Anmut, mentaler Beweglichkeit und Anpassungsfähigkeit in Verbindung bringe. *Lerne, wie das Wasser zu sein.* In Träumen sind Bäume ein Symbol der Veränderung oder des inneren Wandels. Der Fluss unweit unseres Hauses, an dessen Ufer ich nun sitze, wird Tsang Chu oder Sauberer Fluss genannt. Wäre er nicht so kalt, frisch aufgefüllt mit dem Schmelzwasser des Gletschers, würde ich hineinwaten und untertauchen, wie bei einer Taufe. Stattdessen schöpfe ich eine Handvoll Wasser und benetze mein Gesicht. Es ist so eisig, dass ich zusammenzucke.

Ein Rotschwanz, ein kleiner kobaltblauer Zugvogel mit leuchtend rotem Schwanz, der die Wasseroberfläche nach Insekten abgeschöpft hat, fliegt auf und davon in die Bäume. Er ist lange vor Ort geblieben, der Winter hat schon begonnen.

Ich bin mir bewusst, wie weit der Rest der Welt von den Flüssen entfernt ist, die sich ihren Weg durch das Gebirge bahnen. Ich kann nicht umhin, dieses Fleckchen Erde als magischen Ort zu betrachten. Er hat mich verzaubert, ohne Frage, und ich komme mir wie ein mildtätiger Buddha vor.

Natürlich bin ich meilenweit vom Buddhazustand entfernt. Ich bin ein Mensch, der mit beiden Beinen im Leben steht und gestresst ist. Deshalb bin ich hierhergekommen, zum Fluss. Ich möchte mich entspannen, denn selbst in Bhutan rückt die Welt näher. Es gibt Probleme, die einer Lösung bedürfen, Frustration und Spannungen, und das Geld ist immer knapp. Doch hier leben wir im Augenblick, mit jeder Faser unseres Seins. Zu wissen, dass nichts von Dauer ist, dass das Leben und die Welt wie das Wasser des Flusses fließen, ist ein Geschenk. Die Erkenntnis, dass Veränderung unabdingbar und die menschliche Existenz vergänglich ist, zeugt von Achtsamkeit. Sie bereichert jeden Augenblick durch zahlreiche Möglichkeiten. Um das richtig zu begreifen, muss man eingefahrene Gleise verlassen, abschalten und in die Stille gehen.

Heute kommt mir die Sonne grell und blendend vor, bis sich meine Augen an das Licht gewöhnt haben. Ich kann den Semtokha Dzong in der Ferne ausmachen, der aussieht, als schwebte er vom Himmel herab, um sich auf dem Gipfel der Anhöhe niederzulassen. Federwolken, die zum Träumen einladen, driften von den Bergen herüber. Eine Kulisse wie in einem Kinofilm. Ich stelle mir das Kamerateam vor – vielleicht um die fünfzig Personen mit Scheinwerfern, Windmaschinen und einer umfangreichen Ausrüstung –, das sich nur ein wenig außerhalb meines Blickfeldes befindet. Jemand ruft: »Wolken ab!« Wie auf Stichwort wird ein riesiges Behältnis mit Trockeneis geöffnet, die Windmaschine eingeschaltet und schon steigen Wolken auf.

Der Dzong ist malerisch, von einem Zedernhain umgeben und gleicht einem Märchenschloss. Er ist im landestypischen Stil erbaut, weiß mit roten Zierleisten und dem rotgoldenen Dach, das Tempel oder heilige Stätten kennzeichnet. Eine uralte Klosterfestung, die groß genug ist, um tausend Mönche zu beherbergen. Rauch quillt aus einer Lichtung im Kieferngehölz. Hat jemand ein Feuer angezündet? Einige Hartholzwälder haben bereits eine goldene Färbung angenommen. Andere, in weiter Ferne unter dem kobaltblauen Himmel, gleichen im Profil dem Rücken bizarrer grüner Tiere. Der leise murmelnde Fluss vertreibt jegliche Anspannung aus meinem Körper. *Ich hätte schon vor Tagen herkommen sollen. Ich sollte hier Wurzeln schlagen und nie mehr weggehen.*

Der Winter steht vor der Tür, meine liebste Jahreszeit. Ich weiß, das ist ungewöhnlich. Ich mag die sanfte braune Färbung der entlaubten Bäume. *Nur noch wenige Wochen, dann ist es so weit.* Im Winter geht selbst die Natur in sich. Die Bäume werfen ihre Blätter ab, um den Saft, ihre Lebenskraft, auf den Stamm zu konzentrieren. Der Fluss murmelt leise vor sich hin, ein einlullendes Geräusch, ein Wintergeräusch; das Wasser fließt träge, als könnte es sich nicht aus dem Bann des Sonnenlichts lösen, wäre bestrebt zu verweilen. *Gemächliches Glitzern der Sonne auf dem gemächlich dahinströmenden Wasser.*

Ein reiner, unverbildeter Klang. Mein Körper ist fest mit der Erde verwurzelt, meine Gedanken fließen. Ich begreife, dass wir unfähig sind wahrzunehmen, was direkt vor uns liegt, es sei denn, es ist angenehm und erwartet. Um etwas wirklich wahrzunehmen, müssen wir uns nicht auf unsere Sinnesorgane verlassen – Geschmackssinn, Tastsinn, Geruchssinn, Gesichtssinn, Gehörsinn. Um etwas wirklich wahrzunehmen, müssen wir lernen, uns auf natürliche, nicht von der Vernunft gesteuerte Impulse zu verlassen.

Ich denke an die Wahlmöglichkeiten, die ich im Leben hatte. Für mich besteht ein großer Unterschied zwischen wählen und entscheiden. Wählen bedeutet, dass wir die Initiative ergreifen: Wir informieren uns über die Optionen, denken über die Alternativen nach und suchen uns eine Lösung aus – ein komplexer mentaler Vorgang, den ich vorziehe. Entscheiden bedeutet dagegen, dass jemand bereits eine Vorauswahl getroffen hat. Die Möglichkeiten sind vor uns aufgereiht, wie die Gerichte auf der Speisekarte in einem Schnellrestaurant. Wir müssen nur noch überlegen, ob uns A, B oder C besser zusagt. Ein Prozess, der weniger Eigeninitiative erfordert. Diese Definition der Begriffe »wählen« und »entscheiden« findet man in keinem herkömmlichen Wörterbuch, doch ich unterscheide bewusst zwischen beiden, weil es in der Welt schon genug Dinge gibt, die für uns entschieden werden. Wir glauben oft gar nicht mehr, dass wir die Wahl haben. Doch das ist ein Trugschluss.

Wenn wir beschließen, unseren Träumen und Herzenswünschen zu folgen, werden alle anderen Dinge in unserem Leben klarer, gleich ob gut oder schlecht. Das habe ich in Bhutan entdeckt. In den abgeschiedensten Winkeln des Landes, die mich zwingen, viele Schichten meines Selbst abzustreifen, stelle ich fest, dass mein inneres Selbst voll und ganz mit meinem äußeren Selbst übereinstimmt.

Pemagatshel (Pema-got-sill ausgesprochen) ist eine entlegene Provinz im Südosten von Bhutan unweit der indischen Grenze. 1996 unternahm ich eine Reise dorthin. Hier beginnt das schroffe Gebirgsmassiv des Himalaja zu sanften Hügelketten abzuflachen. Im Grenzbereich nimmt die Landschaft fast den Charakter einer Tiefebene an, gleicht einer zerknüllten Tischdecke, die jemand straff gespannt und geglättet hat, und bildet weitläufige Flussdeltas, die sogenannten Duars (Tore). Der Boden ist fruchtbar, Ackerland von erstklassiger Qualität. Doch die Ausbeute der Felder von Pemagatshel, deren Größe bescheiden ist, erreicht niemals die Märkte von Thimphu oder Guwahati, Hauptstadt des an Bhutan grenzenden indischen Bundesstaates Assam, weil sich dazwischen zu viele Berge und zu wenig Straßen befinden. Die Bauern sind arm und die Ernteerträge reichen gerade aus, um die dünn besiedelten Dorfgemeinschaften und ihre Viehbestände zu ernähren. Die Frauen helfen bei der Feldarbeit, ziehen die Kinder groß und fertigen eigenhändig gesponnene und gefärbte Leinenstoffe, *Bura* genannt, die überall hoch geschätzt werden. In der Vegetationszeit sind sie Tag und Nacht damit beschäftigt, die wilden Schweine zu vertreiben, die sich über ihr Getreide hermachen, und die Tiger davon abzuhalten, Pferde und Vieh zu töten; sie übernachten abwechselnd in Schlafhütten, die sie auf den Feldern errichtet haben, um Eindringlinge aller Art zu verscheuchen. Der Überlebenskampf steht im Mittelpunkt ihres Daseins und wenn sie Glück haben, ist ihnen am Ende des Tages eine kleine Ruhepause beschieden. Zu Beginn des neuen Jahres halten sie eine *Puja ab*, um den höheren Mächten zu danken und um Schutz, gute Gesundheit und Sicherheit für alle Menschen zu bitten, die ihnen nahestehen, und, falls es nicht zu viel Mühe macht, für ein weiteres Jahr mit einer guten Ernte und genug Regen für ein gedeihliches Wachstum zu sorgen. Sie haben keine Kenntnis vom Rest der Welt.

Es gelang mir, meinen Freund Tenzin als Fahrer zu gewinnen, und wir übernachteten auf unserer Reise quer durchs ganze Land bei seinen zahlreichen Verwandten. Kurz nach Trashigang, im äußersten östlichen Zipfel Bhutans, brach das Kardangelenk seines schrottreifen, uralten Toyota. Doch wir hatten Glück: Er hatte einen Verwandten im nahe gelegenen Khaling, der einen Schweißbrenner besaß und den Schaden innerhalb eines Tages reparierte, sodass wir unseren Weg fortsetzen konnten.

Gegen Ende der Reise machten wir in Pemagatshel Zwischenstation, hielten vor einem alten Haus, in dem ebenfalls Verwandte von ihm lebten, vier Generationen unter einem Dach. Ich stieg aus und wurde in ein winziges, tipptopp aufgeräumtes Schlafzimmer geführt, das gleichzeitig als Gebetsraum diente; dort bedeutete man mir, auf dem Bett vor einem vorsintflutlichen Fernseher Platz zu nehmen, der aussah, als hätte er einen Bombenangriff überlebt. Ein kleiner Junge schaltete das Gerät ein, legte eine Videokassette in einen uralten Rekorder ein und verließ den Raum. Gleich darauf brachte mir ein junges Mädchen eine Tasse Tee. Ich wusste, mir wurde eine fürstliche Behandlung zuteil: Elektrizität im Haus und der Besitz von Videofilmen und Fernsehbildschirm ließen darauf schließen, dass die Familie begütert war. Ich hatte die Ehre, mir einen chinesischen Film über Kickboxen anzuschauen, der allem Anschein nach Anfang der 1970er-Jahre gedreht worden war (nach den langen Koteletten der männlichen Darsteller zu urteilen). Hätte die Familie keinen Fernseher gehabt, hätte man mir vermutlich ein Fotoalbum mit den ausgeblichenen Bildern von Freunden und Verwandten beim Picknick oder auf einer Pilgerreise nach Indien in die Hand gedrückt.

Ich lehnte mich zurück, in freudiger Erwartung des bevorstehenden kulinarischen Ansturms, doch nach ein paar Minuten schrak ich hoch, weil von draußen lautes Gebrüll zu mir herüberdrang. Ich lief zum Fenster. Auf einem weit entfernten Feld, hinter einer Anhöhe, war ein Wettkampf im Bogenschießen in Gang.

Überall in Bhutan maßen sich die Mannschaften, aus jeweils zwölf Männern bestehend, einen ganzen Tag und bisweilen sogar ein ganzes Wochenende lang in der Kunst des traditionellen Bogenschießens. Gleich ob reich oder arm, dick oder dünn, attraktiv oder hässlich, alt oder jung, nüchtern oder berauscht – alle bhutanischen Männer sind von diesem Nationalsport besessen. Die Teilnehmer schießen auf hölzerne Zielscheiben zu beiden Seiten des Schießplatzes, aus einer Entfernung von, kaum zu glauben, mehr als 130 Metern; die Zielscheiben sind winzige Markierungen, deren Breite gerade mal fünfzehn Zentimeter beträgt. Unfassbar, dass die Bogenschützen sie erkennen, geschweige denn treffen können.

Einer der Schützen hatte einen Volltreffer erzielt und die Mitglieder seiner Mannschaft führten einen Freudentanz auf, der Ähnlichkeit mit einem Reel hat, einem Volkstanz aus dem schottischen Hochland, nur im Zeitlupentempo, und dazu stimmten sie aus rauer, voller Kehle eine Siegeshymne an. Es war Spätnachmittag, vermutlich hatten alle Teilnehmer des Wettkampfs dem Alkohol bereits reichlich zugesprochen.

Durch die Entfernung und eine Fensterscheibe getrennt, sah ich dem ausgelassenen Treiben zu. Im Haus war es warm und die Sonne am späten Nachmittag verlieh der Landschaft einen verträumten goldenen Schimmer, durchbrochen von langen schwarzen Schatten.

Tenzin betrat den Raum, um zu sehen, wie es mir ging. Aufmerksam, respektvoll und mit der leisen Ironie, die typisch für ihn ist, sagte er: »Soll ich rausgehen und die Männer bitten, leise zu sein, damit du in Ruhe den Film anschauen kannst?«

»Warum sind die Bhutaner so versessen auf Bogenschießen?«, fragte ich.

»Sie erzielen gerne Treffer.«

Ich lachte. »Ich liebe Bhutan.«

»Ich weiß. Du bist der Pfeil, der ins Schwarze getroffen hat.«

Heute, Jahre später, an einer Biegung des Flusses außerhalb von Thimphu, begreife ich, dass ich damals in Pemagatshel auf diese Authentizität reagierte, auf eine Lebensqualität, die alles Unwichtige abstreift und sich auf das Wesentliche konzentriert. Glück lässt sich nicht erzwingen. Wenn wir uns an dem Platz befinden, der für uns der richtige ist, und bereit sind, das Glück zuzulassen, kommt es von allein. Das habe ich gelernt, durch mein Leben in Bhutan.

An den meisten Abenden sitzen Namgay und ich nach dem Abendessen zusammen und unterhalten uns. Er erzählt mir die wunderbarsten Geschichten über sein Leben in Bhutan, bevor wir uns begegneten. Ich sitze da und bin ganz Ohr, dann schleiche ich mich unter dem Vorwand, Kaffee zu kochen, hinaus, um mir Notizen zu machen, damit ich die Geschichten irgendwann zu Papier bringen kann.

Gelegentlich fällt der Strom aus. Wir zünden Kerzen an und setzen uns ins Wohnzimmer. Wenn es kalt ist, holen wir eine Decke und wickeln uns gemeinsam darin ein. Eines Abends im Juli, kurz nach dem Einzug in unser Haus, gingen wir nach dem Essen nach draußen, nahmen im Garten Platz und betrachteten die Sterne. Da Thimphu 1600 Meter über dem Meeresspiegel liegt und die Luft glasklar ist, können wir Millionen Sterne und Tausende Satelliten ausmachen, die unsere Erde umkreisen.

Ich saß mit Namgay auf einem kleinen Sofa, den Kopf in seinen Schoß gebettet, und blickte zu den Sternen empor, als er mir die Geschichte von Baje und den beiden Schweinen erzählte.

Baje war mehr als zwanzig Jahre Hilfskoch in der Kantine der Kunstschule. Seit dem zwölften Lebensjahr arbeitete er jeden Tag in dem Schuppen, der als Küche diente. Er sammelte Feuerholz und entfachte gegen halb sechs Uhr morgens ein loderndes Feuer. Gegen sechs Uhr, wenn die ersten Schüler eintrafen und ihre Gesichter am Wasserhahn draußen vor der Küche wuschen, rührte er bereits in dem großen Aluminiumbottich, der Buttertee enthielt. Die Schüler lachten und scherzten miteinander, ohne Baje Beachtung zu schenken. Sie brachten ihm jeden Morgen ihre Tassen, die er bei Wind und Wetter mit Tee füllte, gleich ob es draußen sonnig, kalt oder verregnet war.

Gegen halb sieben hatte er bereits den Reis gesäubert, der in einem riesigen Topf über dem offenen Feuer vor sich hin köchelte. Die etwa dreißig Schüler verzehrten annähernd vierzehn Kilo Reis am Tag, sodass er ständig damit beschäftigt war, Reis zu säubern, zu kochen, umzurühren oder die großen Töpfe abzuwaschen.

Die Wände des Schuppens waren vom Ruß des offenen Feuers geschwärzt und es roch nach Reisstärke. Manchmal kamen Schüler, um ihm bei der Zubereitung von *Eazyee* zu helfen – gehackte Zwiebeln, Tomaten, Salz und Chili –, die zum Frühstück zusammen mit dem Reis gegessen wurden. Nach der Morgenmahlzeit war es für Baje an der Zeit, die Kartoffeln für das Mittagessen zu schälen. Gelegentlich musste auch Gemüse für ein Curry geputzt werden, als Beilage zum Reis. Fleisch gab es nur selten. Baje war schweigsam, verrichtete seine Arbeit und schenkte den Schülern wenig Beachtung, wenn er ihnen das Essen aushändigte. Sie lernten ein Kunsthandwerk, waren angehende *Thangka*-Maler, Holzschnitzer, Steinmetze und Weber. In der bhutanischen Gesellschaft genießen Kunsthandwerker nur wenig soziale Wertschätzung; die Arbeit mit den Händen ist generell mit einem niedrigen sozialen Status verbunden. Doch sie haben mehr Möglichkeiten, gesellschaftlich aufzusteigen, als Köche und Küchenhilfen, deshalb standen die Schüler in der sozialen Rangordnung eine Stufe über Baje. Infolgedessen und aus jugendlichem Übermut pflegten ihn einige zu hänseln und herabzusetzen. Doch er ließ sie gewähren. Er nahm ihre Scherze gutmütig hin und stimmte in ihr Lachen ein, wenn sie ihn »Boy« oder »Affe« nannten, obwohl er älter war als sie. Sein Arbeitstag endete gegen acht Uhr abends, wenn er die großen Töpfe abgewaschen hatte, die er für das Abendessen benutzt hatte, damit sie für den nächsten Tag bereitstanden. Dann machte er sich auf den Heimweg, zu der Hütte, in der er lebte. Da es dort keinen Strom gab, zündete er eine Kerze und ein kleines Feuer an, holte Wasser von einem nahe gelegenen Fluss und wusch sich, so gut es ging. Er sprach seine Abendgebete und fiel todmüde ins Bett. So verging sein Leben, Tag für Tag, zwanzig Jahre lang.

Als Baje dreißig Jahre alt war, traf er auf dem Gemüsemarkt von Thimphu unverhofft einen alten Mann aus seinem Heimatdorf. Baje stand in der Rangordnung ein wenig höher als der Dorfbewohner, weil er als Koch arbeitete und in der Stadt lebte. Der Mann trug Baje die Hand seiner Tochter an. Baje hatte nie in Betracht gezogen, sich eine Frau zu nehmen. Sein Verdienst reichte kaum aus, um sich ein Paar Schuhe zu kaufen, geschweige denn, Frau und Kinder zu ernähren, die unweigerlich kommen würden.

Er lehnte so höflich wie möglich ab und lud den Mann zu einem Glas Bier ein. Sie gingen in ein Hotel in der Nähe und aus dem einen Glas wurden drei, dann fünf. Der Dorfbewohner wiederholte sein Angebot, ihm seine Tochter zur Frau zu geben, doch dieses Mal machte er ihm den Handel schmackhaft: Baje sollte die beiden Ferkel als Brautgabe erhalten, die er mitgebracht hatte, um sie auf dem Wochenendmarkt zu verkaufen. Baje erklärte sich einverstanden.

Bajes Frau war einige Jahre älter als er und bot einen schwer zu ertragenden Anblick. In jungen Jahren war sie mit einem Soldaten durchgebrannt, der sie in einem anderen Dorf, vier

Tagesmärsche von ihrem Heimatort entfernt, sitzen ließ. Bei ihrer Rückkehr hatte ihr der wutentbrannte Vater das Gesicht mit einer Rasierklinge zerfetzt. Die Tochter war durch die »Ehe auf Zeit« kaum noch vermittelbar auf dem Heiratsmarkt und erschwerend hinzu kam, dass ihr einstmals hübsches Gesicht durch die Narben und ein ständig gerötetes, tränendes Auge entstellt wurde.

Aber sie war ihm eine gute Ehefrau und beklagte sich nie über die schäbige, aus einem einzigen Raum bestehende Behausung, in die Baje sie brachte. Sie hielt den Haushalt blitzsauber, wusch seine Kleidung und blieb für sich, statt den ganzen Tag lang Tee zu trinken und zu schwatzen, wie die Frauen in der Nachbarschaft.

Sie schleppte Brennholz aus den Wäldern oberhalb der Stadt und Wasser aus dem nahe gelegenen Fluss herbei. Sie besserte die Balken der Hütte aus, wenn durch Wind und Regen Risse entstanden, und polsterte sie von der Innenseite mit Zeitungspapier aus, wenn es im Winter kalt wurde. Sie webte *Ghos* für Baje und *Kiras* für sich selbst. Gelegentlich fertigte sie einige zusätzliche Kleidungsstücke an, die sie in einem Laden vor Ort verkaufte, um das Einkommen der Familie aufzubessern.

In Ermangelung eines Stalls lebten die beiden Ferkel zunächst mit ihnen im gleichen Raum, bis Baje in der Lage war, einen kleinen Schuppen neben dem Haus zu errichten. Sie waren wertvoll, deshalb konnte man sie nicht im Freien lassen, wo sie sich vielleicht auf Wanderschaft begeben hätten oder gestohlen worden wären. Jeden Tag brachte Baje die Essensreste der Schüler für die Schweine mit nach Hause. Und jeden Morgen stand Bajes Frau auf, um die vom Vorabend übrig gebliebene wässrige Reissuppe noch einmal aufzukochen und an die Schweine zu verfüttern. Manchmal reichte die Nahrung nicht aus, sodass er ihnen einen Teil oder das ganze Essen überließ, das seine Frau für ihn zubereitet hatte. Im Sommer pflückte Baje jedes Mal einen Armvoll Hanfpflanzen, die auf dem Feld oberhalb seiner Hütte wild wuchsen, und mästete damit die Schweine. Sie setzten Fett an und freuten sich ihres Lebens. Mit jedem Tag wurden sie größer und rosiger.

Einige Schüler der Kunstschule kamen sogar zu Bajes Hütte, die sich in der Nähe der Kantine befand, um ihn zu ärgern. »He, Schweinemann!«, riefen sie und schnüffelten wie Schweine mit hoch erhobener Nase. »Komm raus und zeig uns deine hässliche Schnauze!« Baje achtete nicht auf sie.

Zwei Jahre später, im Frühjahr, waren die Schweine schlachtreif. Baje bat den Küchenchef um zwei Wochen Urlaub und dieser erklärte sich einverstanden. Baje fand einen Metzger, der die Schweine schlachtete, und lieh sich eine Schubkarre, um das Fleisch zum Wochenendmarkt zu bringen. Er verkaufte es binnen weniger Stunden und nahm ungefähr zweihundert Dollar ein.

Das war mehr Geld, als er erwartet hatte. Doch die Bewohner von Thimphu hatten gerade einen heiligen Monat hinter sich und das Fleischangebot war spärlich. Deshalb wurde ihm das Schweinefleisch buchstäblich aus den Händen gerissen und erzielte einen guten Preis.

Er kaufte eine Busfahrkarte für umgerechnet zwei Dollar und begab sich auf die sechsstündige Fahrt nach Phuentsholing an der indischen Grenze. Phuentsholing war flach, verglichen mit Thimphu. Es lag an einem Flussbett am Fuße des Himalajagebirges, wo die Duars-Ebene begann. Während der Bus über die steilen, kurvenreichen Bergstraßen fuhr und sich Phuentsholing näherte, betrachtete Baje die ausgedehnten Niederungen Indiens, mit Teeplantagen gesprenkelt und von Flüssen durchzogen, die im Gebirge entsprangen und sich zu zahlreichen Wasserläufen verzweigten. Die Welt sah groß und unendlich weit aus.

Am Abend aß er ein wenig Reis und *Dal*, einen Linseneintopf, den seine Frau ihm als Wegzehrung mitgegeben hatte, und schlief in einem Park, der sich im Zentrum der Stadt befand, unter einem Baum. Er war noch nie so weit von zu Hause entfernt gewesen. Am nächsten Tag kaufte er von dem größten Teil des Erlöses aus dem Schweinefleischverkauf Socken, Sporthemden, Trainingshosen und Stoffe. Er feilschte hartnäckig mit den Händlern aus Phuentsholing und der benachbarten indischen Stadt Jaigaon, um so viel Waren wie möglich für sein Geld zu bekommen. Es handelte sich schließlich um die Ersparnisse seines ganzen Lebens.

Baje band die Kleidungsstücke mit einem Stück Schnur zusammen und fuhr mit dem Bus nach Thimphu. Aber er kehrte nicht nach Hause zurück. Er kaufte sich eine weitere Busfahrkarte, dieses Mal nach Punakha, zwei Fahrtstunden östlich von Thimphu auf der anderen Seite des Dochula-Passes. Gleich nach der Ankunft in Punakha machte er sich zu Fuß auf den ungefähr dreistündigen Weg in das Dorf Talo, in den Bergen nordwestlich der Stadt gelegen. Er hatte seit dem Vorabend in Phuentsholing nichts mehr gegessen und das Bündel wog schwer, sodass er für den Marsch vier statt drei Stunden brauchte. Doch Baje wusste, dass er sich in Talo ein wenig ausruhen konnte und die Bewohner, die Bhutaner waren, ihn nicht hungrig wegschicken würden, also biss er die Zähne zusammen.

In Talo wurde er von lachenden Kindern begrüßt, die in ehrfürchtigem Staunen den fremden Mann mit dem großen, auf den Rücken geschnallten Bündel anstarrten. Sie folgten ihm, als er sich zum Haus des *Gup* begab. Das Haus des Dorfvorstehers war auf den ersten Blick zu erkennen. Es war das schönste weit und breit, frisch gestrichen und im bhutanischen Stil gehalten, die makellos weißen Außenwände kunstvoll mit Tier- und Blumenornamenten geschmückt. Er wartete draußen, bis jemand zur Tür kam und ihn hereinbat. Schweigend trat er ein und löste die Schnur des Kleiderbündels. Man brachte ihm eine Tasse Tee und *Zow*, in der Sonne gebackenen Reis. Mehrere Frauen eilten herbei und nahmen die Waren in Augenschein. Bald war der Raum mit Männern, Frauen und Kindern gefüllt, die in den Kleidern stöberten. Einige hielten Bargeld in der Hand. Andere zahlten in Naturalien, mit Reis, Salz oder Hühnern, für die indischen Kleider, die er in Phuentsholing erstanden hatte.

Auf diese Weise schrumpfte das Kleiderbündel, während er im Dorf von Haus zu Haus ging. Wenn die Leute kein Geld hatten, tauschte er seine Waren gegen Reis oder Salz. Er lieh sich von einem Dorfbewohner ein Pferd und brachte die übrig gebliebenen Kleidungsstücke und eingetauschten Nahrungsmittel nach Lobesa und im Anschluss in das benachbarte Dorf. Dort verkaufte er den Rest der Kleidung. Mit ungefähr dreihundert Dollar, einhundertfünfzig Kilo Reis, einigen Hühnern und einer beträchtlichen Menge Salz im Gepäck kehrte er nach Punakha zurück, hinterließ dort das

Pferd für den Besitzer und fuhr mit dem Bus nach Thimphu zurück. In Thimphu verkaufte er den Reis, die Hühner und das Salz auf dem Wochenendmarkt. Er verdoppelte den Erlös, den er mit dem Verkauf des Schweinefleischs, der Kleidung aus Phuentsholing und der in den Dörfern eingetauschten Nahrungsmittel erzielte. Er kehrte kurz nach Hause zurück, um zu baden, zu essen und seiner Frau Stoff für ein *Tego*, ein zur *Kira* gehöriges hüftlanges Jäckchen zu bringen, den er für sie in Phuentsholing erworben hatte.

Dann wiederholte er das Ganze. Er nahm den Bus nach Phuentsholing, kaufte im Basar Kleidung für ungefähr vierhundert Dollar und kehrte damit nach Thimphu zurück. Dieses Mal war sein Ziel das Dorf Ha im Westen der Stadt, ungefähr vier Stunden Fußmarsch entfernt. Dort mietete er ein Pferd und verkaufte die Kleidung in den kleinen Ansiedlungen zwischen Paro und Ha. Auch dieses Mal wurden die Käufer, die kein Bargeld besaßen, ermutigt, mit Reis und anderen Bedarfsgütern zu zahlen.

Auf dem Wochenendmarkt in Thimphu waren die Leute froh, dass sie Gerste und Reis aus Ha kaufen konnte. Am Ende des Tages hatte Baje mehr als zweitausend US-Dollar eingenommen. Todmüde trottete er nach Hause, fiel ins Bett und schlief zwei Tage lang ununterbrochen.

Zehn Tage nach dem Verkauf des Schweinefleischs begab sich Baje zum Obersten Gerichtshof, zu einem Mann, den er aus seinem Heimatdorf kannte. »Ich möchte ein Stück Land kaufen«, erklärte er ihm. Der Mann lachte und bot ihm *Doma* an. Baje griff in die ausladende Tasche seines *Gho* und holte seine Börse mit dem Geld heraus. Dem Mann verging das Lachen.

Sonam Phuntso, so lautete der Name des Mannes, brachte Baje auf dem Rücksitz seines Motorrollers nach Hejo, in ein kleines Dorf östlich von Thimphu unweit des königlichen Palastes. Sie gelangten zu einem großen Reisfeld, das ungefähr 0,8 Hektar maß. »Dieses Stück Land steht zum Verkauf«, eröffnete ihm Sonam. »Dein Geld reicht aus.« Baje und Sonam brauchten etwa eine Stunde, um das Anwesen schweigend zu umrunden.

»Ich nehme es«, erklärte Baje. Sie fuhren nach Thimphu zurück, wo sie den Abschluss des Handels mit einer guten Mahlzeit feierten. Im Wangdue Hotel bestellten die beiden Reis, *Dal*, *Kewa Datsi* – Kartoffeln, Chili und Käse – und Hühnercurry. Baje lud alle Gäste des Hotels, drei Männer und eine Frau, zu einem Glas Bier ein. Sonam und er teilten sich eine Flasche Special Courier, ein Scotch Whisky aus heimischer Produktion. »Ich möchte ein Haus bauen«, sagte Baje. »Wenn du mir dabei hilfst, gebe ich dir die Hälfte von meinem Land, sodass du dir ebenfalls ein Haus bauen kannst.«

Es dauerte mehrere Monate, bis die Dokumente alle Instanzen des Gerichts durchlaufen hatten, aber Baje und Sonam sammelten vorsorglich Holz und Steine für den Bau der beiden Häuser auf dem Grundstück. Als die Liegenschaft auf Bajes Namen eingetragen war, hatten sie bereits einen Schuppen errichtet, in dem sie das Baumaterial lagerten.

Sonam begab sich nach Jaigaon, wo er neun indische Arbeiter aus Cooch Behar anwarb. Die Männer aus Cooch Behar sind für ihre Geschicklichkeit als Zimmerleute bekannt und arbeiten in Bhutan für einen Tageslohn von etwa 1,50 Dollar. Das ist das Dreifache dessen, was sie in Indien verdienen, daher kommen sie schon seit Generationen als Gastarbeiter nach Bhutan. Acht Monate später hatten sie zwei kleine, schmucke Häuser auf dem Stück Land errichtet. Baje konnte mit seiner Frau und Sonam Phuntsho mit seiner Familie einziehen.

Wenn die Schüler der Kunstschule Baje nun auf dem Wochenendmarkt begegnen, verbeugen sie sich und nennen ihn »Herr«.

Die Geschichte von Baje macht immer noch großen Eindruck auf mich. Der Zauber, der sie umgibt, die Güte und Beharrlichkeit dieses einfachen Mannes, seine herkulischen, unermüdlichen Anstrengungen und sein bewundernswerter Erfolg erinnern mich an Namgays Leben – an das Leben jedes Menschen, das hart erkämpft wurde. Viele Bhutaner haben eine ähnliche Geschichte. Mir wurde bewusst, dass ich in eine Gesellschaft stiller, namenloser Helden eingeheiratet hatte, die Achtung und Anerkennung verdienen.

Bajes Geschichte führte mir erneut den Unterschied zwischen der westlichen und der bhutanischen Denkweise vor Augen. Sie erinnert mich daran, was in diesem Land wichtig ist: Hier gilt es, nach einem besseren Leben für sich selbst und die Menschen zu streben, die einem nahestehen. Das klingt einfach, ist es aber nicht. In Bhutan wendet man viel physische und mentale Energie auf, um dieses Ziel zu erreichen. Doch die Menschen, die ich hier kenne und liebe, halten sich nicht für optimistisch oder pessimistisch und auch nicht für hartnäckig, kreativ, rücksichtslos oder geben sich ein anderes Label. In ihrem Leben geht es nicht darum, ständig zu grübeln, zu überlegen und die Vernunft walten zu lassen – es geht um die Absicht und die Entschlossenheit, sie nachfolgend in die Tat umzusetzen. Noch immer herrschen in Bhutan altüberlieferte Traditionen und Wertvorstellungen: Wichtig im Leben ist hier in erster Linie das, wonach man strebt.

Während ich am Flussufer sitze, hat der Wind aufgefrischt, ist wild geworden, macht sich bemerkbar. Er braust durch die Bäume und wirbelt Staub auf. Der Wind ist eine Kraft, die Geister beherbergt, wie einige Bhutaner glauben. Zumindest kündigt er einen Wechsel der Jahreszeiten an. Die Kühe, die auf dem verdorrten Gras des Berghangs weiden, scheinen nicht zu bemerken, dass der Wind so stark geworden ist, dass er sie davonwehen könnte. Auf einer Anhöhe, auf der kein Gras wächst, scheucht er Staub auf und saugt verstreute Blätter in den Trichter der Miniaturtornados ein. Ich bedecke meine Augen mit den Händen, bis der Wind nachlässt. Seit ich in Bhutan lebe, betrachte ich die Zeit als ein subjektives Abbild, eine Schattierung unseres Daseins. Das Wetter beherrscht unseren Alltag, also ist die Zeit untrennbar mit den Jahreszeiten verbunden, mit dem, was wir essen, wohin wir gehen und was wir tun. Wir sind in der glücklichen Lage, für eine kurze Weile die Terminpläne der Welt zu vergessen und uns eine eigene kleine Welt zu errichten. Uns zurückzulehnen und unser Augenmerk auf das zu richten, was uns bewegt.

Der Fluss verändert von einer Stunde auf die andere seine Farbe, je nach Licht- und Wetterverhältnissen. In der kurzen Zeit, in der ich hier sitze, haben sich hoch über den Bergen Wolken gebildet, die dem Schweif eines Pferdes gleichen. Ein schwacher Tannenduft liegt in der Luft.

Ich sitze mit geschlossenen Augen dar. Wenn ich blinzele oder den Kopf auf eine bestimmte Weise neige, fürchte ich manchmal, dass die malerische Schönheit Bhutans verschwindet, die wunderbaren immergrünen, von Herbstlaub durchsetzten Berge in der Ferne mit ihren weißen Schneehauben. *Achte darauf, achtsam zu sein. Der Wandel ist das Einzige im Leben, das Bestand hat. Das Leiden ist unvermeidlich. Säe und bestelle deinen Garten.*

Wenn Erleuchtung irgendwo auf der Welt möglich ist, dann hier. Der tantrische Buddhismus lehrt, dass es viele Wege zur Erleuchtung gibt, so zahlreich wie Sterne am Firmament. Der Vajrayana-Buddhismus, auch Lamaismus oder Diamantfahrzeug genannt, besagt, dass alles dazu beitragen kann, den Zustand der Erleuchtung zu erlangen: ein Stück Jade, Meditation, eine erlesene Mahlzeit wie Coq au Vin, innehalten, Sex, aus einer Tür treten, Mitgefühl, Aufwachen, innere Zufriedenheit, Intuition, eine Wahl treffen, sich selbst nicht zu ernst nehmen, Berge, atmen.

Wie die Titelfigur in Voltaires *Candide oder der Optimismus*, eine satirische Novelle aus dem 18. Jahrhundert über die menschliche Weltsicht, gehöre ich zu den desillusionierten Optimisten. Die meisten Optimisten sind, wenn sie ein bestimmtes Alter erreicht oder genug Erfahrungen gesammelt haben, wie Dr. Pangloss, Candides Lehrer, der sagte: »Diese ist die beste aller möglichen Welten.« Das sehe ich anders. Nichtsdestotrotz glaube ich an Wunder und Magie in diesem Teil der Welt. Ich glaube an die Erleuchtung, die sich aus einer zufälligen oder unerwarteten Situation herleitet, ohne eigenes Zutun. Sie könnte genauso leicht erfolgen wie die Erleuchtung, die man vielleicht erlangt, wenn man zahllose Bücher über Buddhismus gelesen hat.

Namgay erzählte mir einmal, dass in Gida, dem Nachbartal

in Richtung Paro, im 18. Jahrhundert ein buddhistischer Lama namens Wang Drugay lebte, der Frauenkleider trug und als Wüstling galt. Da er ein großer und wichtiger heiliger Mann war, eine hohe Reinkarnation, sahen sich alle genötigt, sein exzentrisches Verhalten klaglos hinzunehmen.

Ich vermute, dass es zur damaligen Zeit in den Wäldern von populistischen heiligen Männern nur so wimmelte. Wang Drugay verkleidete sich gerne als Nonne, um sich Einlass in Frauenklöster zu verschaffen und die Nonnen zu beglücken. Im Ernst!

Eine der Nonnen wurde schwanger. Der Zutritt zum Nonnenkloster war Männern verwehrt, also gelangte die Äbtissin zu der logischen Schlussfolgerung, dass sich ein männliches Wesen in ihre Gemeinschaft eingeschlichen hatte. In dem Versuch, den Übeltäter auszuräuchern, im wörtlichen wie übertragenen Sinn, ordnete sie an, ein Feuer zu entzünden; alle Nonnen sollten sich einem spirituellen Reinigungsritual unterziehen und über die Flammen springen. Dabei mussten sie ihren Habit raffen, damit er nicht vom Feuer erfasst wurde. Mithilfe dieser List hoffte sie, den Schwerenöter zu entlarven.

Wang Drugay band eine Schnur um Penis und Hoden, die er über den Rücken zog und um den Hals verknotete, sodass seine Geschlechtsteile zwischen den Beinen verborgen blieben. Als die Reihe an ihm war, über das Feuer zu springen, versengten die Flammen die Schnur und sein Gemächt fiel der Schwerkraft zum Opfer, für jedermann sichtbar. Alle waren entsetzt, mit Ausnahme der Nonnen, die er beglückt hatte und die sich tunlichst den Anschein gaben, entrüstet zu sein.

Die Geschichte hatte ich bereits von anderen gehört. Die Bhutaner lieben Wang Drugay und jeden, der ungestraft davonkommt oder dem System ein Schnippchen schlägt. Bhutan ist das Land, in dem die Bilderstürmer der Welt reinkarnieren.

Die Geschichten von Baje und Wang Drugay, aber auch meine eigene spirituelle Reise von West nach Ost erinnern mich daran, dass wir alle auf unsere ureigene Weise und entsprechend unserer individuellen Lebensumstände danach streben, glücklich zu sein oder unser Los zu verbessern; das scheint ein tief verwurzeltes Bedürfnis zu sein. Ich denke, dass Glück und Erfolg im Leben für jeden von uns etwas anderes bedeuten.

Ich schätze mich glücklich, in einem Land leben zu dürfen, in dem das »Bruttosozialglück« als unumstößliches soziales Experiment erachtet wird. Die Entscheidung der Regierung, den Weg des Glücks zu gehen, trägt bei den Bhutanern zu einem Gefühl der tiefen inneren Zufriedenheit bei, das sich überall widerspiegelt. Ich habe außerdem das Glück, in den USA geboren und aufgewachsen zu sein, einem Land, in dem der Kapitalismus den höchsten Stellenwert einnimmt. Amerika ist noch heute eine der reichsten Nationen der Welt und die Lebensqualität ist dort sehr hoch. Ich bin daher in der Lage, die beiden Lebensphilosophien miteinander vergleichen zu können.

In einer kapitalistischen Gesellschaft sind die Menschen darauf bedacht, mit allen erdenklichen Mitteln Geld anzuhäufen. Dabei vergessen sie, dass Geld in Wirklichkeit nur dazu dient, sich den Wunsch nach Glück zu erfüllen. Das war mir zunächst nicht bewusst und mir war genauso wenig klar, wie unerbittlich das soziale System im Westen, das auf die unternehmerische Initiative des Einzelnen ausgerichtet ist, sämtliche Bereiche des Lebens durchdringt. Um das zu erkennen, musste ich erst in ein Land übersiedeln, in dem die Menschen ihre Entscheidung nicht allein auf der Grundlage wirtschaftlicher Erwägungen treffen.

Die Bhutaner verstehen sich nicht sonderlich gut darauf, Geld anzuhäufen, aber sie sind mit Sicherheit glücklicher als viele Menschen im Westen.

Es gefällt mir, dass ich beide Seiten haben kann. Ich weiß, wie es ist, Amerikanerin zu sein, und trotz des elften September und aller Endzeitszenarien ist Amerika ein großartiges Land. Aber ich liebe Bhutan und bin glücklich, dass mich das Schicksal hierher verschlagen hat.

Da das Streben nach Glück zu den Eigenschaften gehört, die allen Menschen gemein ist, habe ich mich seit geraumer Zeit damit beschäftigt, dem Begriff »Glück« auf den Grund zu gehen und dabei folgende Beobachtungen gemacht:

Auf dem Weg zum Glück werden wir vermutlich bis zu einem gewissen Grad mit physischem Leid und Entsagung konfrontiert. Ich halte nichts von Opfermentalität und Masochismus, wohlgemerkt. Doch sobald wir uns für den Weg des Glücks entscheiden – der seltener eingeschlagen wird, breiter angelegt ist oder wie immer Sie sich den Weg zu Ihrer persönlichen Glückseligkeit vorstellen –, sollten wir mit dem einen oder anderen Übel rechnen. Ironischerweise sind es genau diese widrigen Umstände, deren Überwindung ein Glücksempfinden auslöst. Wir sollten daher vermeiden, Glück mit Komfort zu assoziieren.

Im Westen sind wir geradezu versessen darauf, ein bequemes Leben zu führen. Ich wage zu behaupten, dass Behaglichkeit eine Umleitung auf dem Weg zum Glück ist, die nichts mit wahrem Glücksempfinden zu tun hat. Wir haben genug zu essen und obwohl das eigentlich ein Grund sein sollte, ein gewisses Maß an Zufriedenheit zu verspüren, bleibt dieses Gefühl aus. Während wir kollektiv den Gürtel lockern und versuchen, unsere Zehen zu berühren, stellen wir fest, dass wir zwar in einer Wohlstandsgesellschaft leben, uns aber keineswegs wohl in unserer Haut fühlen. Wir sind zu dick und leben ungesund. Um den Frust zu kompensieren, kaufen wir ein. Und auf dem Heimweg von der Shoppingtour besorgen wir uns etwas zu essen.

Wir sind nicht nur nach physischem Wohlbehagen süchtig. Das geht so weit, dass wir uns angewöhnt haben, die Augen vor unliebsamen Tatsachen zu verschließen. Bhutaner wissen im Durchschnitt wesentlich mehr über die Welt als die Amerikaner oder viele Menschen im Westen; sie sind bereit, Unannehmlichkeiten oder zumindest einige taktische Manöver in Kauf zu nehmen, um sich über die globalen Ereignisse auf dem Laufenden zu halten. Bhutan ist ein kleines, fragiles, verletzliches Land. Es ist daher unerlässlich, dass die Bewohner ihre politischen Widersacher kennen und wissen, was im Rest der Welt vor sich geht. Amerikanern und vielen anderen Nationen des Westens ist dieses Gefühl der Dringlichkeit fremd. Was wir erfahren, wenn wir über unseren Tellerrand – oder unsere Küsten – hinausblicken, ist häufig unangenehm und beunruhigend. Es ist viel bequemer, die neuesten, nicht immer wahrheitsgemäßen Schlagzeilen über Prominente zu verfolgen, als sich vor Augen zu führen, was in China, im Süden des Sudans oder gleich welchen Krisenregionen der Erde geschieht. Dabei haben die Ereignisse in China oder im Sudan weit größere Auswirkungen auf uns, weil sie real sind.

Es ist immer die gleiche Geschichte. Der englische Schriftsteller John Donne sagte einmal: »Kein Mensch ist eine Insel, in sich selbst vollständig; jeder Mensch ist ein Stück des Kontinents, ein Teil des Festlands, (...) Der Tod eines Menschen mindert mich, weil ich in die Menschheit eingewoben bin; und darum verlange nie zu wissen, wem die (Toten-)Glocke schlägt; sie schlägt für dich.«

Das gilt heute in noch höherem Maße als 1624, als Donne diese Zeilen schrieb. Wir haben mehr und nachhaltigere Möglichkeiten, uns in dieser Welt miteinander zu vernetzen und uns gegenseitig auf positive Weise zu beeinflussen, in guten wie in schlechten Tagen. Sich damit zu befassen mag unbequem und unerfreulich sein, doch wir sollten Achtsamkeit üben, verfolgen, was im Rest der Welt geschieht und uns aktiv in das Leben anderer Menschen einbringen.

Misserfolge sind eine natürliche Folge des Glücksstrebens, doch infolge unseres Hangs, uns national abzuschotten, ist uns das intuitive Wissen verloren gegangen, dass klein schön und weniger mehr sein kann. Die Amerikaner und viele Menschen im Westen tendieren dazu, Dinge anzuhäufen, zu mehren, alles in Übergröße, wenn es geht, und ständig Neues zu erwerben, je mehr, desto besser – größere Häuser, größere Hosen, größere Autos, mehr technischen Schnickschnack, ein weiteres Stück vom Kuchen – und dabei immer mehr Ozon zu verbrauchen. Unsere ökonomischen Probleme sind ein anschaulicher Beweis für diesen Trend, aus dem Vollen zu schöpfen. Eine solche Lebensweise ist auf Dauer unhaltbar. Das ist inzwischen allen bewusst.

Aufgeben, loslassen, Verzicht üben, Ballast abwerfen, das alles kann frei und glücklich machen, auch wenn Sie es nicht glauben. Fragen Sie sich einmal: Wie glücklich bin ich wirklich mit all den Besitztümern, die ich angehäuft habe? Haben sie mir innere Zufriedenheit, Glückseligkeit gebracht? Bin ich selig, wenn ich ein neues Set Handtücher gekauft habe? Und wenn ja, für wie lange?

Ich habe noch eine weitere Wahrheit im Hinblick auf das Glück entdeckt: *Letztendlich gibt es nur einen Menschen, der mich glücklich machen kann. Und das bin ich selbst.* Doch das wissen Sie bereits. Wenn andere Menschen Sie glücklich machen – wunderbar, das ist ein zusätzliches Geschenk. Aber wir setzen die Menschen, die wir lieben, über alle Maßen unter Druck, wenn wir sie für unser Glück verantwortlich machen. Was mich zum letzten Punkt meiner Überlegungen bringt: *Glück leitet sich nicht aus äußeren Umständen her, sondern wurzelt darin, wie man die äußeren Umstände betrachtet. Glück kann nur im Innern des Menschen seinen Anfang nehmen.* Mit anderen Worten, die innere Einstellung ist entscheidend. Man kann sich eine Einstellung, die Glücksgefühle begünstigt, angewöhnen, genauso wie unsere Mütter uns angewöhnt haben, sich vor dem Essen die Hände zu waschen.

Wichtig ist vor allem, über den Tod nachzudenken. Nach Möglichkeit mehrmals am Tag. Das bringt Klarheit. Es ist eine Abkürzung auf dem Weg zum Glück, denn wir nehmen zahllose Umwege in Kauf, um den Gedanken an unser Ende zu vermeiden; wenn wir uns darauf konzentrieren, festigen wir unsere innere Einstellung. Eine gefestigte Einstellung macht uns nicht glücklich, aber bereitet die Bühne für das Glück vor. Genau wie man sich angewöhnen kann, den Tod in seine Gedanken einzubeziehen, kann man sich angewöhnen, Dankbarkeit zu bezeugen. Wenn wir zwei gesunde Arme und Beine haben, sollten wir dankbar dafür sein. Wenn nicht, sollten wir dankbar für jeden Atemzug sein, und ihn genießen. Halten Sie nach Dingen Ausschau, für die Sie dankbar sein können; seien Sie dankbar dafür, dass Sie leben.

Ein Land, in dem es keine Probleme gibt.
Glaubst du, dass ein solches Land existiert, Toto?
Es muss existieren.
Es ist kein Land, in das man mit einem Schiff
oder mit einem Zug gelangt.
Es ist weit, weit entfernt.
Hinter dem Mond, auf der anderen Seite
des Regens.

L. Frank Baum,
Der Zauberer von Oz

ZEREMONIE

Ein wichtiger Bestandteil des Lebens in Bhutan ist das Ritual der Danksagung, für das man lange und beschwerliche Wege auf sich nimmt. Je größer die Entfernung und je mühevoller sie zu bewältigen ist, desto mehr Pluspunkte sammelt man für sein Karma. Es ist Mai und wir begeben uns auf die Reise zu einer *Puja* nach Bumthang; das Auto ist randvoll beladen mit Nahrungsmitteln, Geschenken, Bettzeug, einem Zelt und einem Sammelsurium weiterer Dinge, die für die Fahrt quer durchs Land unentbehrlich sind. Wenn man sich in Bhutan auf eine Reise begibt, sieht man sich gezwungen, den halben Hausstand mitzuschleppen. Es ist schließlich nicht so, dass man unterwegs in regelmäßigen Abständen ein Holiday Inn findet. In regelmäßigen Abständen gibt es hier gar nichts.

Namgay sitzt am Steuer und ich kann mich entspannen. Er stimmt ein Gebet für unsere Sicherheit an und der monotone Singsang lullt mich ein, genau wie der strahlende Sonnenschein und das gleichbleibende Motorengeräusch des Wagens, den er nach links und rechts durch die Kurven manövriert. Auf den gewundenen Passstraßen durch die Berge fühle ich mich ähnlich hypnotisiert wie eine Schlange von der Flöte des Schlangenbeschwörers. Alle neun Sekunden sieht man sich einer Haarnadelkurve gegenüber; infolgedessen hat man den Eindruck, dass man nie richtig vorwärtskommt. Doch dank irgendeiner abartigen Mutation meiner DNA finde ich es herrlich, mich in einem entlegenen

Winkel der Erde treiben zu lassen. Es hat mir schon immer Spaß gemacht, mit dem Auto zu verreisen, und je exotischer die Gegend, desto besser. Als Kind besuchte ich während der Sommerferien meine Großeltern, die an verschiedenen Orten in Mittel- und Südamerika lebten, je nachdem, wo mein Großvater gerade stationiert war. Er war Straßenbauingenieur und muss das gleiche Bedürfnis gehabt haben, sich treiben zu lassen. In Nicaragua flog er in einem Hubschrauber zu einer Dschungellichtung, um sich über die Fortschritte bei einer im Bau befindlichen Straße zu informieren, und während der große Vogel über ihnen kreiste, hackten die Dorfbewohner, die sich im starken Luftstrom der Rotoren kaum auf den Beinen halten konnten, im hohen Gras eine Landepiste frei. Wer schon einmal im Schlamm des philippinischen Dschungels stecken geblieben oder außerhalb von Teheran in einem Konvoi gefahren ist, ist auch für die obskuren, wenig benutzten Wege im Leben gerüstet. Der Wagen gerät ins Schlingern, als Namgay mit einer Geschwindigkeit von dreißig Kilometern pro Stunde eine weitere Haarnadelkurve nimmt und mich aus meinen Gedanken aufscheucht wie den kleinen Vogel, ein Rotschwänzchen, der sich vor unserem Wagen flatternd in die Lüfte erhebt.

»Warum fliegen diese kleinen Vögel immer vor dem Auto herum?«, will ich von Namgay wissen.

»Sie versuchen, uns von ihren Nestern wegzulocken.«

Ich habe keine Ahnung, ob er sich die Antwort ausgedacht hat, und bin zu träge, um es herauszufinden.

»Wann sind wir da?«, frage ich.

»Bald. In ungefähr fünf Minuten.« Das ist ein Standardwitz in unserer Familie, mit dem man die elastische Eigenschaft der bhutanischen Zeit zur Kenntnis nimmt. Es dauert mit Sicherheit noch weitere fünf Stunden, bis wir in Trongsa ankommen, wo wir die Nacht verbringen wollen. Dass es in diesem zerklüfteten, gebirgigen Gelände überhaupt eine Straße gibt, grenzt schon an ein Wunder. Zum größten Teil im Auftrag der bhutanischen und indischen Armee und mithilfe bhutanischer, indischer und nepalesischer Arbeiter von Hand erbaut, stellt diese Straße eine technische Leistung ersten Ranges dar. Vor den 1960er-Jahren gab es hier nur Maultierpfade, die sich kreuz und quer durch die Berge zogen. Dementsprechend dauerte es Monate, von einem Ende des Landes ans andere zu gelangen. In Ermangelung von Brücken mussten die Reisenden Seile benutzen, um Flüsse zu überqueren, waren den Angriffen wilder Tiere und harschen Wetterbedingungen ausgesetzt, die beiden größten Gefahren für alle, die in dieser unwirtlichen Gegend unterwegs waren.

Namgay erinnert sich noch daran, wie es war, als die Straße unweit seines Heimatdorfes in Trongsa gebaut wurde. Er war damals etwa acht Jahre alt. Einige Leute ergriffen die Flucht, als das erste motorisierte Fahrzeug, ein indischer Mahindra-Jeep, auftauchte; mit seinen zornig blitzenden Scheinwerfern und dem ohrenbetäubenden Lärm der Hupe jagte er den Dorfbewohnern einen Mordsschrecken ein. In einem Land, das in der Luftlinie auf eine Breite von 320 Kilometern begrenzt ist, hat die quer verlaufende Straße, die von Ha im Westen bis zum Chorten Kora im Osten verläuft und sich um die Berghänge schlängelt, eine Länge von 480 Kilometern. Der Dzong von Trongsa, eine mächtige Klosterfestung, wird zu einer optischen Täuschung, die einem abwechselnd nah und unendlich fern vorkommt, wenn die Straße im Zickzack verläuft. »Der Dzong von Trongsa hält die Menschen zum Narren«, sagt Namgay.

Manchmal ist die Straße breit, eineinhalbspurig, gepflastert und in gutem Zustand. Doch meistens besteht sie nur aus Schlaglöchern. Gelegentlich verengt sie sich zu einem einspurigen Schotterweg. Und manchmal verschwindet sie ganz, wenn sie von einem Erdrutsch weggerissen wurde. Die Straße ist eine Lebensader in Bhutan. Sie steht allem und jedem offen: Pkws, Lkws, Autobussen, Hunden, Kühen, Menschen, Bambus, landwirtschaftlichen Erzeugnissen und Yaks.

Wenn jemand eine Art Besitzrecht geltend machen könnte, wären es noch am ehesten die *Tata*-Lastkraftwagen, die mit viel Getöse und allem Anschein nach ohne Auspufftopf durch das Gebirge brettern, um Waren und bisweilen menschliche Fracht von einem Ort zum anderen zu befördern. Bunt bemalt mit folkloristischen Motiven, religiösen Symbolen und anthropomorphen Augen über den Scheinwerfern, die knalligen Primärfarben hier und da durch Dellen, Rost und fehlende Blechteile unterbrochen, sehen sie aus, als kämen sie direkt von einem Karnevalsumzug, wie er während der 1950er-Jahre in den Südstaaten der USA üblich war. Sie transportieren Lasten von unvorstellbarem Ausmaß kreuz und quer durch ganz Bhutan, mit Planen abgedeckt und mit Hanfseilen verzurrt, die aussehen, als würden sie jeden Moment reißen. Manchmal werden sie so hoch gestapelt, dass die Lastwagen Mühe haben, das Gleichgewicht zu halten, und in den Haarnadelkurven bedrohlich schlingern.

Die *Tata*-Fahrer sehen aus, als wären sie nicht älter als zwölf; ihre dunklen Augen sind wachsam und hart, die Arme bärenstark und sehnig.

Ich rezitiere frei Passagen aus dem Gedicht »May« des englischen Naturdichters John Clare, das ich in der achten Klasse auswendig lernen musste, nur dass ich jetzt die Fensterscheibe herunterkurbele, um mit der Hand den Takt zu schlagen und die Verse im Hip-Hop-Stil vorzutragen:

The driving boy beside his team
Of May-Month beauty now will dream
And oft burst loud in fits of song
And whistle as he reels along
Cracking his whip in starts of joy
A happy dirty driving boy
I said a happy dirty driving boy
That's right a happy dirty driving boy
Dirty birdy driving boy

Namgay ignoriert meine Darbietung. Er ist an mein seltsames Verhalten gewöhnt.

Auf dem Beifahrersitz der *Tata* fahren noch jünger wirkende Gehilfen mit, die sogenannten *Handi-boys*. Sie sind unverzichtbar, dienen als zusätzliches Paar Hände und Augen (wie der »driving boy« in dem Gedicht). Wenn einer der Jumbo-Lkws ein waghalsiges Manöver ausführen muss, trommeln sie gegen die Seite oder Rückwand des Lastwagens, um den Fahrer zu dirigieren, während er den Rückwärtsgang einlegt oder ein anderes Fahrzeug haarscharf passiert. Bum-BUM! Bum-BUM! Bum-BUM! Sobald das Trommeln aufhört, bleibt der

Fahrer stehen. Dass die *Handi-boys*, die Gebieter der Straße, in deren Hände die Lastwagenfahrer und wir unser Leben und das Wohl aller Insassen legen, oft erst acht Jahre alt sind, ist ein Wunder.

Autobusse haben ebenfalls *Handi-boys*. Sie lesen die Dorfbewohner am Straßenrand auf, verstauen sie im Innern und ihre Bündel auf dem Dach. Es kostet weniger als zehn US-Dollar, von einem Ende des Landes zum anderen zu fahren. Man sollte bei einer Busreise durch Bhutan, die als Fernreise gilt, jedoch keinerlei Komfort erwarten. Es ist eine anstrengende Fahrt, die fünf Tage dauert, und wenn der Bus eine Panne hat oder die Straße weggespült wurde, womit man mehr oder weniger immer rechnen muss, nimmt sie weit mehr Zeit in Anspruch.

Jedes Vehikel wird bis an die Grenzen seiner Kapazität mit Fahrgästen und Zubehör beladen. Stadtbewohner, die schon seit vielen Jahren in Thimphu leben, betrachten das Dorf, in dem sie geboren wurden und aufgewachsen sind, noch immer als ihre Heimat; sie fahren häufig nach Hause, um Verwandte zu besuchen oder an der alljährlich stattfindenden Familien-*Puja*, Geburtsfeiern und Beisetzungen, Volkszählungen und Wahlen teilzunehmen. Da viele Bhutaner in entlegenen Ansiedlungen weitab von der Straße wohnen, müssen sie das Fahrzeug oft abstellen und Stunden oder Tage zu Fuß weiterlaufen, um in ihr Dorf zu gelangen.

Im Sommer stößt man oft auf wild wachsende essbare Pflanzen und Pilze zu beiden Seiten der Straße. Sie bieten eine willkommene Gelegenheit, eine Rast einzulegen, auszusteigen und sich die Beine zu vertreten. Es gibt nur wenige Restaurants außerhalb der Städte, sodass man gut beraten ist, Proviant mitzunehmen. Jeder macht gerne Picknick an einem idyllischen Plätzchen. Toiletten gibt es natürlich keine. Es herrscht die stillschweigende Regel, dass sich die Männer bei einem Boxenstopp an der Vorderseite und Frauen an der Rückseite des Vehikels ins Gebüsch schlagen.

Die Straße, die im Osten von Thimphu aus der Stadt herausführt, verläuft ungefähr eine Dreiviertelstunde lang steil aufwärts zum Dochula-Pass, der sich in einer Höhe von 3900 Metern befindet. Wie alle Pässe in Bhutan ist auch auf dem Dochula-Pass ein mehrere Hektar großes Areal den bunten Gebetsfahnen vorbehalten. Es bringt Glück, Gebetsfahnen hoch oben auf einem Berg zu errichten. Der Wind, der in diesen Höhen beständig weht, trägt die Gebete zum Himmel; das ununterbrochene Flattern der Wimpel sorgt für eine wunderbare, gleichbleibende Geräuschkulisse.

Auf dem Pass nimmt Namgay seine Baseballkappe ab, um den Berggottheiten seine Ehrerbietung zu erweisen, und spricht ein kurzes Gebet. Wir halten an, um die Aussicht zu genießen. An einem klaren wolkenlosen Tag wie heute kann man die Gipfel des Himalaja erkennen, die mit einer Schneehaube bedeckt sind und sich über Hunderte Kilometer erstrecken. Der Gasa Dzong schmiegt sich wie ein strahlend weißer Vogel an einen Berghang in weiter Ferne und am Horizont kann man die Berge Tibets erkennen.

Ashi Dorji Wangmo Wanchuk, die älteste Königinmutter, hat einhundertacht *Stupas* auf einer Kuppe an der höchsten Stelle des Passes errichten lassen. Das Bild, das sich dem Auge bietet, könnte das Ergebnis einer Verhüllungsaktion des Objektkünstlers Christo sein, falls er zum tantrischen

Buddhismus übertreten würde. Mit ihren weißen, luftgetrockneten Lehmziegeln sind sie ungefähr eineinhalb Meter hoch und die rotgoldenen Dächer glitzern in der klaren Bergluft. Mit ihren zahlreichen Gebetsfahnen, die überall aufgereiht sind, berühren sie mich zutiefst; sie wurden zu Ehren ihres Gemahls errichtet, des vierten Königs von Bhutan, der im Jahr 2003 eine Armee anführte, um mehrere Tausend indische Aufständische zu vertreiben, die sich in den dschungelartigen Wäldern im Süden Bhutans verschanzt hatten. Obwohl die Inder die politische Unabhängigkeit des Landes bedrohten, wurde es zum Gedenken aller Gefallenen erbaut, auch der indischen, die bei dem Feldzug ihr Leben verloren.

Diese Frau verfügte über die Möglichkeiten, den Raum und die Ressourcen eines ganzen Landes, um ihrem Mann, einem aufgeklärten Monarchen, ein imposantes Denkmal zu setzen. Ein Monument, das den Vergleich mit dem Taj Mahal nicht zu scheuen braucht, das der Großmogul Shah Jahan zum Gedenken an seine geliebte verstorbene Hauptfrau Mumtaz Mahal errichten ließ. Beide zeichnen sich durch ihre biblischen Ausmaße und einen prunkvollen Symbolismus von epischer Breite aus. *Wir leben in einem kleinen Land, jedoch umgeben von Erhabenheit und Größe,* denke ich.

Eine Ziegenherde hat sich an die Fersen einer Reisegruppe geheftet, die ihr Picknick beendet hat, zwei junge Männer und zwei junge Frauen, die gerade dabei sind, ihre Körbe wieder im Auto zu verstauen. Die Ziegen betteln um Futter wie Hunde. Einer der Männer dreht sich um und ärgert das größte Tier, einen kräftigen weißen Geißbock. Er wedelt mit seiner Jacke wie ein Torero und der reizbare Bock senkt den Kopf und geht auf ihn los, versetzt ihm einen kurzen, heftigen Stoß ins Gesäß. Er hätte größeren Schaden anrichten können, doch das war offenbar nur eine Warnung, um zu zeigen, wer der Boss ist. Alle lachen, der Herausforderer eingeschlossen, aber er verzichtet darauf, das Tier noch weiter zu reizen.

Auf der anderen Seite des Dochula-Passes folgen wir der Straße, die sich in einen Wald hinunterschlängelt und durch Reisfelder in Richtung Punakha führt. In weniger als einer Stunde hat sich das Wetter völlig verändert. Nach der kühlen Bergluft gelangen wir in eine subtropische Klimazone: Die Temperatur zeigt einen Unterschied von dreißig Grad auf dem Thermometer an. Wenn man in Bhutan mehrere Schichten Kleidung übereinander trägt, ist man immer gut beraten. Während ich mich im fahrenden Auto aus meinem Pullover winde, kommen wir an einer Mutter vorbei, die ihr Baby in einem Eimer am Straßenrand wäscht.

Hoch über dem Asphalt, in den äußeren Grenzbereichen der Atmosphäre, sprenkeln Klöster und Tempel die Felsen und Berghänge. Ich entdecke immer wieder Bauwerke, die meiner Aufmerksamkeit bisher entgangen sind, obwohl ich diese Straße schon oft entlanggefahren bin. Sie sind so weit oben in den Bergen verborgen, dass eine Biegung der Straße, eine halbe Sekunde Unaufmerksamkeit, aber auch ein Schatten oder eine Wolke ausreichen, um sie dem Blick für immer zu entziehen.

Wir nähern uns der Gebetsmühle, die am Straßenrand über einem Gebirgsbach errichtet wurde. Viele halten hier an, um ihren Wagen zu waschen, daher nennen wir die Stelle die bhutanische Autowaschanlage. Unser Auto ist sauber, deshalb fahren wir weiter, den Berg hinab.

Hier beginnen die hügeligen Terrassen mit Orangenbäumen, Poinsettienbüschen und Reisfeldern, so weit das Auge reicht. Die Wände der Bauernhäuser, auf halber Höhe errichtet, sind blendend weiß im Sonnenlicht. Linkerhand, an der Abzweigung nach Punakha, thront der Chimi Lhakhang, der von Drukpa Kunley errichtete Tempel, auf einer Bergkuppe. Es heißt, wenn sich eine Frau im Chimi Lhakhang segnen lässt, wobei sie mit einem großen hölzernen Phallus am Kopf berührt wird, wird sie in absehbarer Zeit ein Kind gebären. Unmittelbar hinter Punakha, bevor wir die Brücke überqueren und wieder bergauf Richtung Wangdue fahren, halten wir am Hotel Dragon Nest, um in dem Restaurant zu Mittag zu essen. Namgay verdrückt zwei Teller Nudeln, die in einer scharfen Soße schwimmen. Ich mag weder diese höllisch scharfe indische Soßenmarke noch diese Etappe der Fahrt. Ich hadere mit mir, weil ich ein paar Kilometer vorher feststellen musste, dass ich meine Wanderstiefel vergessen habe.

Ich trinke eine Orangenlimonade und Namgay meint, ich müsse mehr essen, statt mich mit einer zuckerlastigen Cola in Knallfarben zu begnügen. Ich habe keinen Appetit, die Wirkung des Zuckers setzt schlagartig ein und ich empfehle ihm, sich um seinen eigenen Kram zu kümmern. Es ist schließlich nicht so, dass ich jeden Tag dieses süße Zeug in mich hineinschütte, nicht einmal jeden Monat. In einem Restaurant zu sitzen, in dem wir die einzigen Gäste sind, auf Gedeih und Verderb einem Personal ausgeliefert, das sich erkennbar wünscht, wir würden endlich das Weite suchen, hat meine ohnehin schon schlechte Laune auf den Nullpunkt gebracht. Abgesehen davon ist die Autofahrt anstrengend, aber Namgay will ja unbedingt durchfahren.

Wir kehren zum Auto zurück, sitzen stoisch nebeneinander und sprechen kilometerlang kein Wort miteinander. Plötzlich beginnt er zu lachen. »Wir sind *Saagays*«, sagt er. Idioten.

»Warum?«

»Weil wir grundlos streiten.«

»Tut mir leid«, sage ich und wir sind wieder versöhnt.

In der kleinen Stadt Wangdue säumen Hotels, Bars und Läden die Straße, die in Stufen entlang der Kammlinie des Berges verläuft. Mit ihren krummen und schiefen Winkeln sehen die Gebäude aus, als könnten sie jeden Moment einstürzen. Das Einzige, was ihnen Halt zu geben scheint, ist die frische Anstrichfarbe und die bhutanischen Wandmalereien, die man überall findet. Sie wurden so dicht an der Straße errichtet, dass man Gefahr läuft, im Wohnzimmer eines der Bewohner zu landen, wenn man beim Fahren nicht achtgibt. Überall sieht man Kunden, die miteinander plaudern, oder kann Gäste in den spärlich beleuchteten Restaurants beim Essen und Trinken beobachten. Eine Kulisse wie aneinandergereihte Bühnenbilder in einem Theaterstück, an denen wir langsam vorüberfahren.

Unterhalb des historischen Stadtkerns von Wangdue entsteht ein neues Stadtzentrum, das mehr Platz und eine bessere Anbindung an Punakha bietet. Es liegt außerdem näher am Fluss. Auch das Stadtzentrum von Punakha wurde in einen Außenbereich verlegt, der größer und flacher ist und mehr Raum für Wachstum bereithält.

Nach Wangdue wird die Straße tückischer, schlängelt sich durch die Berge in Richtung Trongsa. Diese Strecke haben riesige Affenherden, Kühe und Straßenarbeiter in Besitz genommen, die ihre Rattanhütten oft nur eine Handbreit von der Straße entfernt und manchmal sogar darauf errichtet haben. Wir halten an und beobachten eine Affenmutter mit ihrem Jungen, die uns argwöhnisch beobachtet. Dann ergreift sie die Flucht, verschwindet zwischen den Bäumen.

Wir kommen zu einer Stelle – etwa fünfzehn Meter lang –, an der die Straße unpassierbar, das heißt weggebrochen und in die darunter liegende Schlucht gerutscht ist. Die indische Armee hat die Aufgabe, die Straßen in Bhutan instand zu halten, deshalb werden indische und nepalesische Arbeiter ins Land gebracht. Diese verlorenen Seelen, in Lumpen gekleidet und mit ausdruckslosem Blick, haben einen schmalen Weg unter einem Felsvorsprung gegraben, der als provisorische Durchfahrt dient, bis sie eine *Bailey Bridge* errichtet haben, eine Behelfsbrücke aus vorgefertigten Metallteilen, mit der eine Straße, in der ein Krater klafft, binnen kürzester Zeit wieder befahrbar wird.

Ich hebe instinktiv die Füße und halte die Luft an, als Namgay den Wagen durch den glitschigen Schlamm lenkt. Auf der rechten Seite, der Fahrerseite, schrammen wir haarscharf an der Felswand vorbei. Ich kann nicht umhin, nach links zu blicken. Auf meiner Seite klafft ein tiefer Abgrund und ich denke an den Tod. Ich kann nur die Wipfel der Bäume erkennen, ungefähr hundertfünfzig Meter unter uns.

Nachdem wir die Stelle passiert haben, hält Namgay an, um ein Wort mit dem Vorarbeiter zu wechseln. Sie sprechen Nepali und was sie sich zu sagen haben, klingt ziemlich düster. Heftige Regenfälle, vor zwei Tagen niedergegangen, sind für den Erdrutsch verantwortlich. Eine Familie – Mutter, Vater und zwei Kinder – in einem Maruti-Van hatten das Pech oder schlechte Karma, sich just in dem Moment an der Stelle zu befinden, als das Verhängnis seinen Lauf nahm. Sie wurden in die Schlucht mitgerissen, das Fahrzeug unter den Schlammmassen begraben. Es musste von den Straßenarbeitern ausgegraben werden. Mich schaudert.

Erdrutsche sind in der Regenzeit an der Tagesordnung. Die Leute gehen oft um die Schuttberge herum und tauschen das Fahrzeug mit Personen, die aus der angestrebten Richtung kommen. Einmal gab es einen besonders heimtückischen Erdrutsch in der Nähe von Phuentsholing, der einen riesigen, zehn Meter tiefen V-förmigen Krater hinterließ und die Straße mitriss. Als wir an der Unglücksstelle eintrafen, warteten die Leute in einer langen Autoschlange darauf, die ihnen zugewandte Seite des Vs hinunterzuschlittern, ein Fahrzeug nach dem anderen, um auf den Grund der Senke zu gelangen, wo sich ein großer gelber Caterpillar-Traktor hinter jeden einzelnen Wagen klemmte, um ihn an der anderen Seite wieder hochzuschieben.

Direkt hinter dem Erdrutsch erreichen wir eine Umleitung, die nach Gangtey führt, eine mittelalterlich wirkende Kleinstadt, die an einem Berghang erbaut wurde, mit einer krummen schmalen Straße und Häusern zu beiden Seiten. Auf dem Gipfel des Berges ragt der Dzong von Gangtey empor, bietet einen atemberaubenden Ausblick auf das breite, traumhaft schöne Tal von Phobjikha, das sich kilometerweit erstreckt. Hier geben wir ein Päckchen für einen der Mönche ab, einen Verwandten von Namgay, bevor wir die Fahrt in Richtung Pelela-Pass fortsetzen. Die Straße schlängelt sich durch fruchtbares Ackerland und Hartholzwälder. Sie gehören zum Distrikt Trongsa und den schwarzen Bergen, dem

Herzen von Bhutan. Hier weiden die Yaks im Winter, doch solange es noch nicht kalt genug ist, belässt man die Herden auf den höher gelegenen Bergwiesen. Überall in Trongsa legen die Bauern Bambusgewächse auf den Straßen aus, damit Pkws und Lkws darüberfahren. Das ist eine wirksame Methode, um die Halme zu spalten, die zu Matten und Körben verarbeitet werden.

Auf der Hälfte des Weges zur Stadt Trongsa befindet sich der Chendebji Chorten. Er wurde in einer kleinen Schlucht auf der rechten Seite der Straße errichtet und in den letzten Jahren haben sich ihm zahlreiche weitere *Chorten* und *Stupas* zugesellt.

»Halten wir an?«, frage ich, als wir den Chorten erreichen.

»Zwangsläufig«, erwidert Namgay.

Ich lache.

Er stellt den Motor ab und wir steigen aus. Ich nehme eine große Thermoskanne, zwei Becher und Kekse mit; dann setzen wir uns ins Gras, genießen den Tee und den Sonnenschein und beobachten das Schauspiel, das sich auf der Straße bietet.

Namgay lenkt meine Aufmerksamkeit auf einen zwitschernden Vogel ganz in der Nähe. Er erklärt, das sei ein *lhab bya*, den er noch aus seiner Kindheit kennt.

»Wenn er singt, brechen schwere Zeiten an«, sagt er.

»Warum schwer?«

»Weil der gesamte Reisvorrat des vergangenen Jahres verbraucht und der neue Reis noch nicht reif ist. Die Menschen hungern.«

Als der Vogel abermals singt, stelle ich fest, dass es sich um eine Nachtigall handelt. Sie hat ihren Nistplatz im Winter verlassen, um hierherzuziehen, wo der Frühling bereits begonnen hat. Als Kind ging Namgay mit leerem Magen zu Bett und lauschte die ganze Nacht dem Gesang der Nachtigall. Ich spüre, wie mich eine Welle der Traurigkeit erfasst. Es gibt so viele Dinge auf der Welt, gegen die ich nichts auszurichten vermag. Ich nehme mir vor, in Zukunft liebevoller zu sein.

Als wir das Jakar-Tal und Bumthang erreichen, ist es Mittag und wir fahren unverzüglich zum Jambay Lhakhang, dem uralten Tempel, in dem unsere Familien-*Puja* stattfindet. Es sind schon an die dreißig Personen eingetroffen, Verwandte und Freunde, und die Stimmung ist so heiter und ausgelassen wie bei einer Party. Überall wird gelacht und gescherzt, aber jeder ist beschäftigt, holt Wasser, putzt Gemüse oder packt Proviant aus. Es sieht aus, als schicke man sich an, eine ganze Armee drei Tage lang zu verköstigen.

Namgays Verwandte sind Beamte aus Thimphu und Dorfbewohner, die am Fuß des Berges in Chendebji leben. Einige stammen aus den umliegenden Ortschaften und ihr Alltag ist von Sonnenaufgang bis Sonnenuntergang mit Arbeit ausgefüllt.

Die *Puja* sollte eigentlich eine willkommene Pause von ihrem kräftezehrenden Tagwerk darstellen. Doch die Bhutaner aus Namgays Heimatdorf machen, im Gegensatz zu uns Menschen aus dem Westen, keinen Unterschied zwischen Freizeit und Arbeit. Ihre Freizeitaktivitäten sind oft genauso anstrengend wie die Arbeit, die sie verrichten, wie man nun sah. Obwohl eine *Puja* ein Fest ist, eine Abwechslung vom stets gleichbleibenden Alltag, sind die Vorbereitungen ein hartes Stück Arbeit.

Einige Männer haben sich draußen vor der Küche eingefunden und lassen einen großen Schlauch mit *Ara*, dem heimischen, aus Reis, Weizen oder Mais gebrannten Schnaps,
herumgehen. Andere gehen den Arbeitern und freiwilligen
Helfern beim Entladen und Einräumen der großen Körbe
und Jutesäcke mit Nahrungsmitteln zur Hand. Die Küche auf
dem freien Feld hinter dem *Lhakhang*, dem Tempel, befindet
sich in einem langen, niedrigen Lehmgebäude mit Blech-
dach. Auf dem großen Lehmofen in der Ecke stehen bereits
mehrere riesige Töpfe, deren Inhalt leise vor sich hin köchelt.
In der Mitte der Küche lodert ein offenes Feuer. Ein alter
Mann sitzt daneben und schärft ein großes *Kichu*-Messer, mit
dem das Fleisch tranchiert wird.

In den Leinensäcken unter dem Fenster stapeln sich mehr
als dreihundert Kilogramm Reis, vierzig Kilogramm Hühner-
fleisch, annähernd siebzig Kilogramm Rindfleisch, vierzig
Kilogramm Käse für das Nationalgericht *Ema Datse* (Chili mit
Käse), fast drei Kilogramm Tee, acht Kilogramm Zucker,
neun Kilogramm Milchpulver und vierzig Kilogramm Gemüse. Die Rindfleischberge in der Nähe – Schlegel, Rippchen
und verschiedene Körperteile, die von dem alten Mann, der
das Messer wetzt, zerlegt werden – wirken in einer so heiligen
buddhistischen Umgebung fehl am Platz. Im Buddhismus
wird die Unantastbarkeit aller Lebensformen großgeschrie-
ben, doch nicht alle Bhutaner sind Vegetarier. Sie essen gerne
Fleisch. Das ist vermutlich, wie so oft in Bhutan, eine Frage
des Überlebens. Fleisch enthält wertvolles Protein. Es ist
paradox, aber Tradition, den Mönchen viel Fleisch zukom-
men zu lassen, denn sie sind das wichtigste Element einer
Puja. Ohne sie kann die Zeremonie nicht stattfinden. Sie er-

halten ein Frühstück, am späten Vormittag Tee, Mittagessen, Nachmittagstee und Abendessen. Während ich draußen in der warmen Sonne sitze, höre ich ihren feierlichen Gesang, gefolgt vom unverkennbaren Klang des Muschelhorns.

Das Muschelhorn, das bei Ritualen geblasen wird, repräsentiert die Lehren Buddhas, die sich in alle Himmelsrichtungen verbreiten sollen. Sein Klang ist ein spiritueller Weckruf. Das Muschelhorn gehört zu den acht Glück verheißenden Symbolen. Man findet sie überall, auch an einer Wand im Innenhof des Tempels. Sie sind übereinander angeordnet, nehmen die ganze Seite einer Säule ein. Es gefällt mir, wie die Ikonografie den Menschen in Bhutan explizit oder intuitiv Wissen vermittelt. Eine Methode, die sowohl die Lehrerin als auch die Schülerin in mir befriedigt.

Die Zeremonie wird von mindestens 108 Mönchen abgehalten. 108 ist eine Glück verheißende Zahl. Doch sie wird nie genau eingehalten, weil manche Mönche in Begleitung von Freunden erscheinen. Neben den drei Bussen mit Mönchen, die aus dem Trongsa Dzong und einem Kloster in Bumthang angereist sind, müssen wir also bereit sein, jeden zu bewirten, der bei der *Puja* auftaucht.

Bumthang war die Heimat von Terton Pema Lingpa, dem Schatzfinder, der vor sechshundert Jahren lebte. Genau das war der Ort, wo ich vor fast zehn Jahren den Schulkindern und der rosa Ziege begegnete. Inzwischen bin ich Teil einer bhutanischen Familie, die eine *Puja* in einem der ältesten, schönsten und heiligsten Tempel des ganzen Landes abhält. Den Göttern im heiligsten Tempel Bhutans zu huldigen bringt Glück. Unsere Familie ist wohlhabend und gesund. Ein Grund mehr, den Göttern zu danken.

Die Wände der verschiedenen Altarräume sind schwarz vom Räucherwerk und den Butterlampen, die hier seit Tausenden Jahren entzündet wurden. Verblasste Bilder, vor Jahrhunderten gemalt, sind im Kerzenlicht nur noch schwach erkennbar. Es ist nicht die opulente Ausstattung, die diesem Ort eine ganz besondere Atmosphäre verleiht, obwohl die Statuen, Gebetstexte und Ritualgegenstände von unschätzbarem Wert sein müssen, sondern das spürbare emotionale und spirituelle Wohlbefinden, das er in allen Anwesenden hervorruft. Draußen praktizieren zwei alte Frauen Niederwerfungen zu Ehren der Gottheiten.

Am nächsten Morgen stehen wir noch vor dem Morgengrauen auf und begeben uns zum *Lhakhang*. Wir tragen *Gho* und *Kira*, da es beim Betreten des Tempels vorgeschrieben ist, und weiße Zeremonienschals. Ich habe keine offiziellen Verpflichtungen, deshalb ist es mir vergönnt, einfach nur im Tempel bei den Mönchen zu sitzen, zuzuhören und zu meditieren. Namgay verbringt die meiste Zeit damit, das Essen zuzubereiten und das Auftragen der Mahlzeiten zu organisieren. Zusätzlich zu den Mönchen kommen jeden Tag sechzig hochbetagte Bhutaner in den Tempel, um zu beten und unter Leute zu kommen. Das ist in allen bhutanischen Tempeln gang und gäbe; sie dienen als eine Art Tagesstätte für Senioren. Die alten Männer und Frauen beten für ihre Familien und für die Mönche. Sie stimmen das »*Om mani padme hum*« an, das Gebet an Chenrezig, den Buddha des Mitgefühls. Er ist derjenige, der ihnen beim Übergang in das nächste Leben zur Seite steht, wenn sie sterben.

Wir verköstigen die alten Leute, die Mönche, unsere Familie, Pilger, die in den *Lhakhang* gekommen sind, und alle, die sonst noch hereinschneien. Zum Glück haben die meisten Dorfbewohner in Bhutan ihr Essgeschirr immer dabei, in ihren *Hemchus*, den ausladenden Taschen oberhalb des breiten Gurtes, der *Gho* und *Kira* zusammenhält. Das entspricht einer alten Tradition.

Die *Puja* ist ein Ausdruck des Glaubens und der Hoffnung für die Zukunft. Wir erweisen den Gottheiten unsere Ehrerbietung und erbitten als Gegenleistung weiterhin ihren Segen. Den Ablauf der *Puja* zu beobachten ist interessant, denn darin spiegeln sich die Widerstandsfähigkeit und der Einfallsreichtum meiner bhutanischen Familie und ihrer Freunde wider. Mit den wenigen Mitteln, die ihnen zur Verfügung stehen, vollbringen sie wahre Wunder. Sie arbeiten hart und kämpfen mit Mut und Würde ums Überleben. In Bhutan leitet sich Reichtum nicht aus materiellem Wohlstand ab.

Während der dreitägigen *Puja* verfalle ich regelmäßig in Tagträume, wenn die Mönche singen, ihre rituellen Muschelhörner blasen und trommeln. Danach sitze ich in der Sonne oder gehe mit den alten Leuten im Außenbereich des Tempels spazieren. In meinem gebrochenen Dzongkha versuche ich, eine Unterhaltung in Gang zu bringen, und sie umringen mich, jeder möchte etwas zum Gespräch beitragen. Ich bin für sie ein Novum, ein Wesen von einem anderen Stern.

»Dein Dzongkha ist sehr gut!«, sagt eine alte Frau, was sehr nett ist, aber maßlos übertrieben sein dürfte.

Ich lächle. »Mein Dzongkha ist nicht gut«, entgegne ich wahrheitsgemäß.

»Du bist ganz schön dick!« Eine andere alte Frau hat meinen Oberarm ergriffen und damit genau die Stelle erwischt, wo ich verletzlich, sprich, zu meinem Leidwesen wirklich gut gepolstert bin. Doch in dieser Unterhaltung ist kein Platz für gekränkte Eitelkeit. Ich weiß, was ich zu antworten habe.

»Ist das ehrlich gemeint oder versuchen Sie nur, mir zu schmeicheln?«, frage ich. Jemanden als dick zu bezeichnen ist in den bhutanischen Dörfern keine Beleidigung, sondern ein Kompliment. Dick bedeutet nicht unbedingt »zu dick«, sondern gilt vielmehr als Zeichen von Gesundheit und Wohlstand.

»Keine Schmeichelei«, erwidert sie. »Ich meine es ehrlich. Du bist wirklich dick!«

»Danke, danke, danke!«, antworte ich. »Du bist auch sehr dick!« Sie lächelt schüchtern. Ihr Tag ist gerettet.

Gegen Ende der Liturgie, die aus Anrufungen der verschiedenen lokalen Gottheiten besteht – Guru Rinpoche, der Buddha des Mitgefühls, und andere, selbst die zornigen des buddhistischen Pantheons –, beginnen die Mönche und Lamas den zentralen Altar im Haupttempel zu umschreiten. Als sie sich erheben, stehe ich ebenfalls auf. Ein hoher Lama bedeutet mir mit einer Geste, mich hinter ihm in die Prozession einzureihen. Wir kommen an der Vorderseite des alten Altars mit den tausend Butterlampen vorüber, die auf einem großen Holztablett ihr flackerndes Licht verbreiten, und gelangen in einen schmalen Korridor neben dem Hauptaltar, den ich vorher noch nie bemerkt habe. Hier ist der Zederngeruch des brennenden Räucherwerks überwältigend und der Rauch, der die Sinne umnebelt, hüllt uns bis zur Taille ein.

Ein dunkler Gang führt hinter den Altar. Die Fensterschlitze in dem uralten Durchgang lassen gerade so viel Licht herein, dass man die Schatten erkennt, die die Füße der Mönche werfen. Ich habe das Gefühl, als würde ich auf ihren fließenden roten Roben mitgetragen. Der Steinboden ist kalt und uneben unter meinen bloßen Füßen. Als sich meine Augen an die Dunkelheit gewöhnt haben, entdecke ich Namgay und einen seiner Cousins, die vor mir gehen, umgeben von Mönchen. Vermutlich nimmt die ganze Familie an dem feierlichen Umzug teil.

Wir umrunden hundertacht Mal – die Glück verheißende Zahl – den zentralen Altar, ein altüberliefertes Ritual, das der spirituellen Reinigung dient, während die Mönche Gebete für unser Wohlergehen rezitieren. Das Echo der Stimmen klingt nach, wird von den Steinmauern zurückgeworfen. Danach treten wir ins Freie. Alle blicken zum Himmel empor, beschatten ihre Augen. Die Sonne ist von einem Regenbogen umkränzt.

Es ist schon spät, als wir nach der *Puja* von Trongsa aus die Heimfahrt antreten. Wir fahren den Yotong-La hinauf, alles ringsum ist von einem undurchdringlichen grauen Nebelschleier verhüllt. Die Sicht auf die enge, sich windende Bergstraße beträgt kaum mehr als eine Handbreit. Nach Einbruch der Dunkelheit fahren auf diesen Straßen nur wenige Autos, vor allem bei Nebel. Kurz bevor sich der Nebel von den Bergen herabsenkte, unterhielten wir uns über einen Unfall, der sich gerade erst auf ebendieser Passstraße ereignet hatte. Ein Schulbus kam vom Weg ab und stürzte in die Schlucht, wobei einer der Insassen, ein Arzt, starb und andere schwere Verletzungen erlitten. Der Tod ist in Bhutan auf Schritt und Tritt gegenwärtig. Unterhalb des Passes zwingen uns die Schlaglöcher, Schritttempo zu fahren. Doch auf der anderen Seite von Trongsa, im Tal, weicht der Nebel einer sternenklaren Nacht. Wir können den weiß schimmernden Chendebji Chorten in der Ferne erkennen. Die *Stupas* und Gebetsfahnen, die ihn umgeben, tauchen schemenhaft aus dem Dunst auf.

Wir fahren zum Haus einer Cousine von Namgay, wo wir übernachten. Ich sitze in ihrer Küche vor dem Holzofen und trinke Tee. Ich sehe die Sterne durch die Risse und Spalten in der Küchenwand, die aus Bambusmatten besteht. Ein Generator, der eine einzelne Glühbirne speist, spendet einen Hauch von Licht. Sie verleiht der Umgebung eine weiche Note, wie eine alte, sepiafarbene Fotografie.

Yeshe, Namgays Cousine, ist damit beschäftigt, ein Huhn zuzubereiten. Im angrenzenden Raum sitzen drei Waldhüter am Ende eines langen Tisches und trinken Whiskey. Sie reden und lachen und gelegentlich dreht sich einer um, mustert mich verstohlen. Es kommt schließlich nicht jeden Tag vor, dass man eine Ausländerin zu Gesicht bekommt, und das in der Küche. Das Haus verfügt als einziges weit und breit über Elektrizität, deshalb ist es ein beliebter Treffpunkt. Ich versuche, mich so zu verhalten, wie man es von einer Bhutanerin erwarten würde: Ich sitze schweigend da und bewege mich so wenig wie möglich. Indem ich mich bemühe, keinerlei Aufmerksamkeit auf mich zu lenken, zolle ich den Anwesenden Achtung. Das ist ihre Begegnungsstätte, ein Ort zum Entspannen.

Namgay geht zum Fluss hinunter, um unser Zelt aufzustellen. Nach dem Essen gehen wir zu Bett, eingehüllt in Dunkelheit und die Geräusche des Waldlebens – Vogelgezwitscher und das Bellen eines vereinzelten Hundes. Namgay sagt,

Hunde bellen nachts, weil sie Dinge in den Schatten sehen, die uns verborgen bleiben, Spukgestalten oder Geister. Wenn wir in Amerika sind, schläft er schlecht, weil ihm das Hundegebell fehlt.

Der nächste Morgen ist gnädigerweise hell und sonnig, da wir einen Familientempel oberhalb des Dorfes besuchen wollen, was mit einem etwa dreistündigen Fußmarsch verbunden ist. Der Tempel wurde unlängst restauriert und neu gestrichen und deshalb findet heute eine Einweihungszeremonie statt. Yeshe leiht mir ein Paar Bergschuhe, die mir passen. Der Weg verläuft steil bergauf, durch einen dichten, mit Sandsteinhöhlen gesprenkelten Wald. Unterwegs entdecken wir die Fußspuren von Berglöwen und Tigern, wie Namgay glaubt.

Wir gelangen immer höher hinauf, der Weg führt direkt in die Wolken hinein. Hinter uns liegen die Schwarzen Berge mit ihren dichten, düsteren Hartholzwäldern, die zur Hälfte den Distrikt Trongsa und einen Teil des Distrikts Zhemgang bedecken. Diese urwüchsige Landschaft ist ein Nationalpark und Naturschutzgebiet. Mit Sicherheit gibt es dort Tiger. Bengalische Tiger vermutlich, die aus dem indischen Bundesstaat Westbengalen abgewandert sind, wo man Jagd auf sie macht und ihr Lebensraum zunehmend schwindet. Die Tiger haben vorher nie in einer Höhe von mehr als tausend Metern gelebt. Doch mittlerweile haben sie sich offenbar angepasst.

»Schau. Hier hat es schon immer Tiger gegeben.« Namgay deutet auf eine Höhle. Ich denke an das *Thangka*, das er gerade gemalt hat. Ein Teil des Rollbildes stellt einen gespaltenen Berg dar, der ein Tigerhöhlenlabyrinth im Innern enthüllt.

Wir gelangen an eine Bergwiese, hierher brachte Namgay früher die Kühe und Schafe der Familie zum Grasen.

»Hättest du dir als kleiner Junge jemals träumen lassen, dass du eines Tages deine amerikanische Ehefrau hierherbringen würdest?«

»Nein«, erwiderte er.

»Findest du das nicht seltsam?«

»So ist das Leben«, erwidert er ausweichend, nicht gewillt, ein Urteil abzugeben. Ich lasse mir seine Worte durch den Kopf gehen. Ich liebe seine Gelassenheit und Selbstkontrolle, Eigenschaften, die mir fehlen. Wir beide sind der Inbegriff von Yin und Yang, zwei gegensätzliche, jedoch aufeinander bezogene Hälften eines Ganzen, die sich perfekt ergänzen.

Wir erreichen den Gipfel des Berges, der kahl ist bis auf ein paar riesige Bambusgärten, teilweise mit einem Durchmesser von 0,2 Hektar. Sie sind mit Bambusrohr eingezäunt und wurden schon vor Jahrhunderten angelegt. Die Bambushalme, die eine Wuchshöhe wie Bäume erreichen können, rascheln im Wind. Der kleine Tempel verbirgt sich in der Mitte des Bambushains auf der Kuppe des Berges. Schon aus der Ferne hören wir die Muschelhörner und Trommeln der Einweihungs-*Puja*, die seit den frühen Morgenstunden im Gange ist.

Wir haben ein paar Sachen in unseren Rucksäcken mitgebracht, doch der Rest – Fleisch, Kekse und Leckereien aus Thimphu – kommt ein wenig später, gegen Mittag, auf dem Rücken der Packpferde. Der Tempel hat ein großes Eingangstor und einen Innenhof. Namgays Tante ist Tempelwächterin; sie lebt hier gemeinsam mit ihrem Ehemann. Sie hat Sareptasenf angepflanzt, der von einer Quelle auf der linken

Seite des Hofes bewässert wird. Eine Gebetsmühle, von Wasserkraft angetrieben, dreht sich im Uhrzeigersinn. Eine kleine Glocke, die daran befestigt ist, lässt ein leises *Ting Ting Ting* ertönen, wenn sich das Rad dreht und die Glocke gegen einen Nagel in der hölzernen Trommel stößt, mit der das Rad in Position gehalten wird.

Der Tempel ist bescheiden, dennoch waren die jüngst erfolgten Restaurierungsmaßnahmen ein arbeitsaufwendiges Unterfangen. Sie waren unerlässlich, da der Tempel mehr als dreihundert Jahre alt war und dringend einer Instandsetzung bedurfte. Das Holz war verfault und die Lehmwände wiesen Risse auf. Deshalb wurde alles entfernt: Die auf Leinwand gemalten *Thangkas* an den Wänden wurden sorgfältig abgelöst und zusammengerollt, das Mauerwerk niedergerissen, das morsche Holz ersetzt und die Wände nach altem Muster aus zerstampftem Lehm wieder hochgezogen. Zum Schluss wurden die alten Rollbilder auf die neuen Wände geklebt.

Ich habe gesehen, wie andere Tempel restauriert wurden. Die Frauen aus den Dörfern stehen oben auf den Wänden und zerstampfen den Lehm mit hakenähnlichen Werkzeugen. Sie singen bei der Arbeit, um im Rhythmus zu bleiben und sich die Zeit zu vertreiben.

Im Hauptraum des Tempels haben sich neun Mönche und ein Lama eingefunden. Die Mönche sitzen gegenüber dem *Choshom*, einem Altar mit Statuen, Blumen, Räucherwerk und Butterlampen. Ich entdecke zahlreiche hohe *Tormas*, Opferkuchen in bunten Farben, die kunstvollsten, die ich je gesehen habe. Mehrere Personen sind den ganzen Tag damit beschäftigt, den Teig zu kneten, zu färben und Skulpturen daraus zu formen. In diesem Tempel hat jemand besonders hart gearbeitet. Auf einer Bank unterhalb des Altars sind die Opfergaben ausgebreitet: *Cabze*-Kuchen, Früchte, Reis und Süßigkeiten. Mit dieser *Puja* will man die lokalen Gottheiten ehren, sie gnädig stimmen, ihnen für ein gutes Leben danken und sie anspornen, jedem Haushalt mit Wohlwollen zu begegnen.

Ich nehme auf einem Teppich in der Nähe des Eingangs Platz, krame in meiner Tasche, auf der Suche nach einem Pfefferminz, und ziehe einen Zettel hervor, auf dem ich Folgendes notiert habe:

Der Begriff »weiter« kennzeichnet die physische Entfernung, wie in: Wir gingen weiter als je zuvor in den Wald hinein. In einer nicht-physischen Dimension deutet er auf die Fortsetzung oder Vertiefung einer Handlung hin: Wir können uns nicht entscheiden, wie es mit unserem Forschungsprojekt weitergehen soll.

Je weiter ich in die bhutanische Lebenswelt vordringe, desto klarer werden meine eigenen Vorstellungen und Motive. Manchmal müssen wir große physische Entfernungen zurücklegen und echte Berge überwinden, damit wir auf unserem mentalen oder spirituellen Weg vorankommen. Ich nehme an, das ist der Grund, der sich hinter Pilgerreisen verbirgt.

Ich blicke genau in dem Augenblick hoch, als der Lama mich herbeiwinkt. Ich stehe auf und gehe zu ihm; er deutet an, dass ich mich verbeugen soll. Er nimmt einen weißen Seidenschal und legt ihn mir um den Hals, während er ein Gebet spricht. Dann schnipst er mit dem Fingerknöchel gegen meinen Scheitel. Die Berührung fühlt sich spielerisch an. Ich schaue hoch. Er grinst. Ist das Teil der Zeremonie? Ich weiß es nicht, aber ich werte den Stoß des Lamas auf meinen Kopf als Zeichen des Wohlwollens. Möglich, dass er sich einen Scherz mit mir erlauben wollte, oder es war eine Warnung. Wie auch immer, er gibt mir das Gefühl dazuzugchören. Ich entscheide, dass es ein Scherz und eine Warnung zugleich war.

Namgay erscheint auf der Schwelle. Ich verneige mich vor dem Lama und gehe zu Namgay.

»Ich bin unendlich glücklich, dass ich hier sein darf. Danke«, sage ich.

»Wofür?«

»Für alles.«

Er sieht mich an und lächelt, schweigend.

Alles Geschaffene ist vergänglich.
Strebt weiter, bemüht euch,
unablässig achtsam zu sein.

Buddhas letzte Worte

BIS DASS DER TOD UNS SCHEIDET

Während des Sommermonsuns ist das Wetter in Bhutan ein bevorzugtes Thema. In dieser Region unweit des Indischen Ozeans bestimmen schwere Regenfälle den Verlauf unseres Lebens für annähernd drei Monate.

In dieser Zeit kann man den Gedanken, jemals trocken zu sein, getrost vergessen. Alles tropft vor Nässe – Bäume, Erdreich, Kleidung, Lebensmittel, Bücher und Betten. Wenn man ein feuchtes T-Shirt in die Ecke wirft, sprießt binnen weniger Stunden Schimmelpilz hervor, kleine schwarze Punkte, die bei der Wäsche nie mehr herausgehen. Duschen ist überflüssig. Am Nachmittag in die Stadt zu gehen erweist sich als mühseliges Unterfangen, weil man das Gefühl hat, gegen den Strom zu schwimmen. Die Natur ist grün, prall, lebendig und reif.

Es ist nicht nur die allgegenwärtige Feuchtigkeit, mit der wir es aufnehmen müssen. Manchmal kommt es zu Versorgungsengpässen, weil die Straßen überflutet sind. Vor vier Jahren, in einem besonders verregneten August, gab es in Thimphu keine Grundnahrungsmittel mehr zu kaufen – kein Öl, keine Milch, keine Eier, und der Reis ging zur Neige.

Monsun stammt aus dem Arabischen »mausim«, was Jahreszeit bedeutet und auf den Wind Bezug nimmt, der die Richtung wechselt. Geologen sind überzeugt, dass dieses uralte Klimaphänomen vor zwanzig Millionen Jahren für die Kollision des indischen Subkontinents mit dem Rest Asiens verantwortlich war und durch die Verwerfungen der Himalaja und das Hochland von Tibet entstand. Der Prozess ist offensichtlich noch nicht abgeschlossen, die indische Kontinentalplatte schiebt sich weiter unter die Eurasische Platte; dadurch werden die Berge mit jedem Jahr ein paar Zentimeter höher.

Während des Monsuns ballen sich über den Bergen graue Wolken zusammen, prallen gegen die Felsen, driften in die Täler und laden tonnenweise Regen ab. Die Monsunzeit dauert von Mitte Juni bis Mitte September.

Dieses Mal setzte der Monsun spät ein, doch dafür umso gnadenloser. Binnen Minuten spülte er die Straße nach Phuentsholing weg, riss das Erdreich mit sich und hinterließ große schwarze gähnende Krater und Wasserfälle, die sich über die Berghänge ergießen.

Da in dieser Zeit immer mit Naturkatastrophen zu rechnen ist, bereitet sich das ganze Land darauf vor: Bhutanische und indische Soldaten errichten Behelfsbrücken, die sogenannten *Bailey Bridges*, in weiträumigen ungeschützten Gebieten, in denen sich Straßen an die Flanken der Berge schmiegen. Wenn alle drei Straßen, die ins Landesinnere führen, über weite Strecken vom Monsunregen weggespült sind, ist Bhutan vom Rest der Welt abgeschnitten.

Zwei Airbusse der Druk Air fliegen Bhutan an. Das Landemanöver gehört zu den schwierigsten der Welt, da sich der Flughafen von Paro in einem kurzen, hoch gelegenen und von schroffen Bergen umgebenen Tal befindet. Der einzige Flughafen, der noch höher liegt als Paro, ist La Paz in Bolivien, doch der wurde auf einem weiträumigen Plateau angelegt, das einem Jet mit seinem ausladenden Rumpf bei Start und

Landung genug Platz bietet. Ein Anflug nach Instrumenten ist in Paro nicht möglich; der Pilot muss nach Sicht fliegen, um die Landebahn nicht zu verfehlen. Bei Nebel oder Dunkelheit ist keine Landung möglich. Bei extremer Hitze, schlechtem Wetter oder wenn das Flugzeug eine höhere Geschwindigkeit, mehr Treibstoff oder weniger Gewicht braucht, lässt die Besatzung einen Teil oder das gesamte Gepäck in Kalkutta zurück. Es ist also durchaus möglich, dass man in Paro landet, während der Koffer mit Kleidung und Zahnbürste in Indien bleibt. Während des Monsuns liegt eine niedrige grauweiße geschlossene Wolkendecke über den Bergen, sodass man das Gefühl hat, sich in einem großen weißen Kuppelgewölbe zu befinden. Dann wissen wir, dass tagelang kein Flugzeug kommt.

Während Bhutan bemüht ist, sich weiterzuentwickeln und den modernen Zeiten anzupassen, halten es Geografie und klimatische Bedingungen zurück. Die Natur mahnt: »Nicht so schnell.« Doch die Bhutaner legen auch in dieser Hinsicht eine philosophische Ruhe und Gelassenheit an den Tag. Sie nehmen die Dinge, wie sie kommen.

Das ist vermutlich darauf zurückzuführen, dass sie die Zeit als Kontinuum betrachten. Sie müssen nicht alles in diesem Leben haben und erreichen. Sie haben ein ungezwungenes Verhältnis zum Tod und zum Sterbeprozess entwickelt, vielleicht deshalb, weil der Tod nicht das Ende ist, wenn man an Wiedergeburt glaubt. Er ist nicht mehr als ein kurzer Leuchtimpuls auf dem Bildschirm der menschlichen Existenz, eine zeitweilige Rückkehr zum Nullpunkt, wie eine Unterbrechung im Film – man verlässt seinen Platz, geht ins Foyer, besorgt sich Popcorn, kehrt zurück und schon geht es weiter. Ein Freund von Namgay, ein junger Mönch, noch nicht einmal dreißig, hatte zeitlebens schwerwiegende Gesundheitsprobleme. Er litt unter Gelenkrheumatismus und vermutlich noch anderen chronischen Erkrankungen, und eines Tages gestand er Namgay, es sei ihm recht, wenn er jetzt sterben und reinkarnieren könne. Er war bereit, alles auf die kosmische Karte zu setzen und sich einen neuen, gesunden Körper zu verschaffen.

In Bhutan lassen sich gläubige Buddhisten nach ihrem Tod kremieren. Im Sommer ist die Zeitspanne zwischen Tod und Feuerbestattung sehr kurz bemessen. Wie verlautet, wurden einige Bhutaner behelfsmäßig mit Salz einbalsamiert, wenn der Leichnam eine Weile nicht eingeäschert werden konnte, doch den meisten Hinterbliebenen ist die sterbliche Hülle weniger wichtig als der Geist des geliebten Toten. Das Einäscherungsritual soll dem Geist helfen, den Weg zu seiner nächsten Reinkarnation zu finden. Es heißt, dass einige heilige Männer nach ihrem Tod keinen Verwesungsgeruch entwickelten und erst nach Ablauf von 48 Tagen verbrannt wurden, in denen Zeremonien oder *Puja* abgehalten wurden (bei denen man um eine gute Wiedergeburt oder das Eingehen des Verstorbenen in das Reine Land betet). Manche verströmten sogar einen ausgesprochenen Wohlgeruch.

Eine bhutanische Freundin, die ein kleines, auf Trekkingtouren spezialisiertes Unternehmen leitet, hatte einmal einen ziemlich seltsamen englischen Kunden. Er kam im Februar, alleine und ohne Winterjacke, obwohl die Berge, die zur Route der Reisegruppe gehörten, immer noch tief verschneit waren. Der Bergführer, der Koch und alle anderen, die die Trekkingtour begleiteten, versuchten ihm die Teilnahme auszureden, doch er wollte nichts davon hören. Ihnen blieb nichts weiter übrig, als ihm wenigstens eine warme Jacke zu leihen.

Es gibt Menschen, die nach Bhutan kommen, um zu sterben, weil sie finden, das sei ein guter, Glück verheißender Ort, um das nächste Leben zu erreichen. Oder sie ziehen es vor, ihren letzten Atemzug in aller Stille, weit entfernt von den forschenden Blicken ihrer Angehörigen zu tun. Das gelang diesem sonderbaren, einsamen Touristen. Er erlitt einen Herzanfall und starb im Schlaf, in einem Zelt auf halber Höhe des Jumolhari, eines heiligen Berges. Das Reisebüro beauftragte Soldaten, den Leichnam über die schmalen steinigen Pfade ins Tal hinunterzubringen. Von der Seite des entlegenen Berges, wo der alte Engländer seinen Geist aufgegeben hatte, dauerte der Abstieg nach Paro vier Tage.

Die Soldaten legten den Verstorbenen in einen leeren Tourbus, parkten ihn auf einem Reisfeld außerhalb von Paro und warteten darauf, dass seine Familie in England Anweisungen erteilte, wie sie mit den sterblichen Überresten verfahren sollten. Selbst im Februar besitzt die Sonne im Himalaja schon große Strahlkraft, das Metall des Busses wurde kochend heiß und der Leichnam quoll auf. Der Verwesungsgeruch wurde unerträglich. Weder im Krankenhaus noch anderswo besaß man die entsprechenden Einrichtungen, um ihn aufzubewahren. Ein Leichenschauhaus mit Kühlzelle gab es nicht. Eine ganze Hundemeute umkreiste immer wieder wie von Sinnen den Bus, um dann abrupt zum Stillstand zu kommen und zu heulen.

Ich hörte, wie meine Freundin, die Inhaberin des Reisebüros, in flehentlichem Ton mit irgendeiner offiziellen Stelle in England verhandelte. »Die Lamas sagen, morgen sei ein Glück verheißender Tag. Es wäre gut, wenn wir ihn dann einäschern könnten.« Vermutlich war der Tag wirklich ideal, doch der wahre Grund hinter der Dringlichkeit ihres Anliegens war, dass sich der arme Mann allmählich zu einem Gesundheitsrisiko entwickelte. Meine Freundin war natürlich zu höflich und zu sehr Bhutanerin, um dieses heikle Thema unverblümt anzusprechen. So ging es zwei Tage lang weiter, bis sie endlich von einem Verwandten in Wales die Genehmigung erhielt, den Leichnam einzuäschern.

In Tibet wird die Luft- oder Himmelsbestattung noch gelegentlich praktiziert. Der Leichnam wird an einen hoch gelegenen, heiligen Bestattungsplatz gebracht und zerstückelt, damit sich die Geier gütlich daran tun. Es gilt als ein letzter Akt der Barmherzigkeit und völligen Selbstlosigkeit, mit den eigenen sterblichen Überresten anderer Lebewesen als Nahrung zu dienen, wovon man sich eine bessere Reinkarnation im Kreislauf der Wiedergeburten erhofft. In Bhutan kommen Himmelsbestattungen selten vor. Ein bhutanischer Freund erklärte, er habe in seinem ganzen Leben nur einen einzigen Mann gekannt, dem sie auf ausdrücklichen Wunsch zuteilwurde. Dennoch besagt eine moderne Legende im bhutanischen Stil, dass sich diese Praxis früher großer Beliebtheit erfreute und einmal der Arm eines Babys vom Himmel auf eine Straße im Zentrum von Thimphu fiel.

Die Bhutaner haben ein viel entspannteres Verhältnis zum Tod als die Amerikaner, und der Buddhismus lehrt, dass wir jeden Tag mindestens fünfmal an den Tod denken sollten. Wir Menschen aus den westlichen Ländern werden nur ungern an unser Ableben erinnert, selbst im Kino, und das, was wir davon zu sehen bekommen, hat mit dem Tod an sich wenig zu tun. Er wird simuliert oder man präsentiert uns eine sterbliche Hülle, die hergerichtet wurde, vollgepumpt mit Einbalsamierungsflüssigkeit und schick gekleidet aufgebahrt, damit jeder sie in Augenschein nehmen kann, beispielsweise im Fernsehen oder auf YouTube. Daraus folgt, dass wir mit dem Tod auf Kriegsfuß stehen. Das ist verständlich, da die Angst vor dem Unbekannten überwiegt, doch in Bhutan gilt der Tod als eine Erfahrung, die aus einer völlig gegensätzlichen Perspektive betrachtet wird. Er wird als natürlicher Ablauf begrüßt, als positiver erster Schritt auf dem Weg zum nächsten Leben, als eine Chance, am großen karmischen Rad zu drehen.

Der Monsun und die heftigen Regenfälle, die alles überfluten, rufen bei mir Gedanken an Leben und Tod hervor. Der Fluss durchquert Thimphu, bevor er an unserem Haus vorbeifließt. Er entspringt einem uralten Gletscher im Hochhimalaja (den über achttausend Meter hohen Bergketten) und bahnt sich seinen Weg durch die schmalen Flussniederungen von Laya und Gasa. Das Thimphu-Tal ist weniger eng. Auf den hohen, steilen Bergen, die über der Stadt aufragen, findet man Reitwege, Obstplantagen und ausgedehnte Wälder. Viele alte Klöster und Tempel wurden an den Steilhängen errichtet, umgeben von Gebetsfahnen und *Stupas*. Der Aufstieg dauert Stunden, bisweilen sogar Tage, wenn sie wie ein Adlerhorst auf den schroffen Felsen thronen. Wenn man weiß, wohin man den Blick richten muss, sieht man das Sonnenlicht auf den goldenen Dächern spielen.

Dort schlägt das Herz Bhutans. Zwischen den Gebetsfahnen, Wolken, *Chorten* und dampfenden heißen Quellen hat sich eine ganze, tausendköpfige Armee buddhistischer Mönche und Nonnen eingefunden, um zu beten und Rituale durchzuführen, die der Welt Weisheit, Frieden und Erleuchtung bringen sollen. Den Bergen haftet etwas Magisches an, ein ganz eigener Zauber, der sich durch die Nähe zur Welt der Götter und Geister entfaltet. Ich denke oft, dass sie unser Leben auf der Erde lenken, schicksalhafte Ereignisse herbeiführen oder verhindern, wie Zeus und Hera und die anderen griechischen Götter und Göttinnen des Olymp. Die Bergwelt ist ein Reich zwischen Himmel und Erde, ein irdisches Paradies, wo das Diesseits mit seiner Sterblichkeit dem Jenseits untergeordnet ist.

Bei Namgay entdeckte man im Alter von sieben Jahren, dass er die besten Voraussetzungen für ein Leben als Mönch mitbrachte, deshalb schickte man ihn zu einem Verwandten, einem hohen buddhistischen Lama, der ihn unterweisen sollte. Danach setzte er seine Studien in Kuertoe, einer Kleinstadt im Distrikt Lhuentse im Nordosten von Bhutan, bei einem anderen Onkel fort, der ebenfalls Lama war. Dort fristete er ein Dasein wie in einem Dickens-Roman, sorgte für den heiligen Mann, bereitete sein Essen zu, wusch seine Kleider, wanderte mit ihm durch das Land, um ihm bei religiösen Zeremonien zur Hand zu gehen, lernte die altüberlieferten religiösen Texte lesen und deuten und war für Anbau und Wachstum der Gemüsepflanzen verantwortlich, die ihnen als Nahrung dienten. Er blieb drei Jahre. Er besaß weder Schuhe noch ein Hemd. Er vermisste seine Familie. Es war eine schwierige Zeit für ihn.

In jungen Jahren hatte dieser Onkel als Gehilfe des *Thrimpon* am Obersten Gerichtshof im Dzong von Wangdue gearbeitet. Er hatte eine kleine Tochter und eine Ehefrau, die in der Stadt wohnten. Doch eines Tages verschwand er. Namgays Mutter und Großmutter machten sich auf den Weg nach Thimphu, um bei der Polizei eine Vermisstenanzeige aufzugeben. Doch die Polizei konnte nicht helfen. Er war spurlos verschwunden.

23 Jahre vergingen. Eines Tages begab sich Namgays Vater auf den Markt von Trongsa, um eine Kuh zu verkaufen. Ein Kuertop, ein Mann aus der Gegend um Kuertoe, kaufte sie. Nachdem der Handel abgeschlossen war, tranken die beiden zur Feier des Tages ein Glas *Ara* und begannen, wie bei solchen Anlässen üblich, sich über ihre Familien und ihre Herkunft zu unterhalten.

»Was ist mit der Familie deiner Frau? Woher stammt sie?«, fragte der Kuertop. »Aus Rugubjche«, erwiderte Namgays Vater. »Einer ihrer Brüder ist Bauer, der zweite Mönch und der dritte ist verschwunden.«

Wie sie darauf kamen, weiß man nicht mehr genau, aber Namgays Vater erfuhr von dem Kuertop, dass der verschwundene Onkel seit mehr als zwanzig Jahren als Einsiedler in Kuertoe lebte. Er war inzwischen ein Lama. Also machten sich Namgays Vater und sein Onkel, der Bauer, auf den Weg nach Kuertoe, wo sie tatsächlich den Bruder fanden, der seiner Familie davongelaufen war. Er hatte all die Jahre meditierend in Indien, Sikkim und Bhutan verbracht. Es mag sonderbar erscheinen, dass er seine Familie verließ und gegen ein spirituelles Leben eintauschte, aber es gibt einen Präzedenzfall: Der Buddha verzichtete auf seine gesamte weltliche Habe, seinen Palast und sein Geburtsrecht als Prinz. Er verließ seine Mutter, seinen Vater, seine junge Ehefrau und seinen kleinen Sohn, um sich auf die Suche nach einer Antwort auf die Frage zu begeben, warum wir leiden, und letztendlich, um Erleuchtung zu finden.

Namgays Onkel, der Lama, besucht uns manchmal zu Hause, wenn er sich in Thimphu aufhält. Er ist inzwischen sehr alt, besteht nur noch aus Haut und Knochen und spricht selten. Namgay erinnert sich, dass er im mittleren Alter und wohlbeleibt war, als die Familie Trongsa verließ, um in Kuertoe zu leben.

Dieser Mann wird wahrscheinlich kein Problem haben, wenn er stirbt. Die Bhutaner sagen, dass jemand, der nie im Leben meditiert hat, in seiner Todesstunde oft verwirrt und orientierungslos ist. Manche wissen nicht einmal, dass sie gestorben sind. Sie sitzen mit ihrer Familie am Tisch und geraten in Wut, weil sie übergangen werden und keine Mahlzeit angeboten bekommen. Wenn jemand zu Lebzeiten meditiert hat, weiß er, was es heißt loszulassen und welchen Weg er nach seinem Tod gehen muss. Es treibt ihn nicht zur Essenszeit in den Kreis der Familie zurück, sondern er schlägt den direkten Weg zur nächsten Inkarnation ein – oder darf sich, wenn er Glück hat, aus dem Kreislauf des Leidens und der Wiedergeburten verabschieden, um ins Nirwana einzugehen.

Ich habe gelesen, dass Tantrameister ihre physische Gestalt verändern können; sie nehmen einen »feinstofflichen Körper« an und lernen, auf der Astral- oder Lichtebene zu reisen. Die physische Manipulation durch Meditation oder Yoga wurzelt in der Kundalini, der ätherischen Kraft im Menschen; sie kann durch yogische Praktiken geweckt werden, die aus Indien stammen oder in Lehrtraditionen verankert sind, die dem Buddhismus vorausgehen. Diese Meister sind in der Lage, Blut und Samenflüssigkeit zu steuern oder zu konzentrieren; Sperma gilt als Lebenskraft. Das verleiht ihnen die Macht der Transzendenz, die Fähigkeit, von der relativen in die absolute erleuchtete Wirklichkeit überzuwechseln.

»Kann dein Onkel seinen *Tako* kontrollieren?«, fragte ich Namgay.

»Warum sollte mein Onkel seine Walnüsse kontrollieren wollen?«, erwidert er lachend und gleichzeitig ausweichend. Walnuss heißt auf Dzongkha *Tako*, Samen heißt *Taku*. Er weiß sehr wohl, dass ich die beiden Begriffe nicht auseinanderhalten kann.

Obwohl er lacht, ist das Thema für ihn eine ernste Angelegenheit. Er ist der Meinung, dass man dieses uralte Geheimritual, das nur wenigen Eingeweihten vorbehalten ist, respektieren sollte. Es sollte nicht in einer beiläufigen Unterhaltung angeschnitten werden. Er weiß aus erster Hand, dass das Wissen um die geheiligten Rituale einen Menschen von Grund auf verändert. Es gibt kein Zurück, wenn man sich auf diesen Weg begeben hat. Dennoch kann ich nicht umhin, meiner Phantasie freien Lauf zu lassen: Ich sehe die Tantrameister vor mir, wie sie in Höhlen auf einem Felsen oder einem großen Thronsessel wie die Lamas in den Tempeln sitzen, mit Mönchsroben, seidenen Umhängen, Tierhäuten oder auch nur mit einem Lendentuch bekleidet oder splitternackt und bemalt wie die *Sadhus*, die Hindumystiker und heiligen Männer Indiens.

Diese Meister verfügen über viele wundersame Fähigkeiten und Talente. Einige besonders Fortgeschrittene sind sogar imstande, sich in Vögel oder andere Tiere zu verwandeln. Sie können fliegen. Sie sind daran gewöhnt, außerkörperliche

Erfahrungen zu machen und sich selbst von außen zu betrachten, Körper, Geist und Seele. Eine Übung, die gut auf den Tod vorbereitet, nehme ich an.

Eines Nachmittags, bei einem Spaziergang zu dem Tempel oberhalb unseres Hauses, versuche ich, diesen Gedanken zu verinnerlichen.

»Wie macht er das, wenn er fliegt?«, fragte ich Namgay.

»Wer?«

»Dein Onkel. Wie ein Vogel? Flattert er mit den Armen?«

»Das nicht«, entgegnet Namgay abweisend.

Wir erreichen den Tempel und der Tempelwächter tritt heraus und beginnt, sich mit Namgay auf *Mongpa* zu unterhalten, der lokalen Mundart, daher lasse ich das Thema fallen.

Später am Abend, als er in der Küche Zwiebeln für das Abendessen hackt, geselle ich mich zu ihm und beginne damit, den Reis zuzubereiten.

»Also, wie macht er es?« Ich bin nicht gewillt, die Sache auf sich beruhen zu lassen.

»Nicht wie ein Vogel.« Er schneidet eine Zwiebel in Scheiben. »Eher wie ein Hubschrauber.« Er lächelt, greift einmal mehr zu seiner bewährten Hinhaltetaktik.

»Hast du ihm mal beim Fliegen zugeschaut?«

»Nein«, sagt er ernst. »Das wäre schlecht.«

»Warum schlecht?«

Er senkt den Blick und schneidet die Zwiebel in große Stücke. »Es ist mir nicht bestimmt, ihn fliegen zu sehen.«

Mit dieser kryptischen Antwort ist das Thema beendet. Ich weiß, wann ich mich geschlagen geben muss.

Es gibt vieles, was ich nie verstehen werde. Ich habe gelernt, dass es meistens müßig ist, bohrende Fragen zu stellen und den Ursachen auf den Grund gehen zu wollen. Natürlich versuche ich immer wieder, Erklärungen für Dinge zu erhalten, die mir rätselhaft sind, aber ich habe gelernt, dass sich die Antwort irgendwann von allein einstellt, wenn ich aufhöre nachzuforschen und stattdessen aufmerksam beobachte, wenn ich schweige und mir die Fragen verkneife, die mir auf der Zunge liegen. Manchmal ist es besser, zu warten, bis die Zeit reif ist. Oft fällt die Antwort anders aus als erwartet. Die Antwort ergibt sich häufig aus der Fähigkeit, Fragen zu stellen – was zählt, ist weniger die Frage selbst, sondern vielmehr die Geschicklichkeit, mit der sie gestellt wird.

Das ist eine harte Lektion für einen Menschen aus dem Westen. Wir sind Gefangene einer Denkweise, die uns enge Grenzen setzt. Descartes hat uns einen Bärendienst erwiesen. »Ich denke, also bin ich« bedeutet letztendlich, dass viele Dinge über unser Begriffsvermögen hinausgehen, wenn man voraussetzt, dass unser ganzes Sein, unser Selbstbewusstsein, von der menschlichen Erkenntnisfähigkeit abhängig ist. Rational zu sein ist gut und schön, aber ein wenig Spontaneität kann von Vorteil sein, genau wie gelegentlich ein Vertrauensvorschuss.

Als ich noch sehr jung und leicht zu beeindrucken war, las ich das Buch *Ich heiße Aram* von William Saroyan. Der Titelheld hat einen Onkel, der voller Geschichten steckt. Am Ende nimmt Aram ihn ins Kreuzverhör, zweifelt den Wahrheitsgehalt einiger Erzählungen an. »Glaube an alles«, erwidert der Onkel. Das sind die letzten Worte im Buch, die Pointe, das Fazit, der Daseinszweck. Ein guter Rat, vor allem, wenn man an einen magischen Ort übersiedelt.

Während der Monsunzeit gehen Namgay und ich jeden Morgen nach draußen und trinken Kaffee, wenn es nicht regnet, und manchmal auch bei Regen. Wir verbringen viel Zeit damit, vom Hof aus oder auf die Steinmauer gestützt auf den Fluss hinauszublicken, vor allem, wenn die Morgen- oder Abenddämmerung naht. Namgay mit seinen Adleraugen, der in den Wäldern des Himalaja aufgewachsen ist, kann Colaflaschen und Treibgut aller Art ausmachen, das von der Strömung fortgetragen wird. Jeden Tag rätseln wir aufs Neue, wie hoch der Wasserstand des Flusses noch steigen könnte, der über die Ufer getreten ist und den Felsen und Bäumen ständig näher rückt, die unsere Markierungen darstellen, um sie sich schließlich einzuverleiben. Ein Zeitvertreib, der unendlich spannend und kurzweilig ist. Wir nennen ihn Flussfernsehen.

Eines Nachmittags lenkte Namgay meine Aufmerksamkeit auf ein Kleiderbündel, das sich an einem Felsen mitten im Fluss verfangen hatte. Aber es war kein Kleiderbündel. Oder doch? Zuerst dachten wir, es sei eine Puppe. Der winzige Körper befand sich größtenteils unter Wasser, doch bei genauerem Hinsehen konnte man die Hände und die Nase erkennen, die für eine Sekunde die kristallklare Oberfläche durchbrachen, während der Rest in der reißenden Strömung umhergewirbelt wurde und im schäumenden Wasser verschwand.

Ich war wie vor den Kopf geschlagen. Das Bündel war allem Anschein nach eine Leiche. Mit langen schwarzen Haaren – also ein kleines Mädchen. Mir kam spontan der Gedanke, dass die Kleine das Herumwirbeln im Fluss zu ihren Lebzeiten mit Sicherheit herrlich gefunden und gelacht hätte.

»Das darf doch nicht wahr sein!«, rief ich fassungslos aus.

»Manche Leute überlassen ihre Kinder, wenn sie sterben, dem Fluss«, erwiderte Namgay ruhig und lehnte sich gegen die Steinmauer.

»Aber warum? Warum werden sie nicht eingeäschert?« Ich versuchte wegzuschauen. Doch im universellen Dilemma der Gaffer gefangen, die es überall auf der Welt gibt, gelang es mir nicht, den Blick von den makabren Pirouetten im Fluss abzuwenden.

»Das macht man nicht bei Kleinkindern. Sie werden dem Fluss übergeben.«

Einäscherungen sind teuer. Sie beinhalten alle möglichen Rituale, was bedeutet, dass man viele Leute bewirten und viele Mönche bezahlen muss. Und sie können sich über Tage, Wochen, Monate, ja sogar Jahre hinziehen.

Wir gingen ins Haus. Später kehrte ich noch einmal zurück und stand neben dem Fluss, bis es dunkel wurde und ich nichts mehr erkennen konnte.

Namgay war bereits seit geraumer Zeit im Haus. Ich wollte ebenfalls hineingehen, aber ich hatte ein schlechtes Gewissen, den kleinen Leichnam alleine zu lassen, und so blieb ich noch eine Weile und versuchte, meine Gedanken zu ordnen. Er war in der Küche und hatte sich ein Sandwich gemacht, als ich schließlich das Haus betrat; sein Appetit hatte offensichtlich nicht gelitten.

»Was sollen wir jetzt tun?«, fragte ich. Ich war wieder voll und ganz in eine typisch amerikanische Denkweise verfallen: Behörden in Kenntnis setzen, Polizei benachrichtigen, umgehend die nötigen Schritte unternehmen, dafür sorgen, dass alles seinen geregelten Gang nahm, sich mit einem Beerdigungsinstitut in Verbindung setzen.

»Es wird heute Nacht regnen und der Fluss wird den Leichnam fortspülen«, sagte er und strich Butter auf eine weitere Scheibe Brot.

»Wir müssen die Polizei einschalten.«

»Nein. Dann viele Probleme.«

»Was für Probleme?«

»Die Familie wird unnötig gestört.«

»Was heißt gestört? Das Baby ist tot.«

»Es ist krank geworden und gestorben.«

»Vielleicht war es gar nicht krank. Vielleicht wurde es umgebracht und in den Fluss geworfen.« Ich hatte schließlich nicht umsonst den ersten Teil meines Lebens damit verbracht, einen Krimi nach dem anderen anzuschauen.

»Nein«, entgegnete er. »So machen Bhutaner es nicht.«

Ich musste ihm wohl oder übel recht geben. Die Bhutaner lieben ihre Kinder über alle Maßen und hüten sie wie ihren Augapfel. Um der Wahrheit die Ehre zu geben, sie werden nach Strich und Faden verwöhnt. Mütter stillen ihre Kinder über Jahre und ihre Füße berühren in den ersten Lebensjahren selten den Erdboden, weil sie fortwährend herumgetragen werden.

Ich ging wieder nach draußen, um nachzusehen. Der kleine Leichnam war immer noch da. Es war grauenhaft.

Bei meiner Rückkehr war Namgay mit der Zubereitung des Abendessens beschäftigt. Er stand in der Küche am Spülbecken und schüttete Reis in die grüne Plastikschüssel, in der wir Obst und Gemüse zu waschen pflegen. Ich stand daneben, überlegte krampfhaft, was ich nun tun sollte. Mein Blick fiel rein zufällig auf den Jutesack mit Reis, der neben dem Spülbecken stand. Er trug die Aufschrift. »Basmatireis aus Nassanbau – Bewässerung durch Flüsse aus dem Himalaja.«

Ich lachte laut auf und deutete auf den Sack. »Das Baby wird dazu betragen, dass der Reis wächst«, sagte ich, wobei ich die Hysterie in meiner Stimme wahrnahm. Er musterte den Sack, dann drehte er sich um und zündete den Ofen an, um eine Kanne Tee zu kochen. Er forderte mich auf, Platz zu nehmen, das Essen würde gleich fertig sein.

Ich setzte mich an den Esstisch. Nach ein paar Minuten brachte er den Tee.

Ich tat die ganze Nacht kein Auge zu. Das tote Baby hatte seine letzte Ruhe gefunden, in unserer unmittelbaren Nähe, und am schlimmsten war, dass ich den Fluss rauschen hörte. Jeden Abend waren wir von seinem leisen Murmeln in den Schlaf gewiegt worden, einer Endlosschleife mit dem Klang des Wildwassers, doch nun, in der Nacht, schien mich das Geräusch zu verhöhnen. Ich war erschöpft und gleichzeitig hellwach und angespannt. Meine Gedanken überschlugen sich. Wie war das Kind gestorben? Wie hatte es sich an dem Felsen verfangen, unserem Felsen im Fluss direkt neben unserem Haus? Wollte mir der Kosmos damit etwas sagen? Würde der Leichnam am Morgen noch da sein? Es ist unendlich traurig, wenn ein Kind stirbt. Ich hatte das Gefühl, seinen Tod beklagen zu müssen.

Alte Gewohnheiten lassen sich nur schwer ablegen; es machte mir immer noch zu schaffen, in einem Teil der Welt zu leben, in dem Tod und Verfall ringsum klaglos akzeptiert und als Teil des tagtäglichen Lebens betrachtet werden. Als Amerikanerin habe ich kein Problem mit dem Gedanken, das Zeitliche zu segnen, den Löffel abzugeben, meinem Schöpfer gegenüberzutreten, in die Grube zu fahren, hinzuscheiden, heimzugehen, zu entschlafen, zu gehen, wenn meine Zeit abgelaufen ist, wieder zu Staub zu werden, ins Gras zu beißen oder den Geist aufzugeben. Bloß sterben möchte ich nicht. Oder mir ein totes Baby anschauen müssen, das sich in der Strömung des Flusses neben meinem Haus immer wieder um die eigene Achse dreht.

Namgay wiederholte abermals, dass der Monsunregen den Fluss anschwellen lassen und den Leichnam fortspülen würde, vielleicht bis nach Indien, in den Brahmaputra, der sich seinen Weg durch Bangladesch bahnt und schließlich im Ganges mündet. Möglicherweise würde er sogar bis Varanasi gelangen, der wichtigsten heiligen Stadt der Hindus. »Alle Flüsse entspringen in Bhutan«, sagte er. Ich war mir dessen keinesfalls sicher, aber ich hatte keine Lust, mich auf eine Diskussion einzulassen.

Ich wollte nicht darauf warten, dass sich der Leichnam endlich aus seiner Verankerung löste. Ich schlug vor, einen der indischen Arbeiter, die am anderen Ufer des Flusses ein Haus bauten, zu bitten, ihn loszuschneiden. Die Arbeiter gingen jeden Tag zur Mittagszeit an den Fluss hinunter, entkleideten sich bis auf ihre zerlumpten Lendentücher, wuschen sich, entspannten sich, veranstalteten Spiele oder ruhten sich aus. Vielleicht hatten sie den toten Säugling sogar bemerkt.

Namgay lehnte ab, erklärte, wir sollten uns Zeit lassen, und überhaupt, wie sollte jemand quer durch den Fluss schwimmen? Die Strömung sei viel zu stark.

Ich fühlte mich hundeelend. Verdammt noch mal, warum war kein fliegender Lama in der Nähe, wenn man ihn brauchte?

Die Farmer in Tennessee wissen: Wenn ein Hund ein Huhn getötet hat, ist die Wahrscheinlichkeit groß, dass er es wieder tut. Er findet Geschmack an Geflügel. Einen Hund, der Hühner tötet, kann man auf einem Bauernhof nicht gebrauchen und um ihm diese Unart auszutreiben, bindet ihm der Farmer ein totes Huhn um den Hals, mit dem er tagelang herumlaufen muss. Hunde haben normalerweise kein Problem mit Verwesungsgeruch, doch diese Rosskur ist für sie aus irgendeinem unerfindlichen Grund eine Tortur, sodass sie nie wieder ein Huhn anrühren. Für mich war es eine Tortur, das tote Baby im Fluss neben unserem Haus treiben zu sehen. Aber im Gegensatz zur Analogie gab es nichts, was ich dagegen tun konnte.

Ich war fasziniert von meiner Angst und Namgays Furchtlosigkeit. Er reagierte kaum. Dieser ungezwungene Umgang mit dem Tod lag wohl in seiner asiatischen Mentalität begründet oder in der buddhistischen Lehre. Meine Gedanken kreisten ständig um das Thema Verfall, sowohl meinen eigenen als auch den des Babys, was vermutlich der Grund dafür war, dass ich mir wünschte, es möge endlich verschwinden. In weniger als einem Tag war es ihm gelungen, mein Leben zu beherrschen.

Am Vorabend, als wir schon im Bett lagen, hatte ich es mit einem Trick versucht. »Vielleicht ist es schlechtes Karma, ein totes Baby im Fluss neben dem Haus zu haben. Es könnte ein Zeichen sein, dass unser Glück den Bach heruntergeht«, hatte ich zu bedenken gegeben. Das ist ein Punkt, den Namgay jeden Tag zur Sprache bringt. Er beschäftigt sich fortwährend mit dem Thema Glück oder dem Mangel daran.

»Kein schlechtes Karma«, sagte er und drehte sich auf die andere Seite.

»Und was ist mit dem Geist des Kindes?«, fragte ich beharrlich. »Er ist vermutlich noch da.« Normalerweise sind auch die Geister für ihn ein zentrales Anliegen, vor allem, wenn eine Einäscherung bevorsteht. Im Anschluss daran hält er jedes Mal eine kleine Reinigungszeremonie ab, um die Geister zu vertreiben, mit Räucherwerk und Rezitieren heiliger Texte auf der Türschwelle, bevor er das Haus betritt.

»Der Geist ist nicht mehr in der Nähe«, erklärte er mit Nachdruck.

Mist. »Was ist mit den *Naga*?«, hielt ich dagegen, zu den mythischen Schlangenwesen greifend, die über magische Kräfte verfügen und in der Unterwelt hausen.

»Den *Naga* ist das egal«, meinte er. »Schlaf jetzt.«

Doch das war leichter gesagt als getan.

Meine Sorge um ein Wesen, das nicht mehr lebte, verwunderte ihn in gleichem Maß, wie mich der tote Säugling beunruhigte. Nach seinem Dafürhalten hatte sich die Seele längst aus diesem Leben verabschiedet und war unterwegs zum nächsten. Dass sie sich nicht lösen konnte, geschah manchmal, aber nur dann, wenn das Leben eines Menschen in einer früheren Existenz vorzeitig und gewaltsam beendet wurde. »Manchmal kehren sie zurück und leben noch ein Jahr oder zwei, bevor sie sterben. Sie vollenden lediglich das *Samsara*, den Kreislauf der Wiedergeburten.«

Eine Erklärung, die alles andere als tröstlich war.

Also mussten wir einen weiteren Tag mit dem Leichnam im Fluss leben.

Am Abend ging ich früh zu Bett. Namgay malte und ich hörte ihn leise singen. Mitten in der Nacht schrak ich aus dem Schlaf hoch. Ich hatte geträumt, den Schrei eines Raben im Baum neben dem Haus gehört zu haben. Im Traum sah ich, dass Namgay nicht neben mir im Bett lag. Ich ging nach unten. In der Küche war er auch nicht. Ich eilte durch das Haus, dann öffnete ich die Eingangstür und trat ins Freie. Der Rabe krächzte immer noch.

Es regnete nicht, aber es hatte offenbar einen Wolkenbruch gegeben, sodass alles vor Nässe triefte, und von den Dachrinnen und Bäumen tropfte Wasser. Am Firmament trieben Wolkenfetzen dahin, durch die der Vollmond lugte, sodass alles einen hellen Schimmer erhielt, wenngleich von sonderbaren Schatten durchzogen. Meine Arme und Beine, die aus meinem Nachthemd herausschauten, schienen zu glühen.

Ich konnte die Bewegung des Wassers ausmachen, das am Haus vorbeifloss. Mit einem Mal beschlich mich ein seltsames Gefühl. Ich war nicht alleine. Meine Nackenhaare sträubten sich. In dem weißen Dunst über dem Fluss, unmittelbar über dem Felsen mit dem toten Säugling, erspähte ich Namgay, mit geschlossenen Augen, die Beine im vollen Lotossitz übereinandergeschlagen, nackt bis auf einen orangefarbenen, um seinen Oberkörper geschlungenen Schal. Seine Lippen formten die Silben eines Mantra, das im Tosen des Flusses unterging. Ich rief seinen Namen und im gleichen Augenblick stürzte er ab, sein Körper versank im Wasser. Ich sah ihn unmittelbar unter der Oberfläche treiben.

An Einschlafen war nicht mehr zu denken.

Am Morgen war ich bereits um sechs Uhr am Flussufer und stellte fest, dass der Leichnam noch immer auf den Wellen schaukelte. Namgay gesellte sich zu mir.

»Ich dachte, alles ist vergänglich«, sagte ich. »Das da scheint aber ewig zu dauern.«

»Der Leichnam hat sich verkeilt.«

»Er muss weg. Ich meine es ernst.« Ich merkte, dass mich die Sache mehr mitnahm, als ich dachte, und brach in Tränen aus. Er sah mich an und hatte endlich Mitleid mit mir.

»Ich spreche mit den Indern. Ich weiß nicht, ob sie helfen können. Wie auch immer, wir müssen sie bezahlen.«

»Ja, bitte! Egal, was sie verlangen, wir geben ihnen alles, was wir haben.«

Er lachte. »Ein paar Rupien reichen.«

Er stand einen Moment reglos da, dachte nach oder betete und blickte zu den Bergen empor. Es war Samstagmorgen und ich hatte geplant, nach Thimphu zu fahren und auf dem Wochenendmarkt Gemüse zu kaufen. Ich fühlte mich ausgelaugt und kraftlos nach der schlaflosen Nacht und Gemüse auf dem staubigen Markt herumzuschleppen war das Letzte, was ich mir wünschte. Aber wenigstens würde ich dabei auf andere Gedanken kommen. Ich ging ins Haus, um eine Einkaufstasche zu holen.

Als ich wenige Augenblicke später zum Auto zurückkehrte, sah ich Namgay langsam die Straße entlanggehen. Ungefähr einen Kilometer von unserem Haus entfernt führte eine kleine Brücke über den Fluss.

Ich stand am Ufer und blickte ihm nach. Was hatte er vor?

Ich erspähte ihn abermals, als er die Brücke überquert hatte und die Baustelle ansteuerte, die sich auf der anderen Seite des Flusses befand; dort musste er den ganzen Weg bis in Höhe unseres Hauses zurückgehen, da die Straße parallel verlief. Die indischen Bauarbeiter, ungefähr ein Dutzend, waren bereits vor Ort, plauderten und sangen bei der Arbeit. Sie waren klapperdürr, aber stark und energiegeladen, mit ledriger brauner Haut, die unter ihrer locker sitzenden Kleidung hervorschaute.

Sie hatten keinen Strom und daher auch keine elektrischen Geräte oder Baumaschinen. Selbst die massiven Stützbalken des Hauses waren von Hand gesägt. Sie konnten Zement anmischen, Steine behauen, schleifen und Stahl biegen – alles mithilfe reiner Muskelkraft. Sie arbeiteten von morgens bis abends wie die Ameisen, eilten Bambusrampen hinauf und hinunter, schleppten Zement herbei und hobelten Holzplanken. Nach Feierabend schalteten sie nicht etwa ab, indem sie sich vor ihren mehr oder weniger dauerhaften Hütten ins Gras legten, sich die wohlverdiente Mahlzeit gönnten oder in der nächstgelegenen Garküche ein Bier tranken, wie man annehmen könnte, sondern spielten Cricket, bei Wind und Wetter, ein Mannschaftsspiel, das schweißtreibend ist und vollen Einsatz erfordert.

Verglichen mit Indien war Bhutan für sie ein Eldorado. Sie erhielten – im Vergleich zu ihrer Heimat – fast den doppelten Lohn, vorausgesetzt, sie konnten überhaupt eine Arbeit in den wirtschaftlich notleidenden Regionen finden, aus denen sie stammten, wie Bihar oder Westbengalen. Viele verdienten beim Bau von Häusern in Bhutan genug Geld, um ihre Kinder in Indien auf eine Privatschule zu schicken. Sie waren vortreffliche Zimmerleute und Handwerker und lebten in Bhutan schon seit Jahren als Gastarbeiter.

Ich sah zu, wie Namgay sich einem von ihnen näherte. Sie sprachen miteinander, vermutlich Nepali, weil er nur ein paar Brocken Hindi beherrscht. In diesem Teil der Welt spricht jeder Nepali. Ich nahm seine vertraute Körperhaltung wahr. Ungeachtet dessen, mit wem er sich unterhielt, seine Gestik und Körpersprache übermittelten dem anderen stets das Gefühl, dass man ihm mit Achtung und auf Augenhöhe begegnete.

Für die indischen Arbeiter war er eine hochstehende Persönlichkeit. Der Inder hörte mit gesenktem Kopf zu, die Augen vermutlich abgewandt, statt Namgay direkt anzuschauen, wie es der indischen Art entsprach, Respekt zu bezeugen. Namgay deutete auf den Fluss und vollführte eine Drehbewegung mit dem Arm. Inzwischen hatten sich weitere Arbeiter eingefunden und hörten zu. Der Mann, den er angesprochen hatte, reagierte hin und wieder mit dem für Indien typischen »Kopfwackeln«, einer Mischung aus Kopfnicken und Kopfschütteln, einem Zeichen des aufmerksamen Zuhörens.

Während ich im Hof unseres Hauses auf der anderen Seite des Flusses stand, spürte ich, dass die Ungeduld von mir Besitz ergriff. In diesem Teil der Welt dauerte es unweigerlich länger, bis man zur Sache kommt. Namgay wiederholt oft Erklärungen oder bringt sie mit anderen Worten zum Ausdruck, wenn er mit Indern oder Bhutanern redet. Vielleicht ist das eine Geste der Höflichkeit, eine Art Kommunikationstanz – der vor allem dann geboten ist, wenn er jemanden zu überzeugen versucht.

Einer der Männer mischte sich in die Unterhaltung ein. Er hatte wahrscheinlich Tabak oder *Doma* gekaut, denn er wandte ständig den Kopf zur Seite und spuckte im hohen

Bogen aus. Das Gespräch schien nicht in Namgays Sinn zu verlaufen. Fünf Minuten vergingen, dann zehn. Einmal deutete er auf das Haus und alle spähten zu mir herüber. Ich lächelte, kam mir töricht vor. Doch die Inder waren mit den rätselhaften Verhaltensweisen der Weißen vertraut und vielleicht an solche Verhandlungsmarathons gewöhnt, die ich nicht nachvollziehen konnte.

Plötzlich setzten sich Namgay und acht indische Arbeiter in Marsch, gingen in meine Richtung. Sie schritten schnell und zielstrebig aus, wie eine kleine Armee, die sich auf den Leichnam zubewegte. Er war inzwischen aufgedunsen.

Sie gelangten an die Stelle genau gegenüber unserem Haus, nahmen den Fluss in Augenschein.

Gut gemacht, Namgay!, dachte ich. Er hatte sie offenbar überredet, den toten Säugling zu befreien. Aber wie?

Der nächtliche Monsunregen hatte das träge Gewässer, das selbst ein Mensch von kleinem Wuchs gefahrlos durchwaten konnte, auf einen Pegelstand von mehr als zweieinhalb Meter anschwellen lassen und in einen reißenden Strom mit tückischen Wirbeln und Stromschnellen verwandelt, die sich über die zahlreichen schroffen Felsen direkt unter der Oberfläche ergossen. Das Wasser, das weit über die Ufer getreten war, hatte die Farbe von Milchschokolade.

Die Männer deuteten flussaufwärts und flussabwärts, dann wurden die Verhandlungen wieder aufgenommen. Zwei Männer wurden abtrünnig und kehrten zur Baustelle zurück. Die anderen setzten die Diskussion fort. Manchmal wirkten ihre Worte und Gesten ziemlich erregt, vor allem Namgays.

Kurz darauf wurde mir klar, dass die beiden Männer nicht das Weite gesucht hatten. Sie kehrten mit einem langen Seil zurück, das zusammengerollt war. Dann zerstreuten sie sich und nahmen ihre Position ein.

Zwei von ihnen ergriffen das Seil und gingen etwa zehn Meter flussaufwärts, zu einem mächtigen Baum am Ufer, dessen Krone sich dem Wasser zuneigte. Der größere der beiden schlang das eine Ende des Seils um seine Taille und dann um die seines Freundes, der ein paar Meter neben ihm stand, bevor er das andere Ende am Baum festzurrte. Drei weitere Inder eilten herbei. Der Abstand zwischen ihnen betrug ungefähr eine Armeslänge und sie verschränkten die Hände miteinander. Was zum Teufel sollte das werden?

Der erste Mann mit dem Seil um die Taille stieg vorsichtig in den Fluss hinab. Alle brüllten durcheinander.

Der hochgewachsene Inder verschwand nach wenigen Sekunden im schlammigen Wasser. Mir stockte der Atem. Sein Freund am Ufer zerrte am Seil und der Kopf des Mannes tauchte an der Oberfläche auf. Dann wurden die beiden anderen aktiv. Sie lösten ihre verschränkten Hände und ergriffen das Seil, zogen mit und verschafften dem Mann im Wasser dadurch zusätzlichen Halt. Wenn er ertrank, konnten sie zumindest die Leiche bergen, dachte ich. Eine grässliche Vorstellung. Ich war einer Panik nahe.

Doch es gelang ihm, den Kopf über Wasser zu halten, sich am Seil festzuklammern und sich in Richtung des Felsens mit dem toten Säugling vorzukämpfen.

Und dann, ohne Vorwarnung, sprang sein Freund ins Wasser, schlug wild mit seinen Armen und spindeldürren Beinen um sich, um gegen die Strömung anzukommen. Es sah aus, als versuchte er zu schwimmen, aber in dem reißenden Gewässer war das ein Ding der Unmöglichkeit.

Doch auch er behielt den Kopf über Wasser und hielt sich am Seil fest.

Was für ein Irrsinn, was hatte ich da angezettelt! Dieses Unterfangen, das einem akrobatischen Akt glich, war lebensgefährlich. Fehlte nur noch, dass ein großer Baumstamm den Fluss hinuntertrieb und einen oder beide Männer mit voller Wucht traf, sodass sie das Bewusstsein verloren. Ertrinken war mit einem Mal eine überaus reale Möglichkeit. Dann würden sich die Leichen im Fluss mehren. »Raus da, raus da, raus da«, murmelte ich beschwörend vor mich hin.

Namgay hatte nun ebenfalls das Seil gepackt, als wollte er den beiden Männern im Wasser moralische Unterstützung angedeihen lassen.

Der erste Mann näherte sich dem Baby. Er ruderte ein paarmal heftig mit den Armen, in dem Versuch, die Kleidungsstücke zu fassen und zu lösen. Es gelang ihm nicht. Ich hatte Angst, das Seil könnte reißen. Die Männer am Ufer schienen den gleichen Gedanken zu haben, denn sie begannen, die beiden Männer im Fluss an Land zurückzuziehen.

Sie sahen aus wie begossene Pudel, als sie aus dem Wasser stiegen und ans Ufer kletterten, die nasse Kleidung klebte am Körper. Sie setzten sich ins Gras und verschnauften, husteten, rieben sich über Kopf und Gesicht. Aber ich hörte sie lachen. Für sie war das Ganze offenbar eine sportliche Betätigung. Nachdem sie sich eine Weile ausgeruht hatten, lösten sie das Seil um ihre Leibesmitte. Zwei weitere Männer standen auf und knoteten es um ihre schmalen Taillen. Offenbar wollten sie ihr Glück in diesem Wettkampf versuchen.

Das zweite Team war erfolgreich. Der erste Mann stemmte seine Füße gegen den Felsen, an dem sich das Baby verfangen

hatte. Er hatte die glorreiche Idee gehabt, einen Stock mitzunehmen. Ein paar heftige Stöße und schon löste sich das
Kleiderbündel aus der Verankerung. Die sterblichen Überreste des Säuglings wurden von der Strömung ergriffen, trieben rasch davon und verschwanden hinter der Biegung des
Flusses.

Die Inder brachen in laute Jubelrufe aus. Ich stimmte ein,
klatschte mit hoch erhobenen Händen, schrie »Juhuuuu!«
und führte einen Freudentanz auf.

Die Männer zogen ihre Gefährten blitzschnell an Land. Es
folgten weitere Jubelrufe, Gelächter und ausgiebiges Schul-
terklopfen, bevor sie die beiden Helden und den Baum los-
banden. Am Schluss rollte der Anführer das Seil zusammen
und alle kehrten zur Baustelle zurück.

Namgay winkte mir vom anderen Flussufer zu. Beschwingt
winkte ich zurück. Ich spürte, wie mich eine Welle unendlicher Liebe und grenzenlosen Mitgefühls überkam. Was immer auch geschehen mochte, unser gemeinsames Karma
war gut.

Wo finde ich einen Menschen,
der Worte vergessen hat?
Ich würde gerne ein Wort mit ihm wechseln.

Chuang Tzu

Denken führt nicht zur Wahrheit.
Wahrheit ist der Beginn des Denkens.

Hannah Arendt

HIMMLISCHER SEGEN UND
HÄUSLICHES GLÜCK

Eines Abends, einige Monate später, kam die Anfrage. In einer entlegenen Ortschaft unweit von Namgays Heimatdorf lebte ein sechsjähriges Mädchen, das Hilfe brauchte. Die Kleine sei intelligent und wissbegierig, hieß es, bisweilen ein wenig eigenwillig, aber sonst ein braves Kind. Der Schulweg, den sie täglich durch die Bergwälder von Bhutan zurücklegen musste, betrug mehr als sechs Kilometer.

Wenn sie nach Hause kam, fiel sie umgehend ins Bett, zu müde, um zu reden oder etwas zu essen. Dass sie in der Schule etwas lernte, war angesichts dieser Strapazen ein Ding der Unmöglichkeit. Bhutan ist ein Entwicklungsland, arm nach westlichen Maßstäben, und deshalb ist es üblich, dass Freunde oder Verwandte, die besser situiert sind, ein Kind offiziell oder inoffiziell adoptieren.

Ich war diesem Mädchen schon bei einem unserer Besuche in Trongsa begegnet. Sie war bezaubernd mit ihrem kleinen runden Gesicht und den kurz geschnittenen Haaren. Die Eltern hatten sie in Jungenkleider gesteckt, vielleicht von einem Cousin geerbt, die sie auftrug. Sie schien kein bisschen schüchtern, sondern wirkte tatsächlich ein wenig ungestüm. Das gefiel mir. Ihr Name war Kinlay.

Dennoch, ich war nicht mehr zwanzig und aus gutem Grund kinderlos geblieben. Während die biologische Uhr unerbittlich tickte und bei meinen Freundinnen in Amerika im Lauf der Jahre Alarm ausgelöst hatte, schien meine ausgeschaltet zu sein. Manchmal tat ich wenigstens so, als könnte ich ihre Nöte nachempfinden. »Stimmt, Kinder verleihen dem Leben erst einen Sinn«, hörte ich mich sagen, doch das war nicht ernst gemeint. Kinder interessierten mich nur beiläufig. Ich mochte die Sprösslinge meiner Freunde und fand es spannend, ihre Entwicklung in wichtigen Lebensphasen zu verfolgen, wie Kindergarten, Grundschule, Teenageralter, Fahrstunden und dergleichen, aber es reichte mir aus, das Geschehen vom Spielfeldrand, als mehr oder weniger unbeteiligte Zuschauerin zu beobachten. Das Leben, das ich führte, kinderlos und ungebunden, war interessant und exotisch genug, perfekt, um nach Lust und Laune Nabelschau zu betreiben und Bhutan auf Schusters Rappen zu erkunden.

Ich war der festen Überzeugung gewesen, Namgay und ich hätten dieses grundlegende Thema vor unserer Heirat ausdiskutiert und ad acta gelegt. Ich hatte ihm erklärt, dass amerikanische Frauen nach dem vierzigsten Lebensjahr normalerweise keine Kinder mehr bekommen, es sei denn, sie unterziehen sich einer Fertilitätsbehandlung. Ich musste das im Vorfeld klarstellen, denn bhutanische Frauen sind länger fruchtbar, einige sogar bis weit ins fünfzigste Lebensjahr. Möglicherweise hängt das mit der Ernährungsweise, der Umwelt oder der genetischen Struktur zusammen. Ich hatte ihm klipp und klar gesagt, für eine Schwangerschaft sei ich wahrscheinlich zu alt.

»Das ist in Ordnung«, hatte er erwidert. »Wir können im nächsten Leben Kinder haben.«

Ich war froh über den Aufschub. Für mich war der Fall damit abgehakt, dachte ich zumindest.

Als die Anfrage kam, sprachen wir natürlich darüber. Namgay wollte Kinlay unbedingt aufnehmen. Ich suchte nach Ausflüchten, listete alles auf, was dagegen sprach. Es fiel mir schwer, die Rolle des Advocatus Diaboli zu spielen, denn sie entsprach nicht meinem Naturell. Doch wie so oft in meiner Ehe stellte ich fest, dass ich genau das tat. Insgeheim überlegte ich krampfhaft, was passieren mochte, wenn sich zwei waschechte Bhutaner, ein Mann und ein Kind, gegen mich verbündeten, eine Amerikanerin auf verlorenem Posten. Zog Namgay etwa in Erwägung, die Kleine später auf ein College zu schicken? Oder sie mitzunehmen, wenn wir in Amerika Urlaub machten? Hatte er bedacht, dass sie drei Mahlzeiten am Tag brauchte? Dass wir sie einkleiden und jeden Tag zur Schule schicken mussten? Und überhaupt, wie war das mit der kindgerechten Ernährung? Und woher sollten wir ein Bett für sie beschaffen? Welche Schule sollte sie besuchen? Wer sollte ihr bei den Hausaufgaben helfen? Ich listete jedes Hindernis auf, das ich in meinem Wissensreservoir zum Thema Kindererziehung entdecken konnte. Zugegeben, meine Kenntnisse waren begrenzt, aber ich hatte schließlich schon Tiere großgezogen – Hunde und Katzen. Und das erforderte bereits ein persönliches Engagement auf ganzer Linie! Es war kein Spaß, wenn die Tiere krank wurden, und man war ständig angehängt, weil sie Futter brauchten und Gassi gehen mussten. Und da spielte Namgay mit dem Gedanken, ein sechsjähriges Mädchen zu uns zu nehmen? Was war, wenn sie krank wurde? Oder auf die Toilette gehen musste?

»Das geht schon«, erwiderte Namgay auf alle meine Fragen oder: »Wir schaffen das.«

Ich erklärte, dass wir lieber warten und uns die Sache in Ruhe durch den Kopf gehen lassen sollten. Es bestand kein Grund, die Dinge zu überstürzen. Wir diskutierten bis Mitternacht, dann gingen wir zu Bett. Ich musste am nächsten Morgen früh aufstehen, weil ich zusammen mit seiner Cousine deren Mutter besuchen wollte.

Namgays Cousine Pema ist eine kleine lebhafte Frau Mitte fünfzig, aber aufgrund ihres Aussehens und ihrer persönlichen Art würde man sie wesentlich jünger schätzen. Sie hat einen Pagenschnitt oder »Bob« – in Bhutan eine Standardfrisur bei Frauen ab einem gewissen Alter. Ihre großen braunen Augen strahlen immer gute Laune aus und ihr Lachen ist glockenhell. Wenn sie kichert, was oft der Fall ist, hält sie die Hand vor den Mund, eine Geste der Höflichkeit. Sie hat eine gute Ausbildung genossen, führt aber ein einfaches Leben. Jedes Jahr im Juni richtet sie ein großes Fest aus, um den Geburtstag von Guru Rinpoche zu feiern.

Sie steht Tag für Tag um fünf Uhr morgens auf, noch vor Sonnenaufgang, wäscht sich das Gesicht, kleidet sich an und beginnt zu kochen, denn sie hat einen großen Haushalt zu versorgen. In ihrem dreistöckigen Haus in Kawajangsa ist genug Platz für ihren Ehemann, vier halbwüchsige Kinder und ihr riesengroßes Herz.

Im Haus wohnen neben ihrer eigenen Familie gelegentlich auch ihre Mutter und einer ihrer Brüder und zusätzlich nimmt sie noch Hilfsbedürftige und deren Kinder auf. Leute, die in Not geraten sind und Kinder haben, die sie nicht ernähren können, dürfen sie zum Essen zu Pema schicken. Waisenkinder mit leerem Magen und gebrochenem Herzen werden ebenfalls in ihre Obhut gegeben. Außerdem bietet sie Frauen Unterschlupf, die von ihren Männern geschlagen oder wegen einer anderen Frau verlassen wurden. Alle wissen, dass sie niemanden abweisen würde. Sie wohnen eine Zeit lang bei Pema und ihrer Familie und wenn sie seelisch gerüstet sind, verlassen sie die Geborgenheit ihres Hauses, um sich gestärkt dem Leben zu stellen.

Als Namgay und ich im Nachbarhaus lebten, beherbergte sie elf Kinder im Alter von acht bis achtzehn Jahren, ihre vier eigenen eingeschlossen. Bei Tagesanbruch, wenn ich aufwachte, klopfte sie schon die Teppiche im Hof aus. Sie arbeitet wie ein Pferd, sieht aus wie ein junges Mädchen und hat eine Energie, die sich aus einer göttlichen Quelle speisen muss. Sie ist der Mittelpunkt ihrer kleinen Welt und sorgt dafür, dass alles reibungslos läuft.

Das Haus ist geräuschvoll, chaotisch, sauber und liebevoll eingerichtet. Die Küche stellt das Herzstück dar, die Kommandozentrale, in der sie die Mahlzeiten zubereitet, putzt oder Hof hält. Wir sahen sie oft zum Markt gehen, um Lebensmittel einzukaufen, eine riesige bunte geflochtene Plastiktasche, die in Bhutan allgegenwärtig sind, über die Schulter gehängt.

Hin und wieder werde ich gebeten, Pema als Fahrerin oder Helferin auf eine Mission zu begleiten, was mir immer großen Spaß macht. Dieses Mal fuhren wir über eine steile Passstraße nach Ha, wo wir das Auto stehen ließen und einen mehrstündigen Fußmarsch durch einen Kiefernwald antraten, um ihre Mutter zu besuchen, die in einem Meditationszentrum lebte. Pema wollte ihre Lebensmittelvorräte auffüllen.

In Bhutan verbringen viele Menschen ihren Lebensabend an einem abgeschiedenen Ort, um ungestört zu meditieren. Sie rufen Chenrezig an, den Buddha der Barmherzigkeit und des Mitgefühls, erbitten seinen Beistand, um sich auf die nächste Reinkarnation vorzubereiten. Im Wesentlichen bereiten sie sich auf den Tod vor und sind bestrebt, ihr Karma im nächsten Leben zu verbessern. Doch das ist kein Anlass, traurig zu sein. Offensichtlich erhält ihr Leben dadurch auch im Alter einen Sinn und sie sind wesentlich länger fit und unabhängig als betagte Menschen in anderen Kulturen. Viele sterben, während sie meditieren, was nach buddhistischer Überzeugung ideal ist. Alle körperlichen Vorgänge verlangsamen sich dabei und kommen irgendwann kaum merklich zum Stillstand. In Bhutan ist es üblich, dass alte Menschen und Menschen, die ihr Leben in den Dienst der Religion stellen, eine vom Rest der Gesellschaft abgeschiedene Gemeinschaft bilden. Oft handelt es sich dabei um eine Mönchsschule oder *Shedra* (eine Klosteruniversität) in der näheren Umgebung, wo Jungen und Mädchen auf ein Leben als Mönch oder Nonne vorbereitet werden. Sie helfen den älteren Menschen und umgekehrt.

Pemas Mutter war über siebzig. Sie hatte sieben Kinder in ihrem Dorf großgezogen und wie die meisten Frauen ihrer Generation auf dem Bauernhof der Familie mitgearbeitet. Sie war voller Energie und ungemein aktiv, genau wie Pema. Alle nannten sie *Angay*, was »Großmutter« bedeutet. Viele ältere Frauen werden in Bhutan einfach als Angay bezeichnet.

Gelegentlich kam Angay für ein paar Tage nach Thimphu, um ihre Familie zu sehen und das Institut für Traditionelle Medizin oberhalb von Pemas Haus aufzusuchen, wo sie Kräuter und andere Naturheilmittel für ihre Altersbeschwerden und Schmerzen erhielt. Im Winter pflegte sie eine Fahrt nach Bodhgaya zu unternehmen, eine beliebte Pilgerstätte der Buddhisten in Indien und der Ort, an dem Buddha Erleuchtung erlangte.

»Meditationszentrum« ist eine irreführende Bezeichnung, weil es sich nicht um eine Anlage mit einem klar abgegrenzten Mittelpunkt handelt, sondern um ein paar Hütten am Hang einer abgelegenen Anhöhe, die Ausblick auf ein idyllisches Gebirgstal bieten. Wenn man an einem klaren Tag nach Norden schaut, kann man die imposanten weißen Gipfel des Hochhimalaja erkennen, die sich bis nach Tibet erstrecken.

Die Familie hat hier ein Haus für Pemas Mutter errichtet, eine kleine, behagliche Unterkunft aus Holz und Lehm: Holz und Lehm sorgen für eine ausgezeichnete Isolierung, die sie braucht, weil es in den Bergen kalt ist. Namgay übernahm die Aufgabe, die Außenwände nach traditioneller Art zu bemalen. Die beiden kleinen Räume werden von einem leistungsstarken Holzofen beheizt. Zwei Mönche, die in der Nähe leben und die heiligen Schriften studieren, kommen jeden Tag, um Wasser von einem Hahn im Garten für sie zu holen, da es im Haus keine sanitären Anlagen gibt, und sich zu vergewissern, dass sie immer genug Brennholz für den Ofen und es warm genug hat. Als Gegenleistung erhalten sie bei ihr eine warme Mahlzeit, Currys aus Reis und Gemüse, und Tee vorgesetzt.

Das Haus ist von einem Garten umgeben. Im Sommer gleicht er einem kleinen Paradies, mit Blumen und Gemüsepflanzen, die dicht an dicht gesetzt sind und in der Sonne des Himalaja ihren Duft verströmen. Einige Blumen erreichen eine Höhe, die das Haus überragt, und ranken sich am Zaun empor, der den Garten umschließt. Im Sommer vergisst man, dass es sich um einen entlegenen Winkel hoch droben im Himalaja handelt, der als Rückzugsort von der Welt dient; man hat das Gefühl, sich in einem englischen Garten zu befinden.

Nachdem wir das Auto oben auf dem Pass abgestellt hatten, hievten wir große Pakete mit Lebensmitteln, Schachteln, Schraubverschlussgläser und Säcke heraus, die für Angay bestimmt waren, und legten sie neben dem Wagen ins Gras, um die Last möglichst geschickt zu verteilen. Nun stand uns der Teil des Ausflugs bevor, den ich hasste. Ich bin faul und marschiere nicht gerne mit schwerem Gepäck auf dem Rücken und Cousine Pema, großzügig wie immer, ging bis an die Grenzen dessen, was zwei Frauen die steile Flanke eines Berges hinaufschleppen können. Sie hatte ungefähr viereinhalb Kilo Äpfel aus der neuen Ernte dabei, des Weiteren viereinhalb Kilo roten Reis; zwanzig Eier, in Heu gebettet und in einem recycelten Eimer verstaut, der Öl für die Butterlampen enthalten hatte; dazu *Momo* oder Fleischklöße, eine lokale Spezialität, die wir zusammen mit Angay essen wollten. Außerdem hatte sie knapp eineinhalb Kilo Butter plus eineinhalb Kilo *Datse*, einen Käse, der in unserer Gegend hergestellt wird, eine Schachtel Gebäck aus der Schweizer Bäckerei, getrocknete Rindfleischstreifen, allerlei Gemüse, wie Zwiebeln, Tomaten, Knoblauch, Kartoffeln, lange weiße Rettiche und getrockneten Kürbis dabei. Nicht zu vergessen einen großen Krug Molke, die sich von Sauermilch abtrennt. Molke ist reich an Vitaminen und Mineralstoffen, sieht aber aus wie der trübe Urin einer Kuh.

Ich spähte zu dem Berg hinauf, den es zu erklimmen galt. Hinter mir schnallte Pema sachkundig ein Bündel mit Fleisch, Obst, Gemüse und Gebäck auf meinem Rücken fest, sie übernahm die schwereren Lebensmittel selbst. Trotzdem hatte ich das Gefühl, mitsamt dem Gewicht nach hinten zu kippen.

Dann stellte sie ihr eigenes Bündel zusammen und hievte es auf ihren Rücken. Ich begann, eine ganze Litanei flehentlicher Bitten vom Stapel zu lassen, wie es der bhutanischen Etikette entsprach: »Gib mir die Eier. Ich kann sie in die Hand nehmen.« »Bitte.« »Du trägst zu viel. Gib mir etwas ab.« »Mein Bündel ist viel leichter als deines.« »Bitte.« »Ich bin viel größer und kräftiger als du. Ich kann mehr tragen.« Doch natürlich trat sie mir nichts von ihrer Last ab.

Wenn wir Angay besuchten, hatten wir an der Stelle, an der unser Fußmarsch begann, mehrmals einen oder zwei kleine Mönche getroffen, die sich bereit erklärten, einen Teil der Nahrungsmittel den Berg hinaufzutragen. Doch heute hatten wir Pech; weit und breit keine Mönche in Sicht.

Auf dem Bergpfad lag bereits eine dünne Schneeschicht, aber es war warm. Er würde stellenweise matschig sein, vor allem dort, wo keine Sonne hinkam. Wir mussten nicht nur auf den Weg achten, sondern auch nach den weißen Affen Ausschau halten, die dem Vernehmen nach allein wandernde Mönche angegriffen und ihnen tiefe Bisswunden an den Armen zufügt hatten.

Der erste Teil des Aufstiegs war trügerisch einfach und führte sogar ein Stück bergab. Wir machten uns gemächlich auf den Weg und kamen an drei *Chorten* und einer Gebetsmühle vorüber, deren Rad von einem schmalen Gebirgsbach in Bewegung gesetzt wurde und eine kleine Glocke zum Klingen brachte, die ein leises *Ting, Ting, Ting* von sich gab. Dann verlief der Pfad steil bergauf, tauchte in einen dichten Wald ein.

Pema sagte, jetzt sei es angeraten, viel Lärm zu machen. »Das fällt uns beiden bestimmt nicht schwer«, erwiderte ich. Sie lachte silberhell. Wir unterhielten uns angeregt, das heißt, sie hielt das Gespräch in Gang, wobei ich gelegentlich die eine oder andere Bemerkung einwarf, während ich schnaufend und keuchend den Berg hinaufstapfte.

Trotz der schweren Last machte es Spaß, zu Fuß zu gehen. Bhutan auf Schusters Rappen zu erkunden ist für mich das Höchste, und das ist nicht übertrieben. Ich gelange dabei in einen euphorischen Zustand, der durch die dünne Höhenluft, die im Gehirn freigesetzten chemischen Botenstoffe und die gleißende Sonne hervorgerufen wird. Bhutan ist wie ein gigantisches Fitnessstudio mit Trimmgeräten wie dem Stairmaster. Die Abgeschiedenheit und die Berge, die uns umgeben, sind Balsam für meine Seele. Ich habe meinen Frieden mit dem Alleinsein geschlossen. »Man verliert einige Dinge und gewinnt einige Dinge«, hatte der US-Schriftsteller und Aktionskünstler Ken Kesey angeblich auf die Frage geantwortet, wie sich sein Leben durch die LSD-Trips verändert habe, die (damals noch ganz legal) bei den »Happenings« in der von ihm gegründeten Kommune gang und gäbe waren. Zu dieser Erkenntnis bin ich ebenfalls gelangt, was mein Leben in Bhutan betrifft. Wenn man viele Jahre in diesem abgeschiedenen Teil der Welt verbringt, verliert man die Neigung, sich um jede Kleinigkeit zu sorgen, und entwickelt eine Einstellung, die man als gesellschaftsfeindlich betrachten könnte. Ich bin keine große Freundin des unermüdlichen menschlichen Leistungsstrebens, das unsere westlichen Gesellschaften kennzeichnet. Das Leben hält so viele Dinge bereit, die wichtiger sind. Wenn man in einem abgeschiedenen Teil der Welt lebt, können bestimmte Abläufe plötzlich in den Brennpunkt des Interesses rücken, aber es gibt nichts, was wirklich dringend wäre. Das Leben in Bhutan hat mir ein ungeheuer lebendiges Innenleben geschenkt und eine Oberschenkelmuskulatur, mit der ich Walnüsse knacken könnte.

Ich war schweißgebadet. Pemas Stirn war knochentrocken. Sie hatte Erbarmen mit mir und ungefähr alle zwanzig Minuten oder so hielten wir an, um zu verschnaufen und die Aussicht zu genießen. Pema klärte mich über den biografischen Hintergrund unseres weitläufigen Familienclans auf. Ich finde es wunderbar, eine große Verwandtschaft zu haben. Zu ihr gehören Verwaltungsangestellte und Richter am Obersten Gerichtshof, Politiker, Lehrer, Maler, Holzschnitzer, Filmemacher und zahlreiche Mönche und Lamas, alle arbeitsam und tiefreligiös. Natürlich gibt es auch die eine oder andere Tragödie: plötzlicher Kindstod, schlechte Noten in der Schule, Krankheiten. Während wir uns angeregt unterhielten, vergaßen wir, uns Sorgen wegen der Affen zu machen.

Hoch oben auf dem Berg gelangten wir endlich an die Wegbiegung, von wo aus Angays Haus mit dem umzäunten, tadellos in Schuss gehaltenen Garten sichtbar wurde. Es war Spätherbst und zwischen den verwelkten Blumen wuchsen nur noch einige spärliche Kartoffeln und Kohlsorten. Pemas Mutter hielt sich draußen auf: Sie war damit beschäftigt, die schweren Ranken der Edelwicken vom Spalier zu entfernen, und begrüßte uns herzlich, arbeitete aber noch ein paar

Minuten weiter, während wir unser Gepäck abschnallten und die Schuhe auszogen.

Ich konnte die Überreste von Canna, Dianthus und Edelwicken mit einzelnen verblassten Blüten zwischen den vertrockneten braunen Pflanzen ausmachen. Trotz der verdorrten Vegetation beschwor der Blick aus Angays Garten Bilder von Shangri-La herauf. Die Berge waren von Wolken umhüllt, verdeckten teilweise die goldenen Dächer der Tempel am Horizont, die einige Tagesreisen entfernt und so unzugänglich waren, dass man sich fragte, wer auf die Idee gekommen sein mochte, sie dort zu errichten. Vielleicht träumte ich auch nur – oder ich litt unter Halluzinationen. In dieser Höhe haftete allem, was in der Sonne glänzte und schimmerte, etwas Unwirkliches an.

Es war nicht möglich gewesen, Pemas Mutter von unserem Besuch zu unterrichten, doch als sie uns ins Haus bat, stellten wir fest, dass sie bereits angefangen hatte, ein Festmahl für uns zu kochen. Am Tag zuvor habe ihre Nase gejuckt, sagte sie mit einem verlegenen Lachen. Das bedeute, dass sie Gäste haben werde, und deshalb sei sie in aller Frühe aufgestanden und habe mit den Vorbereitungen begonnen.

Wir nahmen in der Küche neben dem Holzofen Platz. Die Sonne schien durch das große Panoramafenster, schlug eine breite Lichtschneise, die den Fußboden teilte. Eine graue Katze mit zerfledderten Ohren hatte sich auf dem dicken Holzboden mit perfekter geometrischer Präzision einen Schlafplatz gesucht, der ihr den vollen Genuss sowohl der Ofenwärme als auch des Sonnenscheins bot. Wie alle Katzen in Bhutan war sie ein hart arbeitendes Nutztier; sie hatte dafür zu sorgen, dass keine Nager ins Haus gelangten. Angay kochte uns Tee und setzte sich zu uns, während wir tranken. Die Katze verließ ihr »Anwesen in erstklassiger Lage«, um sich in Angays Schoß zusammenzurollen, die im Schneidersitz auf dem Fußboden hockte. Angay streichelte sie geistesabwesend, während sie mit Pema plauderte.

Wir verbrachten den ganzen Tag in der Küche unweit des Ofens und gingen mit Einbruch der Dunkelheit schlafen, wobei wir uns aus riesigen chinesischen Decken mit Pandabärenmuster, an der nahe gelegenen tibetischen Grenze erstanden, ein Lager auf dem Fußboden errichteten.

Ich wachte mitten in der Nacht auf und hörte, wie Angay in ihrer winzigen Schlafkammer, die auch als Gebetsraum diente, leise vor sich hin murmelnd die heiligen Schriften las. Dort gab es einen kleinen Hausaltar mit mehreren goldenen Statuen und den obligatorischen sieben Schalen mit Wasser. Sie schlief auf dem Fußboden vor dem Altar. Nun warf das trübe Licht einer einzelnen Glühbirne ihren Schatten auf die Wand, während sie sich langsam hin und her wiegte und die Texte rezitierte, immer wieder unterbrochen von langen tiefen Atemzügen. Es musste gegen drei oder vier Uhr morgens sein. Der monotone Rhythmus lullte mich ein. Während ich auf meinem Nachtlager in der Einsiedelei der alten Frau lag, verspürte ich mit einem Mal eine so tiefe innere Ruhe und Gelassenheit, wie ich sie nie zuvor erlebt hatte.

Am nächsten Tag legten wir unser Bettzeug zusammen, aßen ein wenig Reis zum Frühstück und wanderten zu einer Pilgerstätte, an der »heiliges Wasser« der Flanke eines Berges entspringt. Die Quelle ist eine von vielen in Bhutan, die Guru Rinpoche an der Stelle schuf, wo sein magischer Stab, den er von sich schleuderte, ins Erdreich eindrang. Mit diesem Zauberstab bewirkte er offenbar auf Schritt und Tritt Wunder: Überall in Bhutan zeigte man mir Bäche oder Quellen, die den magischen Kräften des Guru Rinpoche zu verdanken waren, oder Hand- und Fingerabdrücke, die er auf Felsen hinterließ. Eine weitere von ihm bevorzugte Beschäftigung bestand darin, Apfelbäume zu manifestieren oder zu pflanzen. Entweder rammte er seinen Stock wie einen Speer in die Erde und ein Apfelbaum spross in die Höhe oder er bediente sich der herkömmlichen Methode, Samenkörner auszulegen.

Angay fragte Pema, ob es stimmt, dass Guru Rinpoche reinkarniert sei und an einem Ort lebe, der »Swieser-lan« heiße.

»Meinst du Switzerland?«, erwiderte Pema. »Wer hat dir denn das erzählt?« Dass der Guru in der Schweiz wiedergeboren sein soll, war mir neu.

Angay lächelte und schwieg.

Pema sah mich an und schmunzelte. »Heutzutage ist alles möglich.«

»Ich habe gehört, dass er auf den Bahamas lebt«, sagte ich scherzend.

Ich wusch mein Gesicht in dem heiligen Wasser und betete um Erleuchtung. Und falls das zu viel verlangt war, bat ich die himmlischen Mächte, die dafür zuständig sein mochten, um einen reichen Geldsegen. Natürlich stand es ihnen frei zu entscheiden, ob mein Ersuchen angemessen war oder nicht. Ich lebte schließlich in Bhutan, wo Habgier und das Anhäufen von Wohlstand kein vorrangiges Thema waren. Obwohl ich in meinem ganzen Leben nie ärmer gewesen war als jetzt, hatte ich mich nie besser aufgehoben und glücklicher gefühlt. In Bhutan muss niemand hungern. Ich verzichtete darauf, wegen der Geschichte mit Kinlay um eine Eingebung zu bitten, obwohl sie mir während unseres Besuchs immer wieder durch den Kopf ging. Meine Gedanken konzentrierten sich letztendlich auf eine einzige Frage: War ich gewillt und in der Lage, ein Kind großzuziehen?

Auf dem Rückweg nach Thimphu redete Pema wie ein Maschinengewehr, doch nun konnte auch ich zur Unterhaltung beitragen, weil der Weg bergab führte und unsere Bündel leer waren.

»Würdest du dich jemals zurückziehen, so wie deine Mutter?«, fragte ich.

»Wer weiß?«, erwiderte sie.

Nach einer Weile legten wir auf einem alten Baumstumpf neben dem Bergpfad eine Rast ein.

Pema erzählte mir von Freunden, die begonnen hatten, zu beten und zu meditieren, als sie älter wurden. »Sie unternehmen ständig Pilgerreisen zu diesem oder jenem Tempel. Und sie beten jeden Tag, morgens und abends«, erklärte sie.

Ihre Miene war ausdruckslos; ich konnte ihr nicht entnehmen, was sie von religiösen Praktiken wie Beten und Pilgern hielt.

»Meditierst du?«, fragte ich.

»Schau dir genau an, wo wir gerade sind«, erwiderte sie, ohne auf meine Frage einzugehen, und erhob sich vom Baumstumpf. »Wenn ich mit jemandem unterwegs bin, rede ich gerne.« Wir brachen wieder auf. »Ich achte nicht auf den Weg und wenn ich ankomme, denke ich: ›Ich bin ja schon da. Wie kann das sein?‹« Ihr Ablenkungsmanöver zeigte mir, dass meine Frage überflüssig war. Sie war ungeschickt gestellt und die Antwort reine Formsache. Es war auch gar nicht die Frage, die mir eigentlich auf der Zunge lag. Woher wusste sie das? Was ich wirklich von ihr wissen wollte, war, wie sie alles unter einen Hut brachte. Wie sie es geschafft hatte, neben so vielen anderen Dingen auch noch ihre Kinder großzuziehen.

Vor langer Zeit, während meiner ersten Reise nach Bhutan, in eine mir völlig fremde neue Welt, in der sich die Menschen oft völlig anders verhielten, als ich erwartete, stellte ich viele Fragen und erhielt auf einige eine Antwort. Manchmal begegnete man einer Frage mit Schweigen. Doch bisweilen waren die Antworten im Schweigen verborgen: *Was für eine Rolle spielt es, wann wir ankommen? Jetzt sind wir hier. Wie ist das für dich? In deinem Hotelzimmer gibt es vermutlich kein heißes Wasser. Die Welt wird kleiner. Was jeder Einzelne von uns denkt, ist wichtig und unser Verhalten, mag es auch noch so unbedeutend scheinen, hat Auswirkungen auf alle Lebewesen auf unserem Planeten. Wir können unser Potenzial nur dann voll ausschöpfen, wenn wir genau hinschauen und wahrnehmen, was ist. Wir sollten versuchen, über uns selbst hinauszuwachsen und unser Ego zu überwinden. Du könntest eine gute Mutter sein. Oder auch nicht. Was soll das bringen, diese Frage zu stellen?*

In meinem Leben hatten Abenteuer und Träume immer Vorrang vor dem Bedürfnis nach materiellem Besitz. Ich folge meiner Intuition und meinen Träumen, weil sie die einzige Möglichkeit darstellen, Veränderungen herbeizuführen. Ich habe nichts dagegen, ohne Netz und doppelten Boden zu arbeiten. Ich bin auch nicht abgeneigt, mich mit einer gehörigen Portion Vertrauen auf eine Situation einzulassen.

Im Westen ist es möglich zu leben, ohne wach zu sein, gleichsam in einem Dornröschenschlaf gefangen. In Bhutan ist man gezwungen, aufzuwachen, aufmerksam zu sein. Überall auf der Welt gibt es Unwissenheit aller Art. Eine formale Erziehung und Ausbildung, bei der wir lesen und schreiben lernen, vermittelt uns Informationen, aber nicht zwangsläufig Wissen. Wir müssen lernen, den Verstand zu gebrauchen und mit dem Herzen wahrzunehmen, was ringsum geschieht.

Inmitten meiner Überlegungen traf mich mit einem Mal der Blitz der Erkenntnis: Während ich grübelte, sinnierte und bohrende Fragen stellte, musste Kinlay kämpfen, Minute für Minute. Ein Kind, das nicht wusste, wie es weitergehen sollte. Ein Kind, das litt.

Am Ende war es keine Kopfentscheidung. Es gelang mir nicht, meine zahlreichen Zweifel auszuräumen, aber ich folgte meiner Intuition. Ich sagte Ja. Ich wagte den Sprung ins kalte Wasser und gelobte im Stillen, die beste halbherzige Mutter zu sein, die ich aus mir machen konnte. Es war eine Rolle, die ich fünf Minuten vor zwölf, auf den letzten Drücker und aus einem Bauchgefühl heraus annahm, eine Rolle, für die ich nur dem Namen nach gerüstet war. Ich klammerte mich an die unwirkliche Hoffnung, dass meine mütterlichen Instinkte, die so lange geschlummert hatten, erwachen und mich leiten würden.

Und das taten sie. Gewissermaßen.

Es gibt etliche Dinge im Leben, die wichtiger sind als die Fähigkeit, etwas mit dem Verstand zu erfassen.

NACHWORT

Während ich schreibe, höre ich Namgay, der im Raum über mir malt. Malen ist normalerweise eine mehr oder weniger stille Tätigkeit, aber nicht in dem Land, in dem wir leben. Während er malt, rezitiert er leise Gebete an die Gottheit, deren Bildnis unter seinen Händen entsteht. Er sagt, das trägt dazu bei, besser zu malen und dem *Thangka* mehr Ausdruckskraft zu verleihen.

Namgays Gebete driften durch das offene Fenster auf die kleine Sonnenveranda, wo ich arbeite, und bewirken, dass sich mir beim Schreiben die Nackenhaare aufstellen. Ich habe das Gefühl, dass mir für den Rest meines Lebens ein gutes Karma beschieden ist. Hoffe ich zumindest.

Namgay hat inzwischen die ersten grauen Haare, sieht aber nach wie vor jung aus. Er ist immer noch ein scheuer, zurückhaltender Mensch, aber nicht mir gegenüber. Er arbeitet gemächlich, sorgfältig und mit Bedacht und es kann Monate dauern, bis er eines seiner ebenso kunstvollen wie komplizierten Rollbilder vollendet hat.

Er bedient sich dabei altüberlieferter bhutanischer Maltechniken, beginnend mit der selbst gefertigten Leinwand aus einem einfachen Stück Baumwollstoff, das er spannt und mit Zwirn auf einen hölzernen Keilrahmen näht. Er bestreicht die Leinwand mit einer Schicht aus Harz und kohlensaurem Kalk, dann reibt er sie zuerst auf der einen und danach auf der anderen Seite mit einem Stein aus dem Fluss ein, um die Malfläche zu glätten. Er grundiert und glättet sie drei oder vier Mal, bis sie perfekt ist und die Farbe gleichmäßig aufnimmt, ohne dass Risse entstehen. *Thangkas* sind Rollbilder mit Darstellungen buddhistischer Gottheiten und anderen Motiven aus der bhutanischen Ikonografie, die seit Hunderten von Jahren immer wieder zusammen- und auseinandergerollt wurden. Die meisten werden zusammengerollt aufbewahrt bis zu den heiligen Tagen oder Zeremonien, für die sie gefertigt wurden. Dann werden sie ausgerollt und an den Tempelwänden aufgehängt. Die *Thangka*-Malerei ist eine seit vielen Generationen überlieferte Kunst.

Nach der Vorbereitung der Leinwand zeichnet Namgay mit unendlicher Akribie die Umrisslinien seines Hauptmotivs, die Gestalt eines buddhistischen Gottes oder einer Göttin im bhutanischen Stil, mit Himmel und Erde im Hintergrund. Dann beginnt er, die Konturen mit Pigmenten zu füllen, farbgebende Substanzen, die aus pulverisiertem Gestein – Lapislazuli, Malachit, Zinnober – oder Mineralien und Pflanzen gewonnen werden, gemischt mit Harz und Wasser. Jedes *Thangka* wird in der gleichen Reihenfolge gemalt: Zuerst entstehen Himmel und Erde, dann die Wolken, danach der Körper der Gottheit und zum Schluss das Gesicht. Das Antlitz einer Gottheit malt er nur in den frühen Morgenstunden, weil die Hände dann besonders ruhig und die Gedanken weniger verworren sind. Ein klarer Kopf ist für einen *Thangka*-Maler sehr wichtig. Das Letzte, was hinzugefügt wird, sind die Augen, die bewirken, dass ein *Thangka* zum Leben »erwacht«.

Namgays *Thangkas* sind für ihre Präzision und die wunderschönen Gesichter der Gottheiten bekannt, die heitere Gelassenheit spiegeln. Die Darstellungsweise richtet sich nach ikonografischen Vorschriften, die seit Jahrhunderten überliefert sind. Zu meinen Lieblingsmotiven gehören die *Neten Chudru* oder sechzehn Arhats, die Schüler Buddhas, die seine Lehren bewahrten und in alle vier Himmelsrichtungen hinaustrugen. Ich liebe auch die *Dakini*, die er malt: schöne, erleuchtete Wesen, die den Gottheiten dienen und wie in Wolken gehüllte Engel dargestellt werden, die Öl und heiliges Wasser auf die Erde hinabgießen. Eine besondere Zuneigung habe ich zu Dorje Drolo gefasst, der zornvollen Manifestation von Padmasambhava oder Guru Rinpoche. Er erinnert mich stets daran, dass ich für das, was ich liebe, kämpfen sollte und versuchen muss, meine Wut und Unwissenheit zu überwinden.

Namgay malt die Göttergestalten perfekt, sie haben genau die richtigen Proportionen. Er hat in der Schule die unzähligen unterschiedlichen Haltungen gelernt, die der Buddha, die Grüne Tara (die das Mitgefühl verkörpert), die Weiße Tara (das Symbol der Reinheit) und Dorje Sempa (ein Urbuddha) einnehmen können. Für ihn ist Malen Meditation, ein Akt der Frömmigkeit oder Ausdruck der Spiritualität.

Der letzte Schritt beim Malen eines *Thangka* besteht darin, Blumen und Blätter, Brokatstoffe und die Juwelen der Gottheiten hervorzuheben, was durch Auftragen von echtem, mit Harz und Wasser gemischten Goldstaub geschieht. Die vergoldeten Flächen werden mit einem speziellen Stein poliert, einem länglichen, dünnen Achat, um ihnen zusätzlichen Glanz zu verleihen. Das ist ein Vorgang, bei dem ich stundenlang zuschauen könnte. Die Oberfläche beginnt zu schimmern, wenn Namgay sie mit geduldiger und geschickter

Hand unzählige Male bearbeitet, bis das Gold zum Leben erwacht. Reibt man zu sanft, bleibt das Gold stumpf; reibt man zu hart, läuft man Gefahr, dass die Leinwand knittert oder bricht.

Ein Rollbild ist unendlich kostbar, jede Einzelheit muss perfekt sein. Namgay sagt, wenn es nicht vollkommen ist, wird der Auftraggeber, aber auch der Maler, keine gute Wiedergeburt erleben.

Namgay stellt seine Pinsel selber her, aus den Haaren, die Kühen im Sommer in den Ohren wachsen. Die Haare sind besonders fein und daher ideal für die komplizierten Formen und die hauchzarten, fast unsichtbaren Linien: das Haupthaar der Gottheiten, winzige perfekt gemalte Hände, die rosigen Lotosblüten gleichen, Konturen, die jeden Atemzug und jedes Gebet einfangen, das Namgay beim Malen spricht. Unsere Katze, die indische Ölsardinen aus Dosen vorgesetzt bekommt, damit ihr Fell dicht und glänzend wird, liefert die Haare mit einer etwas kräftigeren Struktur für die Pinsel. Neuerdings scheint Namgay sein Lieferantennetz erweitert zu haben: Einige Katzen aus der Nachbarschaft sehen aus, als wäre man ihnen mit der Schere zu Leibe gerückt, um kleine Haarbüschel auf dem Rücken zu entfernen. Er meinte scherzhaft, dass sie die Gelegenheit erhalten, in ihrem jetzigen Leben Verdienste zu erwerben, wenn sie ihren Beitrag zur Entstehung eines religiösen Kunstwerks leisten.

Im Gegensatz zu Namgay, der ausgeglichen und eher zurückhaltend ist, habe ich ein äußerst wechselhaftes Temperament und rede viel. Ich bin in Amerika, in Tennessee aufgewachsen, Welten von allem entfernt, was mit Buddhismus zu tun hat. Dennoch liebt mich Namgay. Inzwischen begreife ich, dass Menschen manchmal aus unerklärlichen Gründen zusammenfinden. Akzeptanz ist ein unabdingbarer Bestandteil der Liebe und die Liebe kann einen Menschen verwandeln, ihm etwas Besonderes verleihen.

Als ich zum ersten Mal nach Bhutan kam, war ich 39 Jahre alt. »Ein Umweg, der sich lohnt«, sagte man mir, als ich die Reise buchte. Und so war es. Bhutan, eine Welt voller Magie, hat mein Leben und mich selbst von Grund auf verändert, bis zur Unkenntlichkeit. Ich verlor fünfzehn Kilo Gewicht, gewann eine bhutanische Familie, hörte auf mit dem Rauchen, begann zu meditieren und lernte, überallhin zu Fuß zu gehen, ein Entwicklungsprozess, bei dem sich meine Vorstellungen und Einstellungen beinahe unmerklich wandelten. Ich habe kein Problem damit, weniger zu arbeiten, weniger Besitztümer anzuhäufen oder mich mit Picknicks zu begnügen, statt essen zu gehen. Hier gibt es keinen Moralkodex, auf den jemand pocht. Man könnte mich für verrückt halten, aber wenn Bhutaner mit Widersprüchlichkeiten konfrontiert werden, sagen sie: »Na und?« Sollte ich wirklich still und heimlich verrückt werden, könnte ich mir dafür keinen schöneren Ort vorstellen als Bhutan.

Natürlich ist die Wahrscheinlichkeit dafür gering, doch nach all den Jahren bin ich sensibler und ein anderer Mensch geworden, habe mich in vieler Hinsicht der bhutanischen Mentalität angepasst, was Essen, Kleidung, Denken, Festefeiern, Beten, Lachen und das ungezwungene Verhältnis zur Zeit betrifft. Was ich in diesem Leben nicht schaffe, hebe ich mir eben für das nächste auf.

Ich habe mich selbst, ein Zuhause und ein wunderbares Leben inmitten der Menschen und Berge von Bhutan gefunden. Ich habe gelernt, mein Tempo zu drosseln, achtsamer zu sein und zu lachen. Doch hin und wieder muss man mir noch auf die Sprünge helfen.

An einem Tag im Juni, ungefähr zwei Jahre nach unserer Hochzeit, saßen Namgay und ich in unserem kleinen Garten hinter dem Haus am Fluss. Es war früh am Morgen und wir tranken Tee, genossen die frische Luft und sprachen über die Blumen, die erste Knospen bildeten. Ich hatte noch Saatgut im Vorratsraum, das ich ausbringen wollte, und fragte ihn, ob der Platz im Schatten unter dem Pfirsichbaum oder in der prallen Sonne an der Backsteinmauer besser geeignet sei. Die Unterhaltung plätscherte dahin. Ich kann mich nicht an den genauen Wortlaut erinnern, aber irgendwann gelangten wir an den Punkt, an dem wir wie alle verheirateten Paare auf das Erinnerst-du-dich-noch-Spiel verfielen. Erinnerst du dich noch an die Blumen in dem Hotel in Lobesa? Erinnerst du dich noch an das Restaurant, in dem wir damals gegessen haben? Erinnerst du dich noch an unseren Urlaub auf Hawaii? Erinnerst du dich noch an den Mann in Bhutan, von dem wir die Zuckerschalen gekauft haben? Und dann sagte Namgay: »Erinnerst du dich noch an den Tag, an dem ich dich ein Stück mitgenommen habe?«

»Mich? Per Anhalter meinst du?«

»Auf meinem Motorrad.«

»Du hast kein Motorrad.«

»Früher schon. Du hattest dir an dem Tag den Knöchel verletzt.«

»Was?«

»In Punakha.«

»Was?! Woher weißt du, dass ich mir den Knöchel verstaucht hatte?«

»Weil ich dich auf meinem Motorrad mitgenommen habe«, erwiderte er sanft und beiläufig.

»Das ist doch nicht möglich! Das warst du?« Ich sprang auf. »Das warst DU auf dem Motorrad?«

Auch nach vielen Jahren war mir das Bild des Mannes auf dem Motorrad, der mich am Straßenrand aufgelesen und gerettet hatte, noch immer gewärtig. Doch seine Gesichtszüge waren unter dem Helm mit dem Visier verborgen, bis auf die Lippen. Und diese Lippen hatte ich seither immer wieder vor Augen gehabt. *Natürlich!* Wie konnte ich nur so blind sein.

Manchmal hat man das Gefühl, den Weg zu gehen, der einem bestimmt ist, oder dass magische Kräfte ihre Hand im Spiel haben. Warum hatte er dieses schicksalhafte Zusammentreffen nie erwähnt? Ich bin mir nicht sicher. Ich frage ihn ständig danach. Manchmal erklärt er, er habe es vergessen oder angenommen, ich wüsste, dass er es gewesen sei – und hätte beschlossen, stillschweigend darüber hinwegzugehen. Doch nun ist mir klar, es entspricht einfach seiner Art. Ich liebe ihn gerade wegen seines Gleichmuts und seiner Besonnenheit und deshalb liebe ich Bhutan, denn für mich sind beide untrennbar miteinander verbunden.

Ich habe gelernt, nicht mehr alles zu hinterfragen.

Ich habe begriffen, dass es immer wieder solche Glücksfälle gibt, die das Leben von Grund auf verändern. Sie kommen wahrscheinlich häufiger vor, als wir denken oder ahnen, vor allem, wenn wir uns auf eine Reise begeben, uns aus unserer »Verankerung« lösen. In Bhutan sind sie gang und gäbe. Und wenn der Tag kommt, an dem wir an einen Ort gelangen, dem ein Zauber innezuwohnen scheint, der alles möglich macht, sollten wir den ersten Schritt wagen, in den Fluss des Geschehens eintauchen und uns von ihm tragen lassen.

GLOSSAR

ANGAY – Großmutter, ältere Frau.

ARA – Heimischer Branntwein aus Getreide (Weizen, Gerste, Roggen). Wo ich herkomme, nannte man den schwarzgebrannten Alkohol »Moonshine«.

BAILEY BRIDGE – Behelfsbrücke aus vorgefertigten Stahlplatten, die vor etwa fünfzig Jahren von einem Ingenieurkorps der Britischen Armee entwickelt wurde. Diese Brücken sind in Bhutan, wo die Bergstraßen oft weggespült werden, unverzichtbar. Sie lassen sich leicht und schnell zusammenbauen, ohne schwere Ausrüstung, und die einzelnen Elemente sind untereinander austauschbar. Die Module können mit Lastwägen in den Bereich transportiert und an Ort und Stelle zusammengesetzt werden; sie sind stabil genug, um auch einer starken Nutzung standzuhalten.

CABZE – Schmalzgebäck als Opfergabe bei Zeremonien.

CHAPPEL – Hausschuhe aus Gummi, andernorts auch Riemchensandalen oder Flipflops genannt.

CHIPON – Torwächter.

CHORTEN – Hügelförmiger Reliquienschrein. Siehe auch Stupa.

CHOSHOM – Altar in einem Tempel oder Gebetsraum. In jedem bhutanischen Haushalt zu finden.

CHU, manchmal auch CHUU – Fluss. Mochu und Pochu: Mo bedeutet »Mutter«, Po bedeutet »Vater«. Der Mutter- und der Vaterfluss entspringen oberhalb von Gasa und fließen durch Punakha in die indische Duar-Ebene.

DASHO – Chef oder »Herr«. Dasho ist ein Ausdruck des Respekts, wie in der Ehrenbezeichnung la: »Wie ist das werte Befinden, la?« Eine bhutanische Freundin riet scherzhaft: »Benutze ›la‹, wenn du jemanden um einen Gefallen bittest.«

DOMA – Areca oder Betelnuss, eine leicht stimulierende Nuss, die Bhutaner gerne mit gebranntem Kalk vermischt und in Betelnussblätter gewickelt kauen.

DRIGLAM NAMZHA – Etikette. Grundlegende Verhaltensregeln in Bhutan, die von Shabdrung Ngawang Namgyal, der Bhutan einigte, im 17. Jahrhundert festgelegt wurden. Driglam Namzha schließt alles Mögliche ein, von der Kleiderordnung bis hin zur Gestaltung der Architektur und der Auswahl der Geschenke.

DRUK AIR – Die staatliche bhutanische Luftfahrtgesellschaft. Sie stellt noch heute die einzige Möglichkeit dar, nach Bhutan zu gelangen.

DZONG – Klosterburg, Regierungssitz und religiöses Zentrum. In Bhutan gibt es insgesamt neunzehn Dzongs. Sie wurden früher traditionsgemäß als Festung genutzt, wenn Stammeskriege ausbrachen oder die Tibeter ins Land einmarschierten. Sie verfügen über Geheimgänge und verborgene Wasserreservoirs und sind groß genug, um Tausende Menschen mehrere Jahre lang zu beherbergen.

DZONGKHA – Nationalsprache Bhutans. Dzongkha bedeutet wörtlich »Sprache der Dzongs«; früher wurde die Sprache in den Dzongs gesprochen, wo sie als Amtssprache galt. Die indo-burmesischen Täler in Bhutan, Indien und Burma gehören weltweit zu den Regionen mit der größten linguistischen Vielfalt. Man findet dort mehr als dreihundert verschiedene Sprachen und ein paar Tausend Dialekte. Aufgrund dessen war eine gemeinsame Amtssprache unabdingbar.

EMA DATSE – Nationalgericht Bhutans. Ema bedeutet »Chilis« und Datse heißt »Käse«. Das Gericht wird mit Reis serviert und ist höllisch scharf.

GHO – Nationaltracht der bhutanischen Männer. Der Gho wird vorne wie ein Bademantel übereinandergeschlagen. Der überschüssige Stoff wird in der Taille gerafft und mit einem breiten Gurt zusammengehalten.

GUP – Dorfvorsteher/Bürgermeister.

GURU RINPOCHE – Indischer Heiliger, auch Padmasambhava genannt, der im 8. Jahrhundert den Buddhismus nach Bhutan brachte. Ihm wird in Bhutan große Verehrung zuteil. Guru Rinpoche ist eine Ehrenbezeichnung, die so viel wie »kostbarer Lama und Lehrer« bedeutet. Auch als Guru Singye bekannt, werden ihm acht verschiedene Manifestationen oder göttliche Wesenheiten zugesprochen.

HEMCHU – Eine Art Tasche in Brusthöhe, die von den Falten des Gho und der Kira gebildet wird und zum Aufbewahren der verschiedensten Dinge dient.

JE KHENPO – Der spirituelle Führer Bhutans.

KABNEY – Zeremonialschal, den bhutanische Männer beim Besuch eines Tempels, Dzongs oder Regierungsgebäudes tragen.

KERA – Langer gewebter Gurt, der um die Taille gewickelt wird, um Gho oder Kira zusammenzuhalten. So nennt man auch eine Sprache, die vom Volk der Kera im Südwesten des

Tschad gesprochen wird, doch das müssen Sie sich nicht merken.

KHATA – Weißer Zeremonialschal, der als Glücksbringer bei Geburten, Hochzeiten und Beförderungen verschenkt wird, ähnlich wie die Glückwunschkarten in westlichen Ländern.

KICHU – Großes Allzweckmesser, ähnlich wie eine Machete.

KIRA – Nationaltracht der bhutanischen Frauen. Es handelt sich dabei um eine rechteckige, eineinhalb Meter breite und zweieinhalb Meter lange Stoffbahn, die auf beiden Schultern mit einer Schnalle oder Brosche zusammengehalten und in der Taille mit einem breiten Gurt gerafft wird.

KOMA – Brosche, mit der die Kira an der Schulter zusammengerafft und befestigt wird.

KUERTOP – Bewohner von Kuertoe, einer Region im nordöstlichsten Zipfel von Bhutan.

LHAKHANG – Tempel.

LOPEN – Ehrenbezeichnung für Lehrer oder »Herr«.

LYONPO – Minister in Bhutan. Lyonpo ist eine Ehrenbezeichnung, die in Großbritannien der Erhebung in den Adelsstand entspricht. Der Titel des bhutanischen Premierministers lautet Lyonchen.

NAGA – Erdgeister. Die Bhutaner bemühen sich, die Erdgeister gnädig zu stimmen, weil sie körperliche Beschwerden oder Krankheiten verursachen können, wenn sie grollen. Naga hassen Luftverschmutzung, und Hauterkrankungen sind die bevorzugte Strafe, mit der sie Vergeltung an Menschen üben, die sie erzürnt haben. Sie werden als Schlangen dargestellt, manchmal mit Kopf und Torso einer Frau.

NGULTRUM – Bhutanische Währung. Sie ist an die indische Rupie als Ankerwährung gebunden und hat etwa den gleichen Geldwert.

PUJA – Zeremonie. Sie werden gewöhnlich von Mönchen oder Nonnen durchgeführt, die heilige Texte rezitieren, rituelle Hörner blasen und Speise- und Trankopfer darbringen. Fast jeder Haushalt in Bhutan hält einmal im Jahr, an Losar – dem Neujahrstag –, eine Puja ab. Pujas werden auch bei Hochzeiten, Todesfällen, Einäscherungen, Einweihungsritualen oder in Verbindung mit Gebeten um Genesung oder eine gute Gesundheit anberaumt. Der Begriff Puja stammt aus dem Sanskrit und bedeutet »Ehrung« oder »Ehrerweisung«, hat sich aber auch in Bhutan eingebürgert. Die Entsprechung des Wortes Zeremonie auf Dzongkha lautet Rimdo.

PUNAKHA – Tal im Westen von Bhutan und ehemaliger Regierungssitz. Das gemäßigte Klima bietet ideale Bedingungen für die Landwirtschaft.

RACHU – Zeremonialschal, den bhutanische Frauen beim Besuch eines Tempels, Dzongs oder Regierungsgebäudes tragen. Er wird meistens aus roter Seide oder Baumwolle gewebt und kann mit Blumen und Glückssymbolen bestickt sein.

SAMSARA – Bezeichnung für den ewigen Kreislauf des Werdens und Vergehens. In der buddhistischen Philosophie ist die Welt ein endloser Kreislauf von Geburt, Tod und Wiedergeburt, dem alle Lebewesen unterworfen sind. Samsara ist der immerwährende Daseinszyklus.

SELJ'E SUMCU – Bhutanisches Alphabet, aus dreißig Buchstaben bestehend. Es ist dem Chöke entlehnt, dem tibetischen Alphabet, das für die heiligen Schriften verwendet wurde.

SHEDRA – Mönchsschule.

STUPA – Hügelförmiger Reliquienschrein. Siehe auch Chorten.

TANTRA – Eine Form des Mahayana-Buddhismus, die in Bhutan praktiziert wird. Das Wort Tantra bedeutet »Gewebe« oder »Zusammenhang« und die Anhänger glauben an die Macht der alten Geheimrituale, um göttliche Energie nutzbar zu machen und in einem Lebenszyklus Erleuchtung zu erlangen.

TEGO – Kurze Jacke, die bhutanische Frauen über der Kira tragen. Das formlose weiße Baumwollunterhemd der Männer unter dem Gho wird ebenfalls Tego genannt. Was für Verwirrung sorgen kann.

TERTON – Schatzfinder. In uralter Zeit pflegten heilige Männer auf ihren Wanderungen durch Bhutan und Tibet Schätze zu verstecken: altüberlieferte religiöse Texte, wertvolle Sakralobjekte, zum Beispiel Statuen, und andere Kostbarkeiten. Tertons entdeckten die Schätze an Orten, die ihnen in religiösen Schriften oder Träumen offenbart wurden, oft Jahrhunderte später.

THANGKA – Rollbild, gemalt oder gestickt. Thangkas wurden auf Pilgerreisen mitgeführt oder bei Ritualen oder Feiern aufgehängt.

THIMPHU – Hauptstadt von Bhutan.

THRIMPON – Richter.

TORMA – Teigskulpturen aus Butter und Mehl, bunt gefärbt und zu Blumen oder anderen Symbolen aus der bhutanischen Ikonografie geformt. Die Skulpturen gleichen Totempfählen im Miniaturformat und werden bei Ritualen als Opfergaben auf dem Choshom oder Altar dargebracht.

UZEN – Leiter einer Schule.

WANJU – Dünnes Unterhemd, das unter der Kira der Frauen getragen wird, meistens aus Seide oder Polyester.

ZANGTOPELRI – Himmlische Heimstatt des Guru Rinpoche.

DANKSAGUNG

Mein Dank geht an Ben und Janine Cundiff und an Joe und Judy Barker, für die das Leben ein Extremsport ist; sie waren so freundlich, Namgay und mir viele Dinge zu ermöglichen, die ich sehr zu schätzen weiß. Danken möchte ich auch Carol und Rob Stein, die den Stein ins Rollen brachten.

Des Weiteren danke ich meiner Agentin, der einmaligen und wundervollen Laurie Abkemeier; Patty Gift und Sally Mason von Hay House für ihre Liebenswürdigkeit und Geduld; und Anne Barthel für die Überprüfung von Fakten, die sich faktisch nicht überprüfen ließen.

Mein Dank geht außerdem an meine bhutanischen Freunde und Lehrer, einschließlich Louise Dorje, Botschafter Lhatu Wangchuk, Aum Dago Beda, Dawa Lhamo und Ugyen Zam für die Inspiration und Hilfe. Dank gebührt auch den Forschern und Wissenschaftlern am Centre for Bhutan Studies und Dasho Karma Ura für die Informationen über Chendebji im Distrikt Trongsa. Mein besonderer Dank gilt meinem Guru Thinley Dorje.

Danken möchte ich außerdem BJ Robbins, Jane Cavolina, Richard Loller und meiner Leserin Sherry Loller, die mit ihrem außergewöhnlichen Gespür von Anfang an wusste, was richtig war. Mein Dank und alles Liebe an Sarah Forbes, die für immer einen Platz in meinem Herzen hat.

Und natürlich danke ich Namgay, der noch viel bemerkenswerter ist, als ich ihn beschreiben könnte.